Impressum:

Alle Personen und Handlungen des Buches sind frei erfunden.
Ähnlichkeiten mit lebenden oder verstorbenen Personen sind
zufällig und nicht beabsichtigt.

Besuchen Sie uns im Internet:
www.papierfresserchen.de

© 2020 – Papierfresserchens MTM-Verlag
Mühlstraße 10, 88085 Langenargen

info@papierfresserchen.de
Alle Rechte vorbehalten.
Erstauflage 2020

Herstellung: Redaktions- und Literaturbüro MTM
www.literaturredaktion.de

Titelbild: © Heike Georgi

Druck: Bookpress, Polen
Gedruckt in der EU

ISBN: 978-3-96074-368-2 - Taschenbuch
ISBN: 978-3-96074-369-9 - E-Book

Martina Meier (Hrsg.)

Wünsch dich ins Wunder-Weihnachtsland

Erzählungen, Märchen und Gedichte zur
Advents- und Weihnachtszeit

Band 13

Der Weihnachtsmann langweilt sich

Wünsch dich ins kleine Wunder-Weihnachtsland

Der Weihnachtsmann langweilt sich

Die schöne, wenn auch anstrengende Weihnachtszeit lag erfolgreich hinter ihm und so hatte sich der Weihnachtsmann mit Rudolf, seinem Rentier, den Elfen und seinen Brüdern Fred Claus und Santa auf den Weg nach Lappland gemacht. Hier konnte er endlich aufatmen, denn für ihn war es wirklich mehr als stressig gewesen, zumal er ja auch nicht mehr zu den Jüngsten gehörte. Wie viele Kinder in den unterschiedlichsten Ländern hatte er mit seinen Gaben glücklich gemacht! Und somit durfte er sich auf seinen Lorbeeren ausruhen.

Inzwischen aber waren vier Monate vergangen, doch wie viele lagen noch vor ihm bis Weihnachten? Was sollte er denn in der Zwischenzeit tun? Es war ihm noch nichts Richtiges eingefallen und so musste er sich daher eingestehen, dass er Langeweile hatte, echte Langeweile. Dabei hatte er schon einiges versucht: Ein Buch angefangen zu lesen, wozu er bis dahin noch nicht gekommen war, mit seinen Freunden telefoniert oder eine WhatsApp-Nachricht geschickt, aber alles war nicht so aufregend wie die Weihnachtszeit, irgendetwas fehlte einfach. Und so beschloss er, mal seine Brüder zu fragen, wie sie mit ihrer freien Zeit bis Weihnachten umgingen.

Oh, was herrschte denn da für ein Krach? Vorsichtig öffnete er die Tür und sah, dass sie *Mensch ärgere dich nicht* spielten, Santa offensichtlich verloren hatte und sich darüber maßlos ärgerte.

„Meine Güte, wie kann man sich so aufregen, ist doch nur ein Spiel!"

„Ja, aber Fred Claus gewinnt immer und ich nie, der schummelt! Außerdem hat er den besseren Würfel, meiner tut es nicht richtig."

„Nix da, es liegt doch nicht am Würfel, es ist einfach nur Glück! Aber ich finde es unfair, von meinem Bruder als Falschspieler tituliert zu werden!"

„Und außerdem schmeißt du mich immer kurz vor dem Ziel raus", ereiferte sich Santa weiter.

„Schluss jetzt mit eurem Gezeter! Aber natürlich ist es mehr als unfair, seinen Bruder einen Falschspieler zu nennen, dafür muss Santa sich entschuldigen."

Dieser rang mit sich, quetschte sich dann aber ein: „Entschuldigung", heraus, womit sich sein Bruder im Moment auch zufriedengab.

„So, Herrschaften, jetzt aber Schluss mit der miesen Stimmung, lasst uns besser mal überlegen, wie wir die Zeit bis Weihnachten angenehm rumkriegen."

„Und, hast du einen Vorschlag?", fragte Fred Claus mürrisch, der trotz der Entschuldigung noch sauer auf seinen Bruder war. „Es ist doch alles so öde, man weiß wirklich nicht, wie man die Zeit totschlagen kann."

„Aber, aber", ereiferte sich da der Weihnachtsmann, „die Zeit ist doch viel zu kostbar, um sie totzuschlagen. Wir sollten sie genießen und überlegen, was wir Schönes unternehmen könnten, bis wir wieder Weihnachtswünsche erfüllen dürfen."

„Wie sieht es aus, hast du denn eine Idee?", erkundigte sich Santa, der ebenfalls noch schlechte Laune hatte.

Der Weihnachtsmann wiegte seinen Kopf hin und her, aber plötzlich schien er einen Einfall zu haben. „Was haltet ihr davon, wenn wir mal nachschauen, was die Menschen machen, wenn keine Weihnachtszeit ist?"

Dieser Vorschlag fand allgemein Anklang und ließ die Stimmung sofort von null auf hundert steigen. Umgehend machte man sich auf den Weg.

Doch was war das denn? Kaum ein Mensch war auf den Straßen zu sehen, wo sich sonst doch Menschenmassen knubbelten und man kaum durchkam.

„Wo sind denn die ganzen Leute?", fragten sie sich. „Machen sie vielleicht Urlaub, denn wir haben immerhin schon Frühling!"

„Aber doch nicht alle auf einmal", überlegte der Weihnachtsmann, „das glaube ich nicht. Wir sollten mal in die Häuser schauen, vielleicht sind sie alle daheim."

Gesagt, getan!

Und da war auch schon das erste Fenster, durch das sie ins Wohnzimmer schauen konnten, wo sie die Eltern mit einem Jungen und seiner kleinen Schwester erblickten.

„Seltsam, müssten die Eltern nicht arbeiten und der Junge in der Schule und die Kleine in der Kita sein?", wunderte sich Fred Claus. „Ja, aber guck mal, die spielen auch *Mensch ärgere dich nicht.* Mal sehen, ob da auch einer nicht verlieren kann." Die drei drückten sich die Nasen an der Fensterscheibe platt und verfolgten gespannt das Spiel. Plötzlich schmiss die Kleine alles um und schrie: „Ben hat geschummelt, ich habe keine Lust mehr!"

„Ha, ha, ha, Santa, das Mädchen kann genauso schlecht verlieren wie du!", rief Fred Claus aus. „Allerdings ist es auch noch klein, da kann man das entschuldigen."

„Ich kann auch verlieren, wenn es mit rechten Dingen zugeht. Aber du hast gepfuscht."

Ehe Fred Claus darauf antworten konnte, zog der Weihnachtsmann die beiden von dem Fenster fort. „Hört auf zu streiten! Lasst uns lieber schauen, wie es bei anderen Familien zugeht."

Durchs nächste Fenster erblickten sie eine Familie, die offensichtlich beim Mittagessen saß. Aber was war das denn? Jeder hatte ein Smartphone neben sich liegen, auf das man von Zeit zu Zeit schaute.

„Meine Güte", rief Santa ganz entsetzt aus, „die Dinger haben doch nun wirklich nichts auf dem Mittagstisch verloren!"

„Mit Sicherheit nicht, aber leider sind viele danach süchtig, doch kommt weiter, vielleicht sehen wir noch was Interessanteres!", rief der Weihnachtsmann aus, womit auch seine Brüder einverstanden waren.

Und so warfen sie einen Blick durch ein weiteres Fenster. Da sah es aber ganz anders aus, denn da saß die ganze Familie gemütlich zusammen und las.

„Ihr könntet auch ab und zu mal ein Buch lesen anstatt euch bei *Mensch ärgere dich nicht* zu zanken", bemerkte der Weihnachtsmann.

Die beiden Brüder überhörten den Vorwurf, vielmehr zogen sie weiter. Jedoch brauchten sie dieses Mal nicht durchs Fenster zu gucken, da ein Blick in den Garten ihnen zeigte, dass sich die ganze Familie dort tummelte. Die Eltern spielten mit den Kinder Völkerball und alle hatten offensichtlich auch Spaß daran.

„Es gibt also doch noch was anderes als Brettspiele und Smartphone!", stellte der Weihnachtsmann erfreut fest. „Aber wie es aussieht, sind alle zu Hause, Kinder und Eltern. Da muss was Gravierendes passiert sein. Wir müssen unbedingt mal Nachrichten hören, damit wir wissen, woran wir sind."

Sofort machten sie sich auf die Suche. Nach einigen Anläufen fanden sie ein Fenster, durch das sie die Nachrichten sehen und hören konnten und endlich wussten, was los war. Ein fieser Virus hatte sich auf der ganzen Welt breitgemacht und schon sehr viele Todesopfer gefordert.

„Beeilt euch, lasst uns sehen, dass wir schnell nach Hause kommen, ohne uns infiziert zu haben!", trieb der Weihnachtsmann seine Brüder an, was diese sich nicht zweimal sagen ließen.

Renate Hemsen wurde 1940 in Köln geboren, wo sie auch heute noch lebt. Zu ihren Hobbys gehören Schreiben, Lesen und Reisen. Besonders das Schreiben macht ihr große Freude und daher war sie auch froh, dass sie nach dem Ausscheiden aus dem Berufsleben dafür mehr Zeit und Muße hatte. Sie belegte sofort einen Belletristikkursus und später auch noch einen für Kinder- und Jugendliche. Sie hat verschiedene Kurzgeschichten und auch Gedichte veröffentlicht.

Bruderzwist

„Du hast meinen Ball kaputt gemacht!", schreit Sascha und stürmt weinend aus dem Kinderzimmer. Er läuft in die Küche, umklammert seine Mutter und schluchzt: „Fabian ist so gemein! Immer macht er meine Sachen kaputt."

Die Mutter streichelt Sascha über den Kopf. „Jetzt beruhige dich doch. Und dann erzählst du mir, was passiert ist."

„Mein Ball, mein Ball", jammert Sascha. Dicke Tränen laufen über seine Wangen. „Fabian hat meinen Ball kaputt gemacht. Ich hasse ihn."

Die Mutter blickt auf und sieht Fabian in der Tür stehen. „Was hast du gemacht?", fragt sie streng. Doch sie bekommt keine Antwort. Fabian schaut nur zu Boden und betrachtet intensiv seine Zehen. „Los, ich habe dich etwas gefragt", besteht die Mutter auf eine Antwort.

„Jetzt bin natürlich wieder ich der Schuldige", antwortet Fabian nun doch. „Warum fragst du nicht, was Sascha gemacht hat? Ich muss mir von ihm alles gefallen lassen, aber wenn ich mich einmal wehre, dann ..." Fabian schießen die Tränen in die Augen. Er dreht sich um, läuft in sein Zimmer und knallt die Tür hinter sich zu.

„Sascha, schau mich einmal an", fordert die Mutter ihren jüngeren Sohn auf. „Was hast du deinem Bruder angetan?"

„Ich?", fragt Sascha ganz erstaunt und schaut seiner Mutter unschuldig ins Gesicht. „Ich habe ganz brav in meinem Zimmer gespielt. Und dann ist Fabian gekommen und hat mich gestört. Und dann war mein Ball kaputt. Ich habe gar nichts gemacht, aber Fabian hat ..."

„Ist schon gut", unterbricht ihn die Mutter seufzend. „Ich werde mit deinem Bruder sprechen. Aber zuerst soll er sich beruhigen. Außerdem muss ich jetzt die Nudeln abseihen. In zwanzig Minuten gibt es Abendessen."

Sascha sitzt grollend in seinem Zimmer. Eigentlich sollte er ja endlich seinen Wunschbrief an das Christkind schreiben. Aber stattdessen überlegt er, wie er sich an seinem Bruder rächen könnte. „Ich werde es ihm heimzahlen. Ich werde auch seinen Ball kaputt machen", denkt er. Doch dann fällt ihm ein, dass Fabian gar keinen Ball besitzt. Und plötzlich hat Sascha eine Idee. Er reißt ein Blatt Papier aus seinem Notizblock und schreibt an das Christkind.

In der Nacht, wenn alle Kinder schlafen, ist das Christkind unterwegs. Suchend schaut es sich um, hinter welchem Fenster ein Wunschbrief liegt. „Na endlich, jetzt hat auch Sascha seinen Brief geschrieben", stellt es erleichtert fest. „Morgen ist doch schon Weihnachten!" Gespannt nimmt das Christkind den Brief, öffnet ihn und liest.

Liebes Christkind!
Ich wünsche mir zu Weihnachten ein ferngesteuertes Auto, ein Buch über Ritter und ein Taschenmesser. Außerdem wünsche ich mir, dass mein Bruder einen Ball bekommt.

Das Christkind schaut vom Brief auf und lächelt den schlafenden Sascha an. „Du bist ja ein ganz lieber Bub", flüstert es. „Du denkst auch an deinen Bruder." Dann liest es weiter.

Fabian hat nämlich heute meinen Ball kaputt gemacht. Leider kann ich mich nicht rächen, weil er keinen Ball hat. Aber wenn du ihm einen Ball schenkst und mir ein Taschenmesser, dann werde ich es ihm so richtig heimzahlen.
Liebe Grüße
Sascha

Entsetzt lässt das Christkind den Brief fallen. Das Lächeln ist aus seinem Gesicht verschwunden. „Nein, Sascha, so geht das nicht", murmelt es. „Ich bringe den Menschen Frieden und Freude, nicht Streit und Rache."

Schnell hebt das Christkind den Brief auf, steckt ihn ein und berührt Saschas Nase. „Träum schön!", flüstert es. Dann fliegt es in Fabians Zimmer, berührt auch dessen Nase und flüstert wieder: „Träum schön!"

Sascha und Fabian träumen:
„Du hast meinen Ball kaputt gemacht, na warte!", schreit Fabian und läuft seinem fliehenden Bruder nach. Weil Sascha wieder einmal zur Mutter in die Küche flieht, dreht Fabian um und schleicht sich in das Zimmer seines Bruders. „Du wirst schon sehen, was du davon hast", denkt er zufrieden.

Sascha geht beschwingt in sein Zimmer. „Rache ist doch süß", denkt er und öffnet die Tür. Doch die Fröhlichkeit verschwindet schlagartig aus seinem Gesicht. Denn mitten im Zimmer steht sein ferngesteuertes Auto, das er erst zu Weihnachten bekommen hat. Und neben dem Auto liegt die abgebrochene Antenne.

Unruhig wälzen sich Sascha und Fabian in ihren Betten, dann träumen sie weiter.

Die Sonne strahlt vom Himmel. Auf der Terrasse ist mit verschiedenen Gartengeräten eine Rennstrecke ausgelegt. Blumentöpfe stehen als Hindernisse auf der Strecke. Fabian lenkt konzentriert das ferngesteuerte Auto durch den Parcours, während Sascha die Zeit stoppt. „Drei Minuten 17 Sekunden, nicht schlecht für fünf Runden!", ruft Sascha fröhlich. „Aber jetzt zeige ich dir, dass es noch besser geht." Er reicht seinem Bruder die Stoppuhr und übernimmt von diesem die Fernsteuerung.

„Wir werden ja sehen", antwortet Fabian genauso fröhlich. „Was hältst du davon, wenn wir nachher ein bisschen Ball spielen?"

„Gute Idee", antwortet Sascha begeistert. „Aber zuvor holen wir uns noch ein Eis."

Am nächsten Tag wachen Sascha und Fabian nachdenklich auf. Während des Frühstücks sprechen sie kaum. Nur ab und zu wirft der eine dem anderen einen unsicheren Blick zu. Ansonsten verhalten sie sich so, als ob der andere Luft wäre.

Endlich läutet das Glöckchen. Freudig betreten die beiden Brüder zusammen mit den Eltern das Wohnzimmer. Der Christbaum strahlt im Kerzenglanz. Darunter liegen viele Päckchen. Doch bevor diese ausgepackt werden dürfen, singt die Familie Weihnachtslieder und liest das Weihnachtsevangelium. Sascha und Fabian sind schon ganz zappelig.

Endlich ruft ihr Vater: „Fröhliche Weihnachten, meine Lieben! Schauen wir doch einmal, wem das erste Päckchen gehört. Es ist für Sascha!"

Freudig nimmt Sascha das Päckchen entgegen und öffnet es vorsichtig. Ein wunderschönes Auto kommt zum Vorschein. Nachdenklich betrachtet Sascha die lange Antenne. Plötzlich kann er sich gar nicht richtig über das Geschenk freuen.

Das nächste Päckchen ist für Fabian. Er reißt das Geschenkpapier auf und hält eine Schachtel ohne Aufschrift in der Hand. Neugierig öffnet er die Schachtel und wundert sich. In der Schachtel befindet sich ein Ball. „Den habe ich mir doch überhaupt nicht gewünscht", denkt er. „Außerdem war es doch Saschas Ball, der gestern kaputtgegangen ist." Da fällt Fabian der komische Traum ein, den er letzte Nacht gehabt hat. Er überlegt kurz. Dann nimmt er den Ball aus der Schachtel, geht zu seinem Bruder, drückt ihm den Ball in die Hand und sagt: „Tut mir leid, was gestern mit deinem Ball passiert ist. Magst du diesen haben? Ich schenke ihn dir."

Sascha schaut seinen Bruder zunächst erstaunt an, doch dann schleicht sich ein Lächeln auf sein Gesicht. „Danke", flüstert er. „Dafür darfst du auch mit meinem Auto spielen."

Sissy Schrei lebt zurzeit in Maria Lanzendorf.

Weihnachten wie immer – und doch ganz anders

So wie alle Jahre. Das war für Tina das Wichtigste. Weihnachten sollte alle Jahre möglichst gleich verlaufen. Der Christbaum sollte immer am selben Platz stehen und sie freute sich jedes Jahr wieder, die schönen Weihnachtskugeln und den anderen glitzernden Schmuck darauf wiederzuerkennen. Es gab an jedem Heiligen Abend das gleiche Essen: gebackenen Fisch mit Kartoffelsalat. Den Fisch mochte Tina zwar nicht so gerne, aber er gehörte auch zum alljährlichen Ritual und deswegen aß sie ihn an diesem ganz besonderen Abend mit Freude und mit Appetit. Und alle Jahre wieder sangen sie die altvertrauten Lieder unter dem Weihnachtsbaum, so wie immer. Nur die Geschenke, die sollten natürlich nicht jedes Jahr gleich sein – das wäre ja langweilig! Tina hatte sehr viele Spielsachen. Ihr ganzes Zimmer war voll mit allen nur möglichen Sachen. Und eigentlich wusste sie gar nicht so recht, was sie sich dieses Jahr vom Christkind wünschen sollte ...

Daher war sie in der Vorweihnachtszeit mit ihrer Mama unterwegs in die Stadt, um sich in den Geschäften umzusehen und vielleicht etwas zu finden, das sie noch nicht hatte und sie sich wünschen konnte. Sie gingen zu einem riesengroßen Einkaufszentrum. Noch vor dem Eingang begrüßte sie ein verkleideter Weihnachtsmann mit eindeutig aufgeklebtem Bart und verteilte Zuckerln an die Kinder. Dabei sagte er immer wieder: „Ho ho ho!!", und bimmelte mit einer Glocke, die er in der Hand hatte. Tina hätte nur zu gerne an dem falschen Bart gezogen, um sicherzugehen, dass er aufgeklebt war, aber sie wusste, dass man das nicht tat, und eigentlich traute sie sich auch gar nicht. Also nahm sie brav ihr Zuckerl, sagte: „Danke", und dachte sich dabei: „Ich weiß, dass du nicht echt bist, denn zu uns kommt das Christkind und an den Weihnachtsmann glaub ich nicht."

Endlich erreichten sie die Eingangstüre. Es war so eine Glastür, die sich im Kreis drehte, und es dauerte ein wenig, bis sie endlich drinnen waren, denn Tina konnte einfach nicht widerstehen, ein paar Runden damit im Kreis zu laufen.

Als sie ins Innere traten, musste Tina fast ein wenig die Augen zusammenkneifen, so sehr blendeten sie die vielen bunten und blinkenden Lichter. Alles war so wunderbar geschmückt und es duftete nach Lebkuchen, Punsch und auch ziemlich stark nach Parfum, da gleich nebenan eine sehr geschminkte Dame jeder vorbeigehenden Frau – ob diese wollte oder nicht – Parfum aufsprühte, da man diesen wunderbaren Duft nur an diesem Tag besonders billig kaufen konnte. Überhaupt herrschte in diesem Einkaufszentrum eine rege Betriebsamkeit, um nicht zu sagen – Hektik. Im Hintergrund hörte man kaum die stimmungsvolle Weihnachtsmusik und irgendwie wollte diese auch gar nicht so richtig zu den hastenden Menschen mit den riesengroßen übervollen Einkaufstaschen passen. Tinas Mama wurde von der Parfum versprühenden stark geschminkten Dame in ein Gespräch verwickelt und so hatte Tina Zeit, sich genau umzusehen.

Sie setzte sich in Sichtweite ihrer Mama auf eine kleine Bank. Dort saß schon jemand, und zwar ein kleiner Junge, circa in Tinas Alter. Tina sah den Jungen unauffällig von der Seite an. Sie bemerkte, dass er nicht sehr warm angezogen war und auch seine Turnschuhe waren für den Schneefall und die eisige Kälte draußen viel zu dünn. Er hatte keine Handschuhe an und seine Hände steckten fest in den Jackentaschen. Die Ohren und seine Nase waren ganz rot, da sie in der Wärme des Einkaufszentrums gerade auftauten. So wie auch Tina sah er sich im Einkaufszentrum die schöne Beleuchtung, die Auslagen und die umher eilenden Menschen an. Tina blickte sich zu ihrer Mutter um. Diese war inzwischen bei einem Schmuckstand angekommen und probierte verschiedene Ohrringe an, das hieß, sie war noch für einige Zeit beschäftigt.

Der Junge auf der Bank neben ihr machte Tina neugierig und sie beschloss, ihre Schüchternheit zu überwinden und ihn anzusprechen. „Hallo", sagte sie, „ich heiße Tina. Bist du auch mit deinen Eltern da, um Weihnachtsgeschenke auszusuchen?"

Der kleine Bub sah sie aus großen dunklen traurigen Augen an. „Ich heiße Ronnie. Nein, ich bin hier, um mich aufzuwärmen", sagte er und blickte wieder vor sich hin."

„Was meinst du mit *aufwärmen*?", fragte Tina verwirrt. „Warum

wärmst du dich nicht zu Hause auf? Und du bist ganz alleine hier?"
„Bei mir zu Hause ist es nicht warm", antwortete Ronnie und sah dabei auf seine viel zu dünnen und vom Schnee durchnässten Schuhe. „Wir haben kein Geld, um Holz für den Ofen zu kaufen. Und ja, ich bin alleine hier, meine Eltern sind beide arbeiten, damit wir wenigstens etwas zu essen kaufen können."

„Wo wohnst du denn?", fragte Tina, der der kleine Junge ganz schön leidtat.

Er deutete stumm auf ein Haus auf der anderen Straßenseite des Einkaufszentrums, das man durch die drehende Glastür erkennen konnte.

„Welches Spielzeug wünschst du dir vom Christkind?", fragte Tina.

„Spielzeug?", fragte der Junge, der Ronnie hieß. „Ich wünsche mir kein Spielzeug. Ich wünsche mir Holz für den Ofen, damit wir wieder heizen können, und, dass wir genug zu essen kaufen können. Und dass meine Eltern ein wenig Zeit für mich haben ...", fügte er noch leise hinzu.

Tina dachte über die Worte des Buben nach. Mitten in ihre Gedanken hinein hörte sie ihre Mutter rufen. „Tina, komm, wir gehen jetzt ins Spielzeuggeschäft und sehen mal, was du dir vom Christkind wünschen könntest!" Fröhlich rauschte ihre Mutter heran, umgeben von einer intensiven Duftwolke. Die geschminkte Parfumdame hatte ganze Arbeit geleistet. An Mamas Ohren baumelten neue Ohrringe.

Spontan umarmte Tina ihre Mama und sagte leise: „Schön, dass wir Zeit miteinander verbringen, Mama!" Zu dem Jungen sagte sie noch: „Tschüss und schöne Weihnachten". Dann zog sie an Mamas Hand Richtung Spielzeuggeschäft.

Doch irgendwie konnte sich Tina nicht so richtig für all die Barbies, Legos, Puppenhäuser, Stofftiere, Playmobilfiguren und was es da alles sonst noch gab begeistern. Ihre Gedanken wanderten immer wieder zu Ronnie mit den traurigen Augen ...

Unverrichteter Dinge kam sie mit ihrer Mama nach Hause. Sie hatte nichts gefunden, das sie gerne in ihren Christkindbrief schreiben würde. Beim Betreten der Wohnung nahm sie erstmals die wohlige Wärme wahr, die sie schon an der Eingangstüre umfing. Wieder musste sie an Ronnie denken, der sich im Einkaufszentrum aufwärmen musste, weil es bei ihm zu Hause so kalt war.

Die Tage vergingen und Weihnachten rückte immer näher. Eines Morgens sagte Tinas Mama: „Tina, langsam solltest du deinen Christkindbrief schreiben. Schließlich muss das Christkind doch noch alle Briefe einsammeln und dann alle Wünsche der Kinder besorgen ... Dazu braucht es auch ein wenig Zeit. Also, wenn du endlich weißt, was du dir wünscht, dann schreib doch bitte deinen Brief!"

Tina dachte lange nach. Sie hatte doch eigentlich alles. Sicherlich konnte man anstatt zehn Barbies auch elf haben und ein neues Spiel für den Nintendo wäre auch nicht schlecht ... Aber war das wirklich notwendig? Brauchte man diese Dinge, um glücklich zu sein? Sie konnte sich doch wirklich glücklich schätzen, dass sie ein warmes, schönes Zuhause und immer genug zu essen hatte.

Es dauerte noch ein paar Tage und viele Überlegungen, dann – auf einmal – wusste Tina ganz genau, was sie sich wünschen würde. Schnell lief sie zu ihrer Mama und strahlte sie an. „Mama, Mama! Ich weiß jetzt, was ich mir wünsche! Du kannst dich doch an Ronnie erinnern, den ich im Einkaufszentrum kennengelernt habe!"

Mama nickte und hörte weiter ihrer aufgeregten Tochter zu.

„Ich wünsche mir", sprach Tina weiter, „dass Ronnie ein warmes Zuhause und ein schönes Weihnachtsfest hat!"

„Das ist ein toller Wunsch", strahlte Tinas Mama. „Aber wie sollen wir das machen?"

„Ich weiß, ich weiß, ich weiß!", rief Tina aufgeregt. Und dann schrieb sie gemeinsam mit ihrer Mama einen langen Brief an das Christkind ...

Endlich war es so weit: Der Heilige Abend war da. Und es war alles so wie immer: Der Christbaum stand da, wo er immer stand, und Tina bewunderte den schönen Schmuck, den sie doch so gut kannte. Sie sang mit ihrer Familie die schönen Weihnachtslieder und aß brav den gebackenen Fisch, obwohl er ihr gar nicht so besonders schmeckte. Also war alles so wie immer.

Oder doch nicht ganz ...

Tatsächlich hatte sie dieses Jahr nur zwei kleine Päckchen vom Christkind bekommen, aber das machte Tina gar nichts aus, denn dieses Jahr hatte sie sich nichts für sich selbst gewünscht.

Für Ronnie war der Heilige Abend auch etwas ganz Besonderes, da seine Eltern an diesem Tag nicht zur Arbeit mussten und daher

Zeit für ihn hatten. In dicke Jacken gehüllt, saßen sie beim Esstisch um eine leuchtende Kerze und beteten und sagen Weihnachtslieder. Es gab keinen Christbaum und keine Geschenke, dafür hatten sie leider kein Geld.

Auf einmal klopfte es an der Tür und Ronnie meinte, auch ein zartes Glockengeläute gehört zu haben. Neugierig ging er hinaus und überlegte, wer an Heiligabend denn um diese Zeit noch vorbeikommen könnte. Dann öffnete er die Tür und vor lauter Staunen und Überraschung riss er seine Augen und den Mund ganz weit auf. Er traute seinen Augen kaum.

„Mama, Papa, kommt schnell. Das müsst ihr euch ansehen! Das Christkind war da!"

Und tatsächlich: Vor der Wohnungstüre türmten sich weihnachtlich verpackte Geschenke und ein Korb voller Leckereien sowie ein kleiner Christbaum mit bunten Lichtern und nicht zuletzt eine riesengroße Kiste mit Holz für den Ofen. Sprachlos und mit Tränen der Freude in den Augen starrten Ronnie und seine Eltern die Weihnachtsbescherung an, dann begannen sie, die Sachen ins Wohnzimmer zu bringen.

Als Erstes heizten sie ein und als sich im Zimmer wohlige Wärme auszubreiten begann, setzten sie sich um den kleinen Weihnachtsbaum und machten sie sich daran, die Geschenke auszupacken. Da waren dicke Winterstiefel, Haube, Schal und warme Handschuhe für Ronnie sowie eine Eisenbahn, die von selbst im Kreis fuhr, und ein Teddybär. Für Mama und Papa gab es Wein und Schinken und viele andere Leckereien.

Sie konnten ihr Glück kaum fassen. Es war das schönste Weihnachtsfest, das sie je erlebt hatten. An einem der Pakete klebte ein Kuvert mit einem Brief darin. Da stand geschrieben:

Lieber Ronnie!
Es gibt ein Kind, das auf seine eigenen Weihnachtswünsche verzichtet hat, um dir ein schönes Fest zu ermöglichen.
Hoffentlich freust du dich darüber!
Dein Christkind

Auch für Tina war es ein wunderschönes Weihnachtsfest und sie hoffte ganz stark, dass das Christkind ihren einzigen Wunsch, nämlich den, dass es für Ronnie und seine Familie ein schönes Weihnachtsfest werden würde, auch erfüllt hatte.

Als sie glücklich und zufrieden zu Bett ging, sagte sie zu ihrer Mama: „Weißt du, Mama, es ist schön, wenn man nicht immer nur an sich selbst denkt, sondern jemand anderem auch eine Freude machen kann. Glaubst du, hat das Christkind meinen Wunsch erfüllt?"

Mama lächelte geheimnisvoll und strich Tina zärtlich übers Haar.

„Da bin ich mir ganz sicher, mein Engel. Und ich bin sehr, sehr stolz auch dich!"

So war es ein Weihnachten wie immer – und irgendwie doch ganz anders.

Karin Sinai, 55 Jahre alt. Sie lebt mit ihrem Mann und dem jüngsten Sohn in Mistelbach in Niederösterreich/Weinviertel. Insgesamt hat sie drei Kinder, zwei Stiefkinder und zwei Enkelkinder.

Weihnachten fällt aus

Eine festliche Weihnachtsstimmung hatte das kleine Dorf in den Bergen bereits Wochen vor Weihnachten erreicht. Die Bäckerei von Frau Hase verkaufte nun keine Karottenküchlein mehr, sondern Weihnachtshasen aus Lebkuchen, deren Duft jeden auf den Straßen in den kleinen Laden lockte. Familie Kuh hatte das ganze Haus festlich mit Allerlei geschmückt und keinen Zentimeter ausgelassen. Auch in der Dorfschule lernten die Tierkinder fleißig Weihnachtslieder auswendig, um sie ihren Familien am Heiligen Abend vorzusingen. Familie Huhn hatte alle Nester dick ausgepolstert, damit es keinem Küken kalt wurde. Die Mutter hatte rote Schleifenbänder eingewebt. Die Eichhörnchen hatten alle Pflichten vor Weihnachten erledigt, die Nüsse für den Notfall waren vergraben und die Kobel geschmückt wie kleine, runde Weihnachtsbäume. Am ersten Advent summten die Bienen *Stille Nacht* und die Rehe trugen alle einen selbst gestrickten roten Schal, den ihn Mutter Kuh geschenkt hatte.

Am Wochenende des zweiten Advents saßen die Kälbchen gerade am Küchentisch und bastelten Weihnachtsgeschenke für ihre Eltern. Jeder hatte eine Karte gefaltet und jetzt wollten sie noch bunte Weihnachtskühe aufkleben. Plötzlich erweckte etwas vor dem Fenster ihre Aufmerksamkeit. Kleine weiße Schnipsel regneten wie Zuckerwatte vom Himmel.

„Es schneit!", riefen die Kinder aufgeregt und ließen sofort alles stehen und liegen, um nach draußen zu laufen.

Die gleiche Aufregung hatte auch die Ferkel, die Rehkitze und die Küken gepackt und schnell entstand eine gewaltige wunderbare Schneeballschlacht. Kinderlachen erfüllte das Dorf.

Doch das sollte nicht lange so bleiben. Als es eine Woche vor Weihnachten noch immer nicht aufgehört hatte, zu schneien, machten sich die Dorfbewohner langsam Sorgen.

„Wenn das so weiter schneit, können wir gar nicht mehr rausgehen wegen des hohen Schnees", sagt die Häsin beunruhigt zu Mutter Kuh, als diese am Nachmittag die letzten Plätzchen der Bäckerei kauft. „Ich habe keine Zutaten mehr, um irgendetwas zu backen. Ich muss bald in die Stadt fahren, um einzukaufen, aber bei dem Schnee schickt man doch kein Tier vor die Tür!"

Auch Mutter Kuh war besorgt. Sie hatte noch keine Leckereien für das große Weihnachtsessen eingekauft. „Ich hoffe, dass es bald aufhört."

Doch leider ging dieser Wunsch nicht in Erfüllung. Zwei Tage vor Weihnachten schneite es noch immer und der Schnee lag über einen halben Meter hoch, bedeckte die Fenster der kleinen Häuser. Vater Schwein hatte einige Wege im Dorf mühsam freigeschaufelt, damit auch Familie Reh mit ihren dünnen Beinen herauskommen konnte. Außerhalb des Dorfes sah es jedoch noch schlimmer aus.

„Wir können nicht in die Stadt fahren. Das ist viel zu gefährlich, weil wir nicht sehen können, was unter dem Schnee liegt", merkte Frau Hase auf der Notfalldorfversammlung an.

„Aber wie soll ich Essen für Weihnachten einkaufen?", klagte Frau Schwein und zeigte auf ihre Kinder. „Die Kleinen haben sich schon so auf selbst gemachte Plätzchen gefreut."

Die Tiere überlegten fieberhaft nach einer Lösung für das Problem. Vater Schwein ging sogar so weit, dass er versuchte, zu Fuß in die Stadt zu kommen. Als er sich wegen des vielen Schnees fast im Wald verlaufen hatte, setzte niemand mehr einen Fuß aus dem Dorf. Die Familien versuchten, so wenig zu essen wie möglich, damit die besonders leckeren Sachen für Weihnachten übrig blieben.

Doch als der Weihnachtstag anbrach, hatte niemand mehr besonders viel. „Mehr als Milch kann ich meinen Kindern dieses Jahr nicht anbieten", sagt Frau Kuh zu Frau Huhn, als sich ihre Kinder auf dem Spielplatz des Dorfes trafen.

Frau Huhn nickt zustimmend. „Wenn ich doch nur etwas zu meinen Eiern hätte, dann könnte ich wenigstens ein richtiges Rezept kochen."

Die Küken und Ferkel hatten ihren Müttern zugehört und auf einmal kam ihnen eine zündende Idee, die Weihnachten vielleicht noch retten könnte. Als am Nachmittag die letzte Dorfversammlung vor Weihnachten stattfand, gingen die Tierkinder zum Erstaunen der Erwachsenen nach vorne.

„Wir wissen, wie wir Weihnachten retten können", sagte ein Ferkel und dann erklären alle ihre Idee.

„Meine Mutter hat nur Milch und die Hühnermutter hat nur Eier", erklärte das Kälbchen. „Aber wenn wir alles, was wir zu Hause haben, miteinander teilen, dann hat jeder genug, um ein schönes Essen zu kochen!"

Kurz mussten die Erwachsenen nachdenken, dann sprangen alle begeistert auf und redeten wild durcheinander, was jeder zu Hause hatte. Es kam sogar so weit, dass die einzelnen Eltern alles von zu Hause holten und auf dem Platz ausbreiteten. Die Hühnermutter brachte genug Eier, um sie mit allen zu teilen. Der Kuhvater trug drei große Kannen Milch herbei. Frau Hase brachte das restliche Mehl aus ihrer Bäckerei und sogar die Eichhörnchen suchten nach ihren vergrabenen Nüssen. Auch die Bienen transportierten ihren Honig vom Sommer aus der Vorratskammer zum Dorfplatz. Die Rehe hatten im Herbst Pilze und Beeren aus dem Wald gesammelt und brachten große Körbe mit. Als alle wieder da war, betrachteten die Tiere mit großen Augen das viele Essen, das dort lag. Das würde alle Familien satt machen und damit konnte man sogar ein schönes Weihnachtsessen zaubern. Frau Hase machte sich sofort daran, Plätzchen für alle zu backen, die Kühe bereiteten warme Milch mit Honig vor und die Rehe kochten eine schöne Pilzpfanne. Frau Schwein lud alle Dorftiere in ihr großes Haus ein und dort aßen alle, bis sie ganz voll waren. Fast wäre Weihnachten dieses Jahr ausgefallen, aber dadurch, dass alle Tiere das wenige Essen, das sie hatten, miteinander teilen, wurde es doch noch ein ganz schönes und gemütliches Fest.

Denise Sildatke ist 20 Jahre alt und lebt in einem kleinen Dorf in Niedersachsen. Schon als Kind hat sie liebend gerne kleine Geschichten wie diese verschlungen. Heute widmet sie sich lieber dicken Schmökern, doch die eine oder andere Kurzgeschichtensammlung findet zwischendurch auch einen Platz in ihren Regalen. Besonders gerne liest sie in der Weihnachtszeit vor dem Kamin mit einer Katze auf dem Schoß.

Ein Fest für
den Weihnachtsmann

Wenn sich die weißen Schneeflocken im Glanz der Christbaumkugeln spiegeln und Weihnachtslieder vom kalten Wind durch die Straßen getragen werden, dann weißt du ganz genau, dass die schönste Zeit des Jahres begonnen hat. Sicher kannst du es kaum erwarten, unter dem geschmückten Weihnachtsbaum deine kunterbunt eingewickelten Geschenke auszupacken, die der Weihnachtsmann dort in aller Stille liebevoll aufgereiht hat.

Doch weißt du eigentlich, wie der Weihnachtsmann selbst das schönste Fest des Jahres feiert?

Die traurige Wahrheit ist, dass er den gesamten Winter so hart arbeiten muss, dass er nicht einmal genug Zeit hat, um all die Leckereien zu genießen, die das Weihnachtsfest so wundervoll machen. Nicht mal für einen warmen Bratapfel ist genug Zeit. Tagein tagaus ist er damit beschäftigt, die Wunschzettel aller Kinder auf der Welt zu lesen, Spielzeuge zu erfinden oder sich um seine Rentiere und Weihnachtselfen zu kümmern.

Wo wir gerade bei Elfen sind – Nepomuk, der persönliche Assistent des Weihnachtsmanns und zugleich der erfahrenste aller Elfen, konnte es nicht ertragen, dass der Weihnachtsmann sein eigenes Fest nicht auskosten konnte. Aber wenn er sich nicht selbst um sein eigenes Weihnachten kümmern konnte, dann konnten es doch die Elfen für ihn tun. Bei der morgendlichen Elfenversammlung erklärte er seine Idee eines riesigen und bunten Festes, um dem Weihnachtsmann im Namen aller Elfen und aller Kinder dieser Welt Danke zu sagen. Die anderen Elfen waren sofort begeistert und riefen wild umher. Doch statt gemeinsam an der Planung der Veranstaltung zu tüfteln, zog sich jeder Elf zurück, um an seinem eigenen Geschenk für den Weihnachtsmann zu arbeiten. Jeder wollte das größte und schönste zur Feier beitragen, um den Weihnachtsmann besonders stolz zu machen – stolzer noch, als er auf die anderen Elfen sein würde.

Elf Kasimir war ein begnadeter Bäcker. Er plante, einen Lebkuchen zu backen, der von seiner Größe sogar den Weihnachtsschlitten überragen würde. Elfe Elvira war eine wahrhaftige Künstlerin und Handwerkerin. Ihre Spezialität waren geschnitzte Eisskulpturen. Sie wollte eine kleine Hütte bauen, in der der Weihnachtsmann den Ausblick über die Gletscher des Nordpols genießen konnte. Elf Leopold hingegen liebte es, Beeren im persönlichen Eiswald des Weihnachtsmanns zu sammeln. Zugleich wusste er, wie gern dieser die selbst gemachte Marmelade aus den hellroten Beeren morgens auf sein Brot schmierte. Aber um die anderen Elfen zu übertrumpfen, musste er ein so großes Glas Marmelade kochen, dass der Weihnachtsmann monatelang davon naschen könnte.

Einerseits war Nepomuk froh darüber, wie tatkräftig die anderen Elfen an ihren Ideen werkelten, aber er befürchtete auch, dass sie ihr eigentliches Ziel aus den Augen verlieren könnten – ein gemeinsames Fest für den Weihnachtsmann.

Die Tage vergingen und die Projekte schritten zügig voran. Einen Tag vor Heiligabend war es so weit. In Elviras geschnitztem Eishaus stellten die Elfen ihre Ergebnisse vor. Neben Kasimirs großem Lebkuchen und Leopolds Marmeladenglas waren allerlei Dekorationen und Naschwerk verschiedenster Art drapiert.

„Das sieht aber lecker aus", sagte Nepomuk, während er mit seinem Finger in der Marmelade rührte und ihn genüsslich abschleckte. Doch plötzlich verzog Nepomuk das Gesicht und begann zu husten und zu prusten. „Leopold, das schmeckt fürchterlich! Du hast unreife Beeren benutzt!"

Beschämt sah Leopold zu Boden und murmelte: „Ich wollte doch so viel Marmelade machen, dass der Weihnachtsmann ganz lange davon naschen kann. Dafür habe ich einfach nicht genug reife Beeren gefunden."

Da fiel ihm Kasimir mit stolzer Stimme ins Wort: „Das ist doch kein Problem. Mein Lebkuchen reicht für Jahre."

Vorsichtig schnitt Nepomuk eine Ecke des sternförmigen Lebkuchens an und rief: „Kasimir! Der Lebkuchen ist innen noch flüssig und außen ganz hart. Das können wir dem Weihnachtsmann nicht anbieten!" Auch Kasimir blickte nun beschämt zu Boden, während einige der anderen Elfen schmunzelten.

Da tropfte auf einmal ein kleiner runder Wassertropfen genau auf Nepomuks Fuß. Doch es war kein Regen, der dort auf seinen Fuß purzelte, sondern geschmolzenes Eis. Schnell liefen die Elfen aus der kleinen Hütte. Kurz nachdem der letzte Elf entkommen war, brach Elviras Werk zusammen und begrub die Dekorationen und Leckereien unter sich. Enttäuscht schniefte Nepomuk: „Elvira, du hast leicht schmelzendes Eis benutzt. Alles ist zerstört. Jetzt werden wir dem Weihnachtsmann nie eine schöne Feier bereiten können." Traurig lief Nepomuk davon und ließ sich gerade noch in Sichtweite der anderen Elfen in den Schnee fallen. Während er zusammengekauert mit einem Zweig im weißen Frost herumstocherte, verschwanden Kasimir, Elvira, Leopold und all die anderen kleinen Helferlein in der Backstube.

Stunden vergingen, ohne dass Nepomuk ihr Verschwinden bemerkte. Zu sehr war er in seine Gedanken versunken. „Nepomuk, schau mal", hörte er plötzlich Kasimirs vertraute Stimme rufen. Er traute seinen Augen nicht. Auf seinen Händen trug er eine riesige Torte. Auf der Spitze thronten kleine Figürchen aus Eis vom Weihnachtsmann und seinen Rentieren. Rings herum blickten die Figuren von jedem noch so kleinen Elfen magisch in die Höhe. Hellrote Beeren schlängelten sich um das Eis herum. Alle Elfen hatten zusammengearbeitet und mit ihren jeweiligen Talenten zu einem schönen Geschenk beigetragen, was sie gemeinsam dem Weihnachtsmann übergeben könnten. Gerührt purzelten ein paar kühle Tränen Nepomuks Gesicht herunter. Wortlos reichte Kasimir Nepomuk eine kleine Eisskulptur von ihm und Nepomuk wusste genau, was er zu tun hatte. Liebevoll und vorsichtig stellte er sie zu den anderen. Nun konnte Weihnachten kommen.

Und so begab es sich, dass es das schönste Weihnachten des Weihnachtsmanns werden sollte, als er unter dem Applaus der Elfen zum Ausliefern der Geschenke abhob und bei seiner Rückkehr strahlend das leckere Gebäck entgegennahm. Noch als Nepomuk im Bett lag und über den Tag nachdachte, hallten die Worte des Weihnachtsmanns in seinem Kopf: „Ich bin stolz, dass meine Elfen ein solch gutes Team sind."

Mathis Ludwig wurde im Jahr 2000 geboren und lebt im Süden von Niedersachsen, wo er Physik studiert. In seiner Freizeit schreibt er gerne Kurzgeschichten.

Ella, die kleine Weihnachtsmaus

Es war einmal ein junges Mäusemädchen, das auf den Namen Ella hörte. Die kleine Ella wohnte gemeinsam mit ihren Eltern und ihrem großen Bruder Fred in einem Mauseloch, das sich in der Wand eines schicken Einfamilienhauses befand. Da Ella ein ausgesprochen neugieriges Mäuschen war, interessierte sie sich sehr für ihre menschlichen Mitbewohner. Aus diesem Grund ging sie auch – anders als ihre Eltern und ihr Bruder – nicht bloß nach draußen, um nach Essensresten zu suchen, sondern auch, um die Menschen und ihre Gewohnheiten näher kennenzulernen.

Eines Abends schlich sich die neugierige Ella wieder aus ihrem Mäuseloch, um die Menschenfamilie zu beobachten. Sie fand diese kleinen Ausflüge durchs Haus immer sehr spannend, da sie nie wusste, was diese rätselhaften Menschen diesmal anstellen würden. „Unser Mäuseleben ist sehr simpel", dachte sie sich. „Unser Tag besteht aus Essen, Schlafen und sich vor Gefahren verstecken. Doch diese Menschen machen oft wirklich komische Dinge, die einfach keinen Sinn ergeben." Diese Dinge, die Ella manchmal beobachtete, brachten sie oft ins Grübeln.

Auch heute war wieder so ein Tag, an dem die menschlichen Bewohner verrücktzuspielen schienen. Nachdem Ella quer durch alle Zimmer gehuscht war, um sich im Wohnzimmer unter dem kleinen Couchtisch zu verstecken, beobachtete sie ein seltsames Geschehen. Der Vater der Menschenfamilie stellte einen riesigen Tannenbaum mitten im Wohnzimmer auf. Ella konnte es nicht fassen. Und nicht nur das: Nachdem der Baum aufgestellt war, kamen die Mutter und die fünfjährige Tochter Anna dazu, um den Baum mit Kugeln, Lametta und allerlei Süßigkeiten zu schmücken. Die kleine Maus war neugieriger denn je! Sie kroch unter dem Tisch hervor, um sich den großen Baum näher anzusehen.

„Ah! Hilfe! Eine Maus!", rief die Mutter plötzlich, als sie das kleine Nagetier entdeckte.

Ella rannte, so schnell sie konnte, zurück in ihr Mauseloch. Sie wusste, dass sie ihre Familie in große Schwierigkeiten gebracht hatte. Schließlich konnten die Menschen jederzeit einen Kammerjäger holen oder Mäusefallen aufstellen. Ella hatte keine andere Wahl und musste ihrer Familie den heimlichen Ausflug beichten.

„Junge Dame! Deine Neugier bringt uns noch ins Verderben! Halte dich in Zukunft von den Menschen fern!", befahl Ellas Mutter, als sie davon erfuhr.

„Aber Mama, ich wollte doch bloß wissen, was für komische Dinge die Menschen machen", sprach Ella und senkte dabei ihr Köpfchen.

Die Mutter erklärte: „Die Menschen feiern gerade Weihnachten. Man nennt es auch das Fest der Liebe. Wir Mäuse sind bei diesem Fest unerwünscht."

Ella konnte es nicht verstehen. „Wenn es das Fest der Liebe ist, warum sind wir dann nicht eingeladen?", fragte sie.

„Weil es eben so ist! Nun hör auf, dir darüber den Kopf zu zerbrechen. Hilf mir lieber bei der Hausarbeit!"

Ella und ihr Bruder waren gerade dabei, den Boden der kleinen Mäusewohnung zu schrubben, da flüsterte Fred ihr plötzlich ins Ohr: „Ich denke, dass ich weiß, wie du die Menschen auf deine Seite ziehen kannst."

Ella wurde hellhörig. „Und wie?", fragte sie gespannt.

Fred erklärte: „Ich bin etwas älter als du und habe bereits ein Weihnachtsfest miterlebt. Und eines kann ich dir sagen: Den Menschen geht es zu Weihnachten eigentlich nur um Geschenke. Wenn du es schaffst, ihnen ein schönes Geschenk zu besorgen, dann werden sie dich vielleicht einladen, mit ihnen zu feiern."

Ella fand diese Idee toll und machte sich noch am selben Abend auf, um nach einem Geschenk für die Menschen zu suchen. Sie schlich sich heimlich aus dem Mauseloch, flitzte durch das Haus und gelangte durch einen kleinen Spalt in der Haustür nach draußen. Ella hatte ein wenig Angst, doch sie blieb mutig. Sie wollte die Menschen unbedingt beeindrucken, und so lief sie durch die Straßen auf der Suche nach Geschenken.

Nach kurzer Zeit sah sie einen Mann, der am Straßenrand Weihnachtsbäume verkaufte. Fasziniert stand sie vor einem der großen Tannenbäume und blickte nach oben. „Genauso einen Baum haben unsere Menschen auch gekauft", erinnerte sie sich. Als sie sich umsah, bemerkte sie, dass überall auf dem Boden Tannennadeln und kleine Äste lagen. „Vielleicht können unsere Menschen das gebrauchen", dachte sie sich und nahm ein paar der hübschen Äste mit. Wenig später traf Ella auf eine Frau, die an ihrem kleinen Stand Schmuck verkaufte. Das Mäuschen trat näher und sah sich den Schmuck genau an. Sie blickte auf eine Kette mit roten Perlen. „Diese Kette würde der Mutter gut stehen", dachte sie sich. Doch Ella war nur eine kleine Maus und Mäuse hatten kein Geld. Betrübt sprach sie die Verkäuferin an: „Guten Abend, darf ich Sie etwas fragen?" Die Frau blickte verdutzt um sich, denn sie sah niemanden.

„Hier unten bin ich", sprach Ella.

„Ach, ein kleines Mäuschen, wie süß!", sagte die nette Frau. „Was hast du denn für eine Frage?"

Traurig fragte Ella: „Gibt es denn auch Geschenke in der Menschenwelt, die nichts kosten?"

„Soll ich dir etwas verraten, kleine Maus?", sprach die Verkäuferin und lehnte sich Ella entgegen. „An Weihnachten geht es darum, dass man aneinander denkt. Das Geschenk selbst ist gar nicht so wichtig."

Nun wurde Ella vieles klar. „Aber natürlich!", sprach sie und bedankte sich für den Tipp der netten Frau. Fröhlich machte sich Ella auf den Heimweg, denn sie hatte einen neuen Plan. Unterwegs kam sie an einer Wiese vorbei, pflückte ein paar Gänseblümchen und rannte weiter bis zu ihrem Haus.

Am nächsten Morgen, dem ersten Weihnachtstag, war es endlich so weit. Ella konnte stolz ihre Überraschung präsentieren. Aufgeregt führte sie ihre Mäusefamilie nach draußen an den Couchtisch.

„Was ist denn los, Ella?", fragte Ellas Papa.

„Wir sollten um diese Uhrzeit nicht hier draußen sein", meinte die Mutter, „die Menschen könnten jeden Moment …"

Als die Mäuse schließlich vor dem Tisch standen, staunten sie. „Ella, hast du das gemacht?", fragte der Vater beeindruckt.

Ella nickte.

„Ah! Schon wieder diese Maus!", schrie Annas Mutter, als sie Ella entdeckte.

„Nein! Vier sind es schon! Sie haben sich vermehrt!", sprach der Vater und zeigte mit dem Finger auf die anderen Mäuse.

„Aber seht doch", sprach Anna und machte auf den liebevoll gedeckten Tisch aufmerksam. In der Mitte des Tisches befand sich ein kleiner Weihnachtsbaum, den Ella aus den Ästen am Tannenmarkt gebastelt hatte. Sie hatte ihren Baum mit den hübschen Gänseblümchen geschmückt, die sie auf der Wiese gepflückt hatte. Die restlichen Gänseblümchen lagen als Dekoration neben den kleinen Geschenken, die Ella ihrer Mäusefamilie und den Menschen machte. Jedem von ihnen schenkte sie ein leckeres Käsegericht, das sie nach dem Originalrezept ihrer Oma gekocht hatte.

Ellas Eltern und ihr Bruder Fred waren sehr gerührt von ihrem ersten richtigen Weihnachtsfest. Und auch die Menschen freuten sich sehr über die nette Geste der kleinen Maus.

„Darf ich euch zu unserem allerersten Mäuseweihnachtsfest einladen?", fragte Ella schließlich. Die Menschen nahmen die Einladung dankend an und beschlossen, von nun an jedes Weihnachtsfest mit ihren neuen Freunden zu feiern.

Doch die kleine Anna hatte noch eine Überraschung. „Ich werde heute noch dem Weihnachtsmann einen Brief schreiben, damit ihr lieben Mäuse in Zukunft auch schöne Geschenke bekommt", versprach sie.

Das freute die Mäuse sehr. Nun waren Ella und ihre Familie richtige Weihnachtsmäuse.

Natascha Handy wurde 1991 geboren und lebt in Graz. Sie veröffentlicht regelmäßig Kurzgeschichten für Kinder und Erwachsene. Neben der Schriftstellerei interessiert sie sich für Tiere und die Natur.

Ein Weihnachtstraum

Gleich um die Ecke steht ein Haus
Dort duftet es nach süßem Schmaus
Im Fenster strahlt ein Weihnachtsstern
Den sieht man leuchten schon von fern

Hier wohnt ein dicker roter Kater
Der macht stets mächtig viel Theater
Er faucht und klagt den ganzen Tag
Kein Wunder, dass ihn niemand mag

Der süße Duft hat angelockt
Ein Mäuschen, das entzückt frohlockt
Es möchte dieses Haus besuchen
Und knabbern an dem Weihnachtskuchen

Es weiß jedoch ein jedes Kind
Dass Kater nicht sehr freundlich sind
Wenn sie ein kleines Mäuschen fangen
Muss dieses um sein Leben bangen

Der Hunger tut dem Mäuschen weh
Es flüstert leis': „Oje, oje.
So gerne möchte ich hinein
Und Gast in diesem Hause sein."

Dies hat der Kater froh vernommen
Und ist zur Eingangstür gekommen
„Tritt ein, du darfst mich gern besuchen.
Alleine schmeckt nicht Keks noch Kuchen."

Es tönt ein fröhliches Miauen
Doch kann die Maus dem Kater trauen?
„Mein Name ist schlicht Wladimir"
Schnurrt sanft das rot gestreifte Tier

„Ich bin das Gretchen", piepst die Maus
Und blickt zur Tür hinein ins Haus
Was sie dort sieht, kann sie kaum glauben
Entzückt reibt sie die kleinen Augen

Ein buntgeschmückter Tannenbaum
Prangt stolz im warmen Weihnachtsraum
Es flimmern viele Glitzerkerzen
Und an der Decke hängen Herzen

Da kriecht ein kleines bisschen Glück
In Gretchens Mauseherz zurück
Sie nickt dem Kater freundlich zu
Die Ängstlichkeit ist nun tabu

Das Gretchen huscht ganz schnell herein
Ins weihnachtlich geschmückte Heim
Der rote Kater freut sich sehr
Denn klagen muss er jetzt nicht mehr.

Zwei Freunde haben sich gefunden
Und tanzen viele frohe Stunden
Um den geschmückten Lichterbaum
Es ist ihr schönster Weihnachtstraum

Ramona Stolle *lebt in ihrer Heimatstadt Berlin. Sie schreibt Geschichten und Gedichte für kleine und große Leserinnen und Leser. Die Weihnachtszeit ist für sie die schönste Zeit des Jahres.*

Die Farbe der Stille

Kein Laut drang an ihr Ohr. Die blütenweiße Bettdecke bis zur Nasenspitze hochgezogen, lauschte Emma in die morgendliche Stille.
Weder das Murmeln des Baches noch der leiseste Windhauch, der
häufig um die Hütte strich, waren zu hören. Selbst die Bergdohlen
schwiegen.

Am Vortag hatte es gestürmt und der Himmel hatte seine Schleu-
sen geöffnet. Im strömenden Regen, nass bis auf die Knochen, hatte
Emma ihre Taschen aus dem Auto in das Häuschen geschleppt und
im Anschluss als Erstes ein Feuer im Ofen in der holzgetäfelten Stube entfacht. In zwei Tagen war Heiligabend. Emma, die zusammen
mit ihren Freunden das Fest romantisch im Schnee feiern wollte,
fühlte sich ernüchtert, als sie sah, wie das Regenwasser sintflutartig
an den Fensterscheiben herunterströmte. Leider ließ das Wetter
sich nicht ändern. Im Handumdrehen hatte sie der Hütte ein Fest-
tagskleid verpasst und bevor die Müdigkeit sie vollends übermannt
hatte, hatte sie Lebensmittel und ihre Kleidung in den Schränken
verstaut. Beim Einschlafen hatte sie dem Sturm gelauscht, der wie
ein wildes Wesen fauchend tobte, in der tröstlichen Gewissheit,
die Hütte hatte Naturgewalten dieser Art seit Jahrzehnten getrotzt.
Sie hatte es direkt gemütlich gefunden, als sie dick eingemummelt
in frische Bettwäsche, die noch den Duft des Bergsommers in sich
trug, langsam in den Schlaf geglitten war, während der Regen auf
das Dach prasselte.

Jetzt schien es, als hätte es das Unwetter nur in ihrem Traum gegeben. Ein helles, verheißungsvolles, ganz besonderes Licht erfüllte
den Raum. Das konnte nur eins bedeuten. In freudiger Erwartung
des Anblicks, der sich ihr bieten würde, sprang Emma aus dem Bett.
Sie schob die gelben Vorhänge beiseite und war dennoch überrascht. Weiß. Alles war weiß. Dichter Schneefall. Mit weit aufgeris-
senen Augen bestaunte sie das Naturschauspiel. Emma konnte der
Versuchung nicht widerstehen und öffnete das Fenster. Ein Schwall

frischer, eisigkalter Luft zusammen mit einer Schneewolke wehte in ihr Zimmer. Umgehend drückte Emma das Fenster wieder zu. Der Planung nach wollten ihre Freunde am Mittag kommen. So wie es aussah, machte das Wetter ihnen einen Strich durch die Rechnung. Wenige Minuten später saß Emma in der Stube, eine große Tasse heiß dampfenden Kaffees vor sich, und starrte zum Fenster hinaus. Offensichtlich ließ der Wind bereits nach, wie sie eben auch in der Wettervorhersage gehört hatte, und später sollte es nicht mehr schneien. Noch tanzten dicke Flocken wie pirouettierende Daunenfedern vor den Scheiben, verschluckten die dahinterliegende Landschaft. Emma konnte den Blick nicht von dem weißen Wirbel abwenden, den sie stundenlang wie ein bezauberndes Gemälde hätte bewundern können. Keine Flocke glich der anderen, jeder Schneekristall war ein Kunstwerk. War die Schönheit einzelner Schneeflocken jemals beschrieben worden?

Was für ein Glück sie hatte, dachte sie, hier drinnen war es angenehm warm, das leichte Aroma des Arvenholzes der Stube lag in der Luft und unverhofft hatte sie plötzlich noch Zeit für sich. Entspannt lehnte sie sich zurück auf der Bank, kuschelte sich in die Schaffelldecke, im Ohr das beruhigende gleichmäßige Ticken der Standuhr, und betrachtete die Welt dort draußen, die wie eine riesige Schneekugel anmutete. Sie griff nach der Kaffeekanne, schenkte sich eine zweite Tasse ein, gab Milch dazu. Wie wäre es, überlegte sie, nach draußen zu gehen, hinein in dieses magische Winterwunderland?

In mehrere Schichten verpackt, mit Mütze, einem zweimal um den Hals geschlungenen Schal und dicken Handschuhen zog Emma wenig später die Tür hinter sich ins Schloss und trat hinein in die makellose Pracht. Die Stille, die sie umfing, war fast unwirklich. Als atmete die Welt nicht mehr. Mindestens fünfzehn Zentimeter Schnee waren gefallen, stellte sie mit Blick auf die Sitzbank vor dem Fenster fest, die ein dickes weißes Polster trug. Einen Moment lang rang Emma mit sich, ob sie den Schneeschieber holen und den Weg räumen sollte, entschied sich dann aber dagegen. Wozu die Herrlichkeit zerstören?

Vorsichtig setzte Emma ihren im Winterstiefel steckenden Fuß in die weiße Masse und sah zu, wie er eintauchte. „Die erste Spur", dachte sie beglückt und setzte den zweiten Schritt und den dritten. Dort, wo gestern Trittsteine in der Nässe geblinkt hatten, begann sie ihren Rundgang, watete ein paar Schritte um die Hütte herum. Sie ließ ihren Blick durch den kleinen Garten schweifen, der unter einer weißen Decke ruhte. Hinter dem Staketenzaun, am nahe gelegenen Bach, wirkten die dunklen Tannen mit ihren Schneehauben wie Fremdkörper in der schier endlos weißen Fläche. Emma hatte Lust auf einen Spaziergang und kurz darauf stapfte sie auf der verschneiten schmalen Straße, die sich aus dem Tal an ihrem Haus vorbei auf einen der Berggipfel wand. Mühsam setzte sie einen Schritt vor den nächsten, keuchte, kam quälend langsam voran, geriet ins Schwitzen. So schwer ihr jeder Schritt auch fiel, sie fühlte sich großartig. Unter ihren Füßen knirschte der Schnee. Das Laufen in der zugedeckten Landschaft, in der alle Konturen verwischt waren, hatte etwas Meditatives an sich. Sinne verloren an Bedeutung, ebenso Zeit und Raum. Alles verlor sich in dieser einzigen weißen Weite. Was blieb, waren Gedanken und ein erhebendes Gefühl. „Die Umgebung ist heilsam für die Seele", dachte sie, während sie sich beharrlich auf der Straße vorwärts kämpfte, die bald eine ganzjährig bewohnte Hütte passierte. Jedes Mal, wenn sie stehen blieb, versank alles um sie herum in Geräuschlosigkeit. Die Welt war in Watte gepackt – zusammen mit dem Stress und der Hektik des Alltags. Für eine kleine Weile war Emma von dem Rest des Universums abgeschirmt. Und sie verstand, warum Menschen ins Kloster gingen. In der lauten Welt von heute war Stille ein kostbares Gut.

Sie hätte nicht sagen können, wie lange sie bereits unterwegs war. Irgendwann erreichte sie die Brücke, unter der ein Bach verhalten gurgelte. Später im Winter wäre das Wasser unter einer weißbläulich schimmernden Eisschicht verschwunden.

Emma lief weiter. Kurz darauf schob sich etwas Dunkles aus der Flockenwand heraus. Die Perner-Hütte. In den nächsten Tagen würde sie ihren Nachbarn einen Besuch abstatten, aber nicht jetzt.

Zeit für den Heimweg. Bergab lief sie die Straße, auf der ihre Spuren vom Anstieg fast zugeschneit waren, viel schneller als hinauf, zwischendurch geriet sie immer wieder ins Rutschen.

Ein Krächzen über ihr ließ sie innehalten. Der Atem dampfte in kleinen Wolken vor ihrem Gesicht, als sie einer Handvoll Bergdohlen nachblickte, die durch den lichter werdenden Niederschlag flogen. Wie der Wetterbericht vorhergesagt hatte, nahmen die

Schneefälle ab. Emma entdeckte ein winziges Stück Blau zwischen den dramatisch aufgebauschten Wolken, deren Formen sich nun immer mehr aus dem grauweißen Einerlei herausschälten. Konnte sie sogar einen der weiß bemützten Berggipfel erkennen? Mit einem Mal vernahm sie ein tiefes Brummen, ein Geräusch, das langsam aber stetig näherkam. Als sie über die nächste Kuppe schritt, sah sie die blinkenden Lichter des Winterdienstes. Er hatte sich bereits ein ganzes Stück am Berg hochgearbeitet, eine dunkle Schneise der geräumten Strecke hinter sich herziehend. „Auf die Männer ist Verlass", dachte sie. Nun würden ihre Freunde nicht mehr lange auf sich warten lassen. „Zeit für Weihnachten", dachte sie und spürte das Gefühl der Vorfreude in sich aufwallen.

Bettina Schneider: 1968 in Berlin geboren, verheiratet, zwei Kinder und ein Hund, Studium der Betriebswirtschaftslehre, im Anschluss zehn abwechslungsreiche Jahre im Rechnungswesen in der Privatwirtschaft, heute Freiraum für kreative Tätigkeit. Sie schreibt mit Begeisterung Kurzgeschichten und Erzählungen, einige davon sind veröffentlicht. Hobbys: Lesen, Schreiben, Tagebuchschreiben, Spaziergänge mit dem Hund und Joggen.

Unter der Decke

Es knistert und knackt, es klirrt und klingt,
Wenn der Wind in vereisten Zweigen singt.
Es raschelt und rauscht, es rast und saust,
Als ob die Wilde Jagd über den Himmel braust.

Wie schön ist es da unter der warmen Decke,
Wo ich mich mit meiner Taschenlampe verstecke.
Draußen ist's eisig, hier drin ist es warm.
Ich halte meinen Teddy ganz fest im Arm.

Den hat mir letztes Jahr das Christkind gebracht.
Seitdem schläft er bei mir und das jede Nacht.
Sein Fell ist so weich wie ein wolliges Schaf,
Damit kuschelt es sich so herrlich im Schlaf.

Doch noch bin ich wach und auch gar nicht müd'.
Draußen pfeift der Wind sein frostiges Lied,
Und ich lese meinem Freund, dem Teddy, was vor,
Flüster' ganz leise in sein pelziges Ohr.

Von der Hexe Befana handelt eine Geschichte.
Doch die ist nicht böse wie so manches Gelichte,
Das Kinder im Wald zu sich ins Knusperhaus lockt
Und dann über deren Ängste frohlockt.

Nein, die Hexe Befana fliegt von Haus zu Haus,
Und wie bei uns Christkind und Nikolaus
Bringt sie den Kindern in Italien Geschenke zum Fest.
Ob sie die wohl den Schornstein hinunterlässt?

So macht das in Amerika der Santa Claus.
Der wohnt am Nordpol in einem gemütlichen Haus.
Mit Elfen und Rentieren und seiner Frau,
Doch die Adresse weiß ich leider nicht so genau.

In Schweden bringt der Wichtel Jultomte die Gaben.
Dafür will er immer einen Teller mit Grütze haben.
Es muss aber ein Holzlöffel in der Schüssel stecken,
Weil sich Wichtel vor Sachen aus Metall erschrecken.

Draußen rüttelt der Wind an den Ästen und Zweigen,
Als wolle er dem Wald seine Stärke zeigen.
Er röhrt und blökt wie ein Stall voller Kühe,
Knickt junge Bäume und Sträucher ganz ohne Mühe.

Er jault ums Haus, er jammert und juchzt,
Gleichzeitig klingt es, als ob jemand schluchzt.
Der Schneemann vor'm Fenster guckt auch schon ganz bang.
Fürchtet er sich vor dem schaurigen Klang?

Am Mond zieh'n dunkle Wolkenfetzen vorüber,
Und die Sterne glüh'n, als hätten sie Fieber.
Ja, so ein Wintersturm kann ganz schön gruselig sein.
Da fühlt man sich plötzlich ganz winzig und klein.

Der Teddy zittert, ich drück' ihn fest an mein Herz
Und erzähl' ihm zur Ablenkung einen lustigen Scherz.
„Hab keine Angst", sag ich dann in sein Gekicher.
„Der Wind ist draußen. Hier drin sind wir sicher."

Auf seine haarige Schnauze drück' ich einen Kuss,
Damit Teddy sich nicht mehr fürchten muss.
Er wirkt jetzt eigentlich auch schon wieder ganz heiter,
Und so blätter' ich um und lese schnell weiter.

In Polen isst man an Heiligabend Gemüse und Fisch,
Und es steht ein überzähliger Teller auf jedem Tisch.
Der soll ein Zeichen der Gastfreundschaft sein,
Schaut zum Fest mal unerwartet Besuch herein.

In Lettland gibt's zu Weihnachten Blutwurst mit Sauerkraut,
Und anschließend wird so richtig auf den Putz gehaut:
Die Wintersonnenwende feiert man hier,
Dazu verkleidet man sich wie ein wildes Tier.

Das tut man, um böse Geister zu vertreiben,
Denn die sollen nicht über Weihnachten bleiben.
Dann macht man ein großes Lagerfeuer
– So ganz ist das Teddy aber nicht geheuer.

In Neuseeland ist es an Heiligabend ganz heiß,
Drum isst man zum Fest gerne Himbeereis.
Auch Kuchen mit Kiwis ist äußerst beliebt,
Besonders, wenn's dazu Schlagsahne gibt.

In Äthiopien dauert die Kirche sechs Stunden lang,
Danach tanzt man zu dröhnendem Trommelklang.
Zu essen gibt's Hühnereintopf und Sauerteigbrot –
Das tut nach dem langen Gottesdienst aber auch Not!

So feiert man Weihnachten überall auf der Welt
Ein bisschen anders – halt so, wie's den Leuten gefällt.
Draußen tönt der Sturm jetzt viel leiser,
Und vom vielen Vorlesen bin ich schon ganz heiser.

Auch Teddy fallen die schwarzen Knopfäuglein zu.
So schließ ich das Buch und leg mich zur Ruh'.
Gähnend knips' ich die Lampe aus
Und schaue noch mal zum Fenster hinaus.

Der Schneemann scheint keine Angst mehr zu haben,
Irgendwo in der Ferne krächzen die Raben.
Ob Vögel wohl auch Weihnachten feiern?
Wie das wohl wäre bei Amseln, Eulen und Geiern?,

Überleg' ich müde und schließe die Lider.
Ganz bald schon kommt das Christkind wieder.
Was es mir wohl dieses Jahr bringt?
Dann schlummer' ich ein. Draußen seufzt leise der Wind.

Isabell Hemmrich *wurde 1985 in Würzburg geboren. Die Asperger-Autistin liebt Teddybären, Winterstürme und Sagen aus aller Welt. Seit ihrer Jugend schreibt sie Gedichte und Kurzgeschichten, von denen bereits einige in Anthologien veröffentlicht wurden, u. a. in „Wo die wilden Geister wohnen Band 2".*

Weihnachtswünsche

Wir haben alles geplant. Wir haben alles vorbereitet und zurecht-gerückt. Weihnachten kann kommen. Doch statt der erwarteten Gäste, die eigentlich mit fröhlichen Gesichtern, abgefrorenen Hän-den und einem Berg von Geschenken bei uns auftauchen sollten, erhalten wir einen Anruf.

Meine Mutter nimmt ihn etwas entnervt entgegen, weil sie gera-de dabei ist, sich umzuziehen. Sie trägt bereits den hellblauen Bla-zer, in dem sie immer wie eine Schneekönigin aussieht, aber unten-rum hat sie noch Wollsocken und eine kurze Hose an. „Ja bitte?" Sie lauscht angestrengt und ihr Blick wird von Sekunde zu Sekunde besorgter. Sie ist plötzlich blass um die Nase, presst die Lippen zu-sammen und gibt nur knappe Antworten auf Fragen, die ich nicht hören kann.

„Ich verstehe. Wir kommen sofort." Sie legt den Hörer auf und dreht sich um. Sie wirkt kraftlos und seltsam wirr in ihrem Aufzug. Eine müde Schneekönigin, die sich an die Kommode klammert.

„Hol Karim, Madeline!", sagt sie.

Ich befolge ihren Befehl anstandslos, weil mir aufgeht, dass etwas Schlimmes passiert sein muss. „Papa?!", rufe ich und klopfe an die Badezimmertür, denn dahinter brennt Licht.

„Was ist?", brummt er. Er hasst es, im Bad gestört zu werden.

„Mama sagt, du sollst sofort kommen, es ist irgendwas passiert!" Drinnen ist es einen kurzen Augenblick still, dann geht die Klo-spülung und die Tür fliegt auf. „Was ist los, Sarah?", ruft mein Vater und schiebt sich an mir vorbei in die Küche.

„Gloria, sie liegt im Krankenhaus. Autounfall auf dem Weg hier-her", sagt Mama und ihre Lippen zittern. „Es ist schlimm."

Papas Gesicht erstarrt. In mir drin pocht mein Herz plötzlich ganz schnell. Es wehrt sich mit wütenden kleinen Faustschlägen gegen das, was einfach nicht sein kann.

„Wir fahren hin, ich muss meine Mutter sehen!", sagt Papa nach zwei atemlosen Sekunden. „Vielleicht ..", seine Stimme erstirbt. Mama nickt. Dann sagt sie: „Hol Lia, Madeline, sag ihr, sie soll sich beeilen. Ich warte unten im Wagen auf euch."

Zehn Minuten später lassen wir das festlich geschmückte Haus hinter uns und biegen aus der Einfahrt. Ich habe Lia aus ihrem Zimmer gezerrt und mir selbst eine dünne Jacke übergeworfen. Jetzt friere ich, obwohl Mama die Heizung im Auto angemacht hat. Sie hat sich schnell eine Jeans angezogen, Papa trägt noch sein rotes Hemd und die dunkle Hose. Man könnte beinahe meinen, wir fahren in die Kirche. Tun wir aber nicht. Wir fahren ins Krankenhaus. Wir sprechen nicht, aber mein Kopf schwirrt vor lauten Gedanken und ich kämpfe gegen das Bedürfnis, mir die Hände auf die Ohren zu pressen.

Während andere Familien vermutlich gerade das Weihnachtsessen servieren oder in warmen Zimmern Geschenke auspacken, betreten wir den kühl erleuchteten Flur eines Krankenhauses. Papa hält Mamas Hand ganz fest und ich habe beinahe Angst, er zerdrückt sie, die Schneekönigin mit den hellen Locken. Eine Schwester nimmt uns in Empfang und führt uns über lange weiße Flure, die merkwürdig ausgestorben scheinen, in Richtung der Intensivstation. Wir müssen uns umziehen und Kittel anziehen und uns die Hände gründlich waschen, erstaunlich, wie gut das geht, ohne seine Bewegungen bewusst zu steuern.

Die Schwester sieht uns mitleidig an und öffnet dann mit einem Knopfdruck die Tür. „Eine Viertelstunde hat der Arzt gesagt. Er möchte dann noch einmal mit Ihnen sprechen." Dann sagt sie noch was, aber ich höre nicht mehr richtig zu.

Eine Viertelstunde. Bereits als wir den Raum betreten, kommt es mir so vor, als rinne uns die Zeit davon. Meine Oma liegt inmitten von Schläuchen und piepsenden Geräten und hat die Augen geschlossen. Meine rundliche kleine Oma mit den Lachfältchen an den Augen und der weichen dunklen Haut wirkt beinahe blass in dem OP-Schlafanzug. Ich verfolge die Herzschläge auf dem Monitor. Sie kommen mir schrecklich unregelmäßig vor. Papa kniet sich ans Bett und nimmt ihre schlaffen Hände in seine. Wie ein kleiner, hilfloser Junge.

Der Boden unter meinen Füßen scheint wegzugleiten und ich greife nach Lias Hand. Da flattern die Lider meiner Oma und sie schlägt die Augen auf. Ein stummes Lächeln gleitet über ihr Gesicht. Sie will sprechen, aber ihre Stimme macht nicht mit. Dann bemerkt sie Papa, der ihre Hand hält. Sie hebt schwerfällig einen Arm und streichelt seine Wange. Oma schluckt angestrengt und sagt dann mit kratziger, wunder Stimme: „Kommt, setzt euch zu mir."

Mama lässt sich auf einen Drehstuhl sinken und Lia und ich setzen uns ans Fußende des Bettes.

„Jetzt habe ich euer Weihnachtsfest verdorben", sagt Oma.

Mama lacht und schluchzt gleichzeitig auf. „Ach was", sagt sie unter Tränen, „wir haben allen Bescheid gegeben."

Wie unwichtig das jetzt ist.

„Karim", sagt Oma zu Papa, „weißt du noch, was ich dir immer gesagt habe? Wenn ein Mensch geht, dann wird er anderswo gebraucht. Alles hat seinen Sinn."

„Nein!" Papa klammert sich an die Hand seiner Mutter. „Wir brauchen dich hier."

Oma schließt für einen Moment die Augen. Sie ist erschöpft vom Sprechen. Dennoch rafft sie sich noch einmal auf. „Heute ist Weihnachten und ich bin eigentlich schon genug beschenkt damit, dass ihr hier seid. Aber ich habe trotzdem an jeden von euch noch einen Weihnachtswunsch."

„Karim." Sie wendet den Blick in seine Richtung und ihre Augen sehen ihn eindringlich an. „Ich wünsche mir von dir, dass du darüber nachdenkst, was ich eben gesagt habe. Trauere, solange es nötig ist, aber vergiss nie, dass wir uns irgendwann wiedersehen. Und sieh dir die alten Fotos an, bewahr sie auf, wenn du magst."

„Du wirst nicht ..", will Papa unterbrechen, doch Oma lässt ihn nicht und wendet sich an Mama. „Sarah, du bist eine ganz wundervolle Frau, vergiss das nie. Vergesst beide nie, dass ihr eine Familie habt. Ich bitte dich, meinem Sohn zur Seite zu stehen, auch weiterhin. Und spendet mein Geld, spendet es an Menschen, die keine Familie haben." Mama nickt und versucht ein Lächeln, aber es verkümmert zu einem kläglichen Zittern ihrer Lippen.

„Lia, mein Schatz, ich wünsch mir von dir, dass du einen ganz wunderbaren ersten Schultag erlebst und ganz viele Süßigkeiten aus deiner Schultüte isst und ..", Omas Stimme beginnt zu brechen, „und dass du ganz viele tolle neue Freunde findest."

„Und von dir, Madeline, wünsche ich mir, dass du deine Geschichten weiter schreibst, dass du den Mut zusammennimmst und sie jemanden lesen lässt. Ich werde jede einzelne davon hören und sehr, sehr stolz auf dich sein." Sie lächelt und hat nun selbst Tränen in den Augen. Man sieht ihr an, dass sie am liebsten alle unsere Hände gleichzeitig halten würde. „Und nun singt für mich ein Weihnachtslied. Singt *Oh du fröhliche*", sagt sie.

Und das tun wir. Wir singen alle vier, vermutlich furchtbar schief und mit tränenwackliger Stimme, aber wir singen. Und während ich singe, löst sich ein Klos in meinem Hals und ich merke, wie eine Mischung aus Trauer und Geborgenheit mich wie in Watte packt. Die Melodie tropft tief hallend in mein Herz und es tut weh, aber ich weiß, dass es Liebe ist.

Dann ist die letzte Strophe endgültig vorbei und Oma hat in seliger Ruhe die Augen geschlossen. Die Schwester kommt, prüft die Geräte und sieht noch betroffener aus. Vorsichtig stöpselt sie den Tropf und die Kabel ab. Endlich, jetzt ist meine Oma frei. Wir stehen da und gucken und weinen, streicheln und versichern uns, dass sie jetzt irgendwohin geht, wo es ihr gut geht.

Nach einer Weile taucht Papa aus der Betrachtung dieser kleinen, mutigen, lebensfrohen Frau, Mutter, Oma auf und dreht sich zu uns um. „Frohe Weihnachten", sagt er.

Paula Schüßler, 17 Jahre: schreibt gern und regelmäßig über alles, was ihr an Ideen in den Kopf kommt, von Kurzgeschichten über Gedichte bis hin zu ersten längeren Projekten. Bisher hat sie allerdings noch nichts davon veröffentlicht und nutzt diesen Schreibwettbewerb als Gelegenheit, etwas Neues auszuprobieren. Ansonsten liest sie viel und ist anderweitig kreativ – zum Beispiel filmt, fotografiert und zeichnet sie gern.

Endlich wieder Weihnachten

Es ist wieder so weit ...
Weihnachten ist wieder da,
aber kein Schnee!
Schade, schade, schade!
Weihnachten ohne Schnee ist wie
Ostern ohne Eier ...
Oder?

Es steht was vor der Tür ...
Weihnachten, das Fest der Liebe, steht schon wieder an.
Schon wieder soll Weihnachten sein.
Oder ist es nur ein Traum?

Nein es ist kein Traum.
Weihnachten ist endlich da.
Ohne Schnee, aber es verzaubert unsere Herzen ...
Weihnachten.

Jürgen Heider wurde 1989 in Karaganda (Kasachstan) geboren und lebt heute mit seiner Familie in Freiburg im Breisgau. Da er von Geburt an eine Körperbehinderung hat, besuchte er die Staatliche Esther-Weber-Schule in Emmendingen-Wasser für körperbehinderte Kinder und Jugendliche, die er 2009 abschloss. Seitdem arbeitet er in der Werkstatt für Behinderte in Freiburg. Das Schreiben entdeckte Jürgen Heider mit 15 Jahren für sich. Seit mehreren Jahren beteiligt er sich an Anthologien und hat drei Bücher herausgegeben.

Oh du fröhliche, und weiter so!

Wenn ich noch einmal das schiefe Geträller aus dem Nebenhaus mit der zehnten Wiederholung von *Last Christmas* höre, kann sich der Geist der Weihnacht für dieses Jahr von mir verabschieden. Ich bin bereit, jedes einzelne weihnachtliche Ornament mit voller Wucht aus dem Fenster zu schmeißen, wobei mir völlig egal ist, ob es dabei die Sternsinger, die seit fünf Uhr ihre Runden drehen, am Kopf trifft. Ich kann verstehen, dass es sich so anhört, als wäre ich der Grinch, aber ich kann versichern: Dem ist nicht so. Tatsächlich genieße ich den Duft frisch gebackener Lebkuchen im Wohnzimmer. Dieses Jahr kann ich mich aber einfach nicht für den Konsumterror diverser Fernsehsender begeistern. Etwas Gutes hat dieser Monat jedoch jedes Jahr aufs Neue zu bieten.

Spätestens am ersten Adventwochenende kann ich die Nachbarn dabei beobachten, wie sie sich aus ihren Fenstern lehnen, auf wackelige Leitern steigen und einander dabei Kommentare über die Straße hinweg zurufen, die an Unhöflichkeit grenzen. „Amüsant", denke ich mir, „fast lustig." Wie aufgescheuchte Hühner laufen Männer mit Lichterketten behängt durch meinen Vorgarten. Ich seufze. Es hat keinen Sinn, sich darüber aufzuregen.

Das letzte Mal, als ich mit einem dieser Amateure ein Gespräch über Privatgrundstücke und das Verbot, diese ohne Erlaubnis zu betreten, führen wollte, wurde mir fehlende Hilfsbereitschaft unterstellt. Darauf folgte eine fünfminütige Tirade über den Zustand meines Hauses, das bis zu diesem Zeitpunkt ungeschmückt gewesen war. Und, ginge es nach mir, auch so bleiben würde. Tatsächlich uferte die Diskussion, deren Lautstärke angestiegen war, so weit aus, dass Passanten stehen blieben und sich beklagten, mein Haus sei nicht festlich genug und würde den Gesamteindruck der ansonsten doch so herrlich geschmückten Nachbarschaft stören. Bevor ich, nach tiefem Luftholen, über den Stromverbrauch der Lichterketten informieren konnte, wurde ich unterbrochen.

Meine Nachbarin, eine rundliche ältere Dame, besänftigte die sich echauffierende Meute mit einem Blech voller Kekse. Zu meiner Schande muss ich gestehen, dass ich mich nicht traute, ebenfalls nach einem Keks zu greifen. Kopfschüttelnd löste sich der Mob auf, nicht ohne mir vernichtende Blicke zuzuwerfen. Ich dachte sogar, den Ruf: „Grinch", zu hören, dies mag jedoch meiner Einbildung entsprungen sein. Möglicherweise hatte der Kerl nur *Klinsch* gesagt, wer weiß?

Um zu meiner momentanen erschöpfenden Lage zurückzukehren: Ich befand mich im Keller meines Hauses auf der Suche nach einem Schälchen Zimt, dass sich vor mir versteckte, als es wieder an der Tür läutete. Ich stapfte nach oben, ohne den Zimt gefunden zu haben, und sah mich Auge in Auge mit der Dame vom Tierheim gegenüber. Ob ich nicht spenden wolle, fragte sie mich. Ich brachte es nicht über mich, abzulehnen, achtete jedoch darauf, keine Zeugen zu haben. Was würden meine Nachbarn für Ideen bekommen, sähen sie mich für Tiere spenden? Nicht auszudenken, wie viele andere Organisationen dann meine Türe in Beschlag nehmen würden. Ich fürchtete mich, bankrott zu gehen, konnte ich doch Geld für einen guten Zweck nicht verweigern. Auch nicht, oder vor allem nicht, zu Weihnachten.

Auf dem Weg zum Speicher warf ich einen Blick aus dem Fenster und beobachtete, hinter den Vorhängen verborgen, wie meine Nachbarn sich einen Wettstreit lieferten. Sieger war derjenige, dessen Weihnachtsbeleuchtung die Leuchtkraft eines Kernreaktors erreichte. Kopfschüttelnd setzte ich meinen Weg fort. Der Geruch von Vanille und Nelken durchdrang mittlerweile das Haus.

Als ich gerade meinen Fuß auf die erste Stufe der Leiter zum Speicher setzte, ertönte die Klingel erneut. Ich rollte die Augen, ein Gefühl von Erschöpfung überkam mich, und ich wünschte mich für einen Moment auf einen einsamen Berg inmitten eines Schneesturms. Es läutete ein zweites Mal und ich eilte hastig zur Tür. Nichts störte mich mehr, als der Ton der vermaledeiten Glocke, die ich längst hätte austauschen sollen. Zu meiner Überraschung wurden mir direkt beim Öffnen zwei Bleche mit Keksen unter die Nase gehalten. Obwohl sie himmlisch dufteten, hielt ich mich mit einer Kostprobe zurück. Ich wurde ersucht, als Richter beim lokalen Keksbackwettbewerb zu fungieren, eine Ehre, die ich nicht abzulehnen vermochte, war ich doch insgeheim ein absoluter Liebhaber sämtlicher Weihnachtsgebäcks. Mit Ausnahme von Rosinen. Um diese eingetrockneten Imitationen von Trauben machte ich stets einen großen Bogen. Meine Nachbarn schienen diese Einstellung zu teilen, denn ich geriet nicht ein Mal in die unangenehme Lage, auf eine dieser verschrumpelten Früchte zu beißen. Die Wertung fiel mir schwerer, als gedacht, und ich ging einige Minuten in mich. Schlussendlich waren die hausgemachten und butterweichen Spekulatius der eindeutige Sieger und ich wurde mit einer Unmenge an Plastikbehältern voller Kekse beschenkt, die ich selbstverständlich dankend annahm.

Auch wenn die ewige Wettbewerbsbereitschaft meiner Nachbarn mehr als nur leicht nervtötend war, so muss ich gestehen, dass sich das Resultat als durchaus positiv erwiesen hatte. Wenn nun noch das Bedürfnis, unsere Straße in eine Schneekugel zu verwandeln, passend mit Lichterketten und Santa Claus Schlitten vor jedem zweiten Haus, auf irgendeine Art gedämpfte werden könnte, ich würde Weihnachten beinahe freudig entgegengehen.

Trotz aller Mühe, mich dieses Jahr nicht vom Weihnachtsstrudel einsaugen zu lassen, wurde ich doch von ihm ergriffen. Der 24. Dezember verlief so friedvoll wie jeder andere zuvor. Am Ende grüßte man sich an den Türen, brachte kleine, liebevoll, wenn auch nicht immer ästhetisch ansprechende Geschenke zu den Nachbarn, die gestern noch auf Lärmbelästigung durch Beschallung von Weihnachtsliedern in Dauerschleife bestanden hatten. Auch die wenigen Lichter, die die Garage schmückten, wurden eingeschaltet.

Der Stress der richtigen Beleuchtung, das andauernde Keksebacken, das von Schmuck überladene Haus. Am Ende zählte nichts davon. Im Gegenteil. Sollten meine Nachbarn in ihren kindischen Streitereien um den schönsten Vorgarten schwelgen. Ich saß in einem Ohrensessel, eines meiner neuen Bücher auf dem Schoß und eine Tasse heiße Schokolade in meiner Hand und sah meinen Christbaum an. Dieses Jahr hatte ich mich selbst übertroffen. Rot und Gold zierte die Nadeln, echte Kerzen anstelle der schrill blinkenden Lichterketten, Girlanden, die im Licht glitzerten, und einwickelte Süßigkeiten, von denen ich mir eine im Vorbeigehen gepflückt hatte. Die Kekse, die die Nachbarn in ihrer Backwut zur Verkostung vorbeigebracht hatten, waren hübsch in einer Schale angerichtet und dienten als Mahlzeit für zwischendurch. Auch wenn ich den Rummel um den besten Weihnachtsbäcker nie verstehen werde, so muss ich zugeben, dass jedem meiner Nachbarn die Kekse äußerst gut gelungen waren. Zarte Schokolade zerschmolz in meinem Mund, edles Marzipan zerging auf meiner Zunge, selbst die Nüsse knackten noch, als ich in die Mandelkekse biss. Es war ein Traum an Weihnachtsgebäck, der auf meinem Tisch auf mich wartete.

Ich vertiefte mich wieder in mein Buch. Im Hintergrund lief *Stille Nacht* im Radio. Draußen, vor dem Fenster, fielen die ersten Schneeflocken. Ich sah hinaus, in meine mit Rentieren bestickte Decke gehüllt, und fühlte die Wärme in mir aufsteigen.

Vielleicht, überlegte ich, hatten meine Nachbarn vergessen, wie schön stille Weihnachten sein können.

Jasmin Fürbach BA: *22 Jahre aus Wien. Seit 2015 Studentin an der Universität Wien: Bachelorstudium für English & American Studies, Masterstudium für Deutsche Philologie; Liebe für alles Phantastische, Krimis, Horror und das Schreiben insgesamt.*

Die Ballade
von Valentin Wichtel

Valentin Wichtel bewohnte den Schnee
Gar nicht so weit vom gefrorenen See.
Im Schatten des Baums, zwischen Blättern und Kraut
Hat er sich ein winziges Häuschen gebaut.

Winterlich nahte der eiskalte Wind,
Heulend und fauchend, wie Winde so sind.
Im Laufe der Nacht trug er Wolken heran
Und Schnee lag am Morgen, so hoch wie ein Mann.

Valentin Wichtel beäugte dies grimm.
Schnee vor der Weihnacht? Das nannte er schlimm.
Da rief er: „Mein Haus ist ja gänzlich bedeckt,
Nun liegt es verborgen im Schnee und versteckt!

Weiß ist die Landschaft und schön ist sie auch,
Eines jedoch macht mir Schmerzen im Bauch!
Zu Weihnachten werden doch Gaben gereicht
Und nun übersieht man mein Häuschen so leicht!"

Valentin Wichtel sah hin und sah her,
Tausend Gedanken bedrückten ihn sehr.
Da kam ihm zum Schluss die famose Idee:
Er nahm hundert Lichter und ging in den Schnee.

Oben im Baume, im kahlen Geäst,
Spannte er Fäden von Ost bis nach West.
Sodass die Laternen, so hat er gedacht,
Den Weg zu ihm weisen mit all ihrer Pracht.

Valentin Wichtel erfand so den Brauch:
Kerzen erhellen seither jeden Strauch.
Am Abend noch schaute er staunend hinauf
Und ließ all den Wundern der Zeit ihren Lauf.

Sonnenschein folgte der Heiligen Nacht.
Valentin Wichtel, er träumte so sacht,
Erwachte und fand seinen Gabentisch leer
Und hasste den Schnee vor der Weihnacht noch mehr.

Valentin Wichtel verwünschte das Licht.
Eine Nacht länger ertrug er es nicht.
„Gebracht hat es nichts, dann muss es jetzt fort!
Mein Haus blieb verborgen, ein trauriger Ort."

Draußen dann fand er im Schnee vor dem Baum,
Valentin lachte und glaubte es kaum,
Ein kleines Paketchen, adrett und verziert,
Und mit ihm ein Brieflein, an ihn adressiert:

„Valentin, danke, du eifriger Wicht!
Schönheit und Wunder vereinten dein Licht.
Wer gut ist, der braucht keine Gunst zu verlangen,
Wer gut ist, dem ist es noch stets gut gegangen!"

Freudselig strahlte sein ganzes Gesicht:
Dies blieb im Kopf, er vergaß es auch nicht.
Der Gnade der Weihnacht bleibt niemand verdeckt
Selbst wenn sich das Haus unter Neuschnee versteckt.

Valentin Wichtel bewohnte den Schnee
Gar nicht so weit vom gefrorenen See.
Er lachte nun immer und schaute nicht grimm,
Denn Schnee vor der Weihnacht war gar nicht so schlimm.

Finn Lorenzen ist Literaturwissenschaftler und Autor. Geboren wurde er 1989 in Schleswig-Holstein, später studierte er an der Universität Bremen. Heute lebt er mit seiner Frau in Neuss.

Der verletzte Engel

Lena drehte sich seit Stunden von einer Seite auf die andere. Sie musste die ganze Zeit daran denken, dass das Christkind in den nächsten Stunden die Geschenke für Heiligabend brachte. Und wenn sie nicht bald einschlief, war sie morgen viel zu müde, um die Geschenke auszupacken. Doch als sie gerade anfing, zu träumen, schepperte etwas. Lena riss die Augen auf und sah in die Dunkelheit. War das Geräusch nur in ihrem Traum gewesen? Oder war noch jemand im Haus? Lena stand auf, öffnete ihre Zimmertüre und schlich durch den dunklen Flur. Unter der Wohnzimmertür schien Licht durch. Sie kniff ein Auge zu und versuchte, mit dem anderen etwas durch das Schlüsselloch zu erkennen. Aber sie konnte nichts sehen. Sicherlich hatten ihre Eltern gestern etwas vor das Loch gehängt. Vielleicht war es aber auch das Christkind gewesen, überlegte Lena. Bei dem Gedanken musste sie grinsen und wollte die Türe öffnen.

Doch Lena zögerte plötzlich und sah in den dunklen Flur zurück. Sie wusste, dass sie sich wieder ins Bett legen sollte. Aber sie wollte sich auch nicht die Chance entgehen lassen, vielleicht gleich das Christkind im Wohnzimmer zu sehen. Und so öffnete Lena die Tür.

Doch im Wohnzimmer war es dunkel. Hatte sie sich das Licht unter der Tür nur eingebildet? Lena schüttelte den Kopf. Sie war sich sicher, dass Licht gebrannt hatte. Vielleicht versteckte sich das Christkind aber auch. Oder war es gar nicht das Christkind, sondern ein Einbrecher, der ihre Geschenke stehlen wollte?

Lena wurde mulmig und schaltete mit zittrigen Händen das Licht ein. Als Erstes sah sie die zerbrochene Glocke auf dem Boden. Es war definitiv jemand hier gewesen. Aber derjenige hatte kein Interesse an ihren Geschenken gehabt. Denn um den Christbaum herum lagen große und kleine Geschenke, eingepackt in buntem Papier. Die einen trugen eine Schleife, andere eine Grußkarte. Am liebsten würde sie das eine oder andere aufreißen. Aber dann würde sie mächtig Ärger bekommen. Andererseits fiel es doch sicherlich nicht auf, wenn sie schon eines öffnete. Lena schnappte sich ein Geschenk und wollte gerade an der goldenen Schleife ziehen, als plötzlich die Kerzen am Christbaum angingen. Lena hielt die Luft an, legte das Geschenk wieder auf den Boden und ging zwei Schritte vom Baum weg.

Sie war nicht allein. Und gerade wünschte sie sich, dass sie im Bett liegen geblieben wäre. Am liebsten würde sie jetzt ihre Eltern holen. Aber dann müsste sie erklären, was sie im Wohnzimmer zu suchen hatte. Lena redete sich ein, dass das Christkind sie sicher nur erschrecken wollte.

Doch dann begannen die Kugeln am Baum, zu wackeln. Kurz darauf kam ein kleines Gesicht mit braunen Locken hinter dem Baum zum Vorschein.

„Wer ist da?", fragte Lena vorsichtig.

Erst blieb alles ruhig, dann wackelte der Baum und ein kleines Mädchen schlich hinter dem Baum hervor. Es trug ein weißes Kleid mit kleinen blauen Sternen, die Arme hatte es an seinen Körper gedrückt. Die Augen waren gerötet und über der Schulter konnte Lena die Spitzen von Flügeln erkennen. „Du bist ein Engel", stellte sie fest und sah den Engel mit großen Augen an.

„Ein Engel, der versagt hat."

Lena schüttelte den Kopf. „Du hast nicht versagt. Du hast doch ganz viele Geschenke gebracht."

Der Engel lächelte sie an. „Wenn das Christkind hiervon erfährt, war das für lange mein letzter Einsatz an Heiligabend."

„Von mir erfährt niemand etwas", versprach Lena.

„Das ist lieb. Aber das Christkind wird davon erfahren. Ich kann nämlich nicht mehr fliegen."

„Wieso?"

„Ich habe mir meinen Flügel an den Tannen verletzt", sagte der Engel und als er seinen Flügel ausbreitete, konnte Lena den Riss sehen. „Bei dem Versuch, zu fliegen, habe ich die Kontrolle verloren und die Glocke zu Boden geschmissen."

„Soll ich ein Pflaster holen?", fragte Lena und wollte schon loslaufen.

Der Engel schüttelte mit gesenktem Blick den Kopf. „Da hilft nur Sternenstaub und viel Geduld."

„Aber wie kommst du wieder in den Himmel, wenn du nicht mehr fliegen kannst?"

„Ich habe dem Christkind Bescheid gegeben, dass ich mich verletzt habe. Sie holen mich."

„Dann verstecke ich mich hinter dem Baum. Von dort kann ich das Christkind sehen und es erfährt nicht, dass ich dich gesehen habe. Dann bekommen wir beide keinen Ärger."

„Das ist lieb von dir. Aber ich kann nicht gut lügen und das Christkind sollte man ohnehin nicht anlügen. Man sollte überhaupt nicht lügen. Es wäre nur richtig, mich die nächsten Jahre nicht auf die Erde zu lassen."

„Wie meinst du das? Was machst du dann?"

„Die Engel, die keine Geschenke verteilen, müssen die Engel koordinieren, die auf die Erde gehen. Dazu muss man die ganze Zeit auf Monitore starren und das ist sehr anstrengend."

„Dann bringt aber ein anderer Engel meine Geschenke, oder?"

Der Engel lachte. „Natürlich. Trotzdem wäre es besser, wenn du wieder ins Bett gehst und das hier eine absolute Ausnahme bleibt."

Lena seufzte und sah zu Boden. Vielleicht war es tatsächlich besser, wieder ins Bett zu gehen. Sie wollte das Christkind nicht enttäuschen. Sonst bekam sie nächstes Jahr womöglich keine Geschenke mehr. „Danke für die Geschenke", sagte Lena und der Engel lächelte, obwohl kleine Tränen an seiner Wange hinunterliefen.

Lena war gerade auf den Flur gegangen, als ein leises Rauschen ertönte.

„Komm bitte zu uns, Lena."

Lena blieb stocksteif stehen. Gehörte diese sanfte Stimme dem Christkind? Bekam sie jetzt doch Ärger? Oder waren die Geschenke unter dem Baum für viele Jahre die letzten?

Langsam ging sie wieder ins Wohnzimmer. Neben dem Engel stand ein älteres Mädchen mit langen, goldenen Locken. Es trug ein glänzendes weißes Kleid und die weißen Flügel waren deutlich größer als beim Engel. Die Augen des Mädchens strahlten und auf seinen Lippen lag ein Lächeln.

„Ich bin das Christkind", erklärte das Mädchen und Lena traute sich nicht, sich zu bewegen.

„Es ... es tut mir leid, dass ich nicht im Bett liegen geblieben bin", stotterte Lena.

„Du hättest nicht ins Wohnzimmer gehen dürfen, das ist richtig. Aber nun ist es so und wir müssen das Beste daraus machen." Das Christkind lächelte sie an. „Weißt du, Lena, es ist gut, dass Kinder neugierig sind. So entdecken sie allerhand neue Dinge und machen ihre eigenen Erfahrungen. Aber es gibt eben auch Dinge, die Kinder nichts angehen. Deshalb solltest du in Zukunft auf deine Eltern hören."

Lena nickte heftig mit dem Kopf. „Das verspreche ich und ich erzähle auch niemandem, dass ich euch gesehen habe."

„Aber kannst du mir auch versprechen, dass unser heutiges Treffen eine Ausnahme bleibt?"

„Ja, ich bleibe jetzt immer im Bett liegen."

„Das ist schön", sagte das Christkind. „Und was das Lügen angeht: Es ist ehrenhaft, dass du meinem kleinen Engel helfen wolltest. Aber Lügen ist keine schöne Angewohnheit und kann schnell für viel Ärger sorgen."

„Es tut mir leid."

„Lass dir die heutige Nacht eine Lektion gewesen sein und bleib weiterhin brav und ehrlich."

„Das werde ich."

„Ich wünsche dir ein schönes Weihnachtsfest, Lena."

Lena lächelte, drehte sich um und lief durch den dunklen Flur zurück in ihr Zimmer. Als sie an ihrem Zimmer angekommen war und zurücksah, war das Licht im Wohnzimmer erloschen. Schnell ging sie ins Bett und kuschelte sich in ihre Decke, da war sie auch schon eingeschlafen.

Christina Emmerling wurde 1992 in Würzburg geboren, wo sie auch heute noch lebt. Neben Kurzgeschichten schreibt sie Fantasyromane und arbeitet derzeit an einer Trilogie. Ihre erste Kurzgeschichte wurde 2013 in einer Anthologie veröffentlicht.

Winterwonderland

Das ist jetzt nicht der Elfenernst. Die Weihnachtspoststation ist überfüllt mit Weihnachtswünschen von Kindern. Einige Elfen haben wohl ihren Job vergessen. Hier sieht es einsam und verlassen aus. Aber Arbeit wäre da. Alles nur wegen der blöden Elfen-WM. Ich finde es nicht okay. Dem Weihnachtsmann ist es offensichtlich egal. Tja, und jetzt haben wir das Problem, weil sich keiner hier um irgendetwas kümmert. So wie es aussieht, bin ich der Einzige, der den Heiligen Abend retten will, damit Kinder schöne Weihnachten haben. Ich heiße Billy und bin ein Weihnachtself. Ich muss das Fest retten.

Im Postraum hat sich einiges gestapelt. Hier herrscht völliges Chaos. Postelf Emil hat wohl vergessen, dass er hier gebraucht wird. Als Kapitän des Icehockey-Teams hat er natürlich gerade jetzt sehr viel zu tun. Die Poststation ist nicht unser einziges Problem, das wir haben, denn die Rentiere sind die Taxis. Ich habe keine Ahnung, ob der Weihnachtsmann es weiß, aber es kann sein, dass er keine Schlittentiere zum Heiligen Abend hat, denn die sind ja ausgebucht.

Ich muss also Weihnachten retten und mache mich auf dem Weg zum Santa. Irgendjemand muss mit ihm reden. Schließlich bin ich hier ja der Oberelf. Lilli, die Weihnachtsmannhauselfin, kommt mir entgegen. Ich frag sie gleich, ob der Weihnachtsmann gerade Zeit hat.

Sie antwortet mir: „Nein, der hat gerade sehr viel zu tun."

Mist. Was soll ich jetzt machen? Da fällt mir etwas ein. Hatte nicht erst jüngst der Osterhase unsere Elfen ausgeliehen, weil er mega Stress vor Ostern hatte und seine Hasen mit dem Bemalen der Ostereier total überfordert waren? Denn das Osterfest fand schon im März statt. Die Weihnachtselfen halfen im Easterrabbitland aus. Also finde ich es nur fair, wenn uns die Osterhasen auch helfen. Schließlich ist Weihnachten genauso wichtig wie Ostern. Das werde ich ihm so erklären.

Ich nehme auch schon ein Fluggerät und flieg ins Easterrabbitland. Hoffentlich ist der Osterhasenchef wach, sonst habe ich ein Problem. Zur Not muss ich mir irgendetwas anderes einfallen lassen.

Ich steh nun vor dem Büro des Osterhasen. Ein Zettel hängt an der Türe:

Bin, nur in dringenden Fällen erreichbar.
Dein Osterhase.

Hm, okay. Weihnachten zu retten, ist für mich dringend. Also klingle ich auch schon an der Tür.

Der Osterhasenchef ist nicht begeistert, als er mich sieht. „Ist was passiert?", will er nun von mir wissen.

„Nein, ich bin nur so hier. Weihnachten ist in Gefahr", sag ich zu ihm.

Der Osterhase runzelt seine Löffel und meint: „Ach, du meinst, ich soll dir meine Hasen leihen?"

„Äh, ja, das wollt ich eigentlich fragen."

Er könne mir schon seine Hasen leihen, aber er müsse zuerst in seinem Kalender nachsehen, wann nächstes Jahr Ostern ist, erklärt er mir.

Ostern ist, wie du ja weißt, liebe Leseratte, nicht immer am selben Tag. Das ist der feine und große Unterschied zwischen Ostern und Weihnachten. Weihnachten findet immer am 24. und am 25. Dezember statt, das wird sich nie ändern.

Jetzt kommt der Osterhase zurück und sagt: „Ja ich kann dir die Hasen leihen, aber die müssen Anfang Februar, nein, um genauer zu sein, ich möchte, dass sie Ende Jänner wieder da sind. Das heißt einsatzfähig am 1. Februar. Wehe dir, es ist nicht so."

Da hat der Osterhase schon Angst um Ostern. Versteh ich das richtig? Er trommelt schließlich doch all seine Hasen zusammen und drei Stunden später hoppeln schon 100 Hasen zu mir. Das sind die Osterhasenlehrlinge und die kommen jetzt mit mir mit.

Back im Winterwonderland. Das Erste, was ich höre, ist: „Brr mir ist kalt, ich mag wieder ins Easterrabbitland. Weil es hier im Winterwonderland beim Weihnachtsmann so schrecklich ist."

Lilli, die Weihnachtsmannhauselfin, kommt zu mir und schreit:

„Sag mal, bist du wahnsinnig. Du kannst doch nicht so einfach die Hasen herholen, die erfrieren uns ja noch. Du Schlauberger, Billy."
Lilli ist wirklich wütend.

Da kommt auch schon der Weihnachtsmann, der fragt mich genau dasselbe. Meine Antwort ist: „Ja, hätte ich die Hasen nicht geholt, würde es dank der Elfen-WM blöd aussehen mit Weihnachten. Ich sag nur: Überfüllung der Poststation."

Der Weihnachtsmann schreit: „Emil, komm sofort her."

Es dauert eine Weile, bis er kommt. „Ja, Weihnachtsmann, was gibt es?"

„Wo sind deine Postelfen? Warum ist keiner in der Poststation? Warum liegen so viele ungelesene Briefe in der Poststation?", will der Weihnachtsmann nun wissen.

Und Emil sagt: „Weil wir eben alle bei der Elfen-WM eingeteilt sind."

Lilli hat auch schon eine Lösung. „Billy hat bestimmt die Hasen nicht umsonst hierhergeholt, ich finde, die sollen sich in der Poststation umsehen und in der Spielzeugwerkstatt arbeiten und an Robotern bauen, dann ist ihnen nicht kalt, weil sie ja in der Wärme sind. Und Weihnachten ist gerettet."

Das sei ein guter Vorschlag von Lilli, findet der Weihnachtsmann. Wir haben noch zehn Tage Zeit bis Weihnachten. Das ist nicht mehr lange. Aber warum Roboter gebaut werden sollen, das versteht keiner. Hm, vielleicht hat es was mit den Rentieren zu tun? Die wahrscheinlich nicht einsatzfähig sind am Heiligabend.

„Roboter bauen? Für was genau?", will ich jetzt wissen.

„Na, nur in dem Fall, dass die Rentiere keine Zeit an Heiligabend haben", antwortet mir Lilli.

Der Hase Lumpo hat dafür schon eine andere Idee. „Wir könnten ja den Schlitten des Weihnachtsmanns etwas umbauen, dann braucht man keine Rentiere." Das ist auch eine gute Idee. Lumpo sagt, er mache sich auch gleich auf dem Weg zum Schlitten. Schon hoppelt er los.

Die anderen Hasen teilen wir für die Post und eben für die Kinderwerkstatt ein. Der Osterhase hat mir offensichtlich Powerhasen mitgegeben. Deren Motivation möchte ich gerne haben, denn sie sind sehr fleißig. Wir könnten uns echt eine Scheibe von ihnen abschneiden. Oder ihnen ist einfach nur kalt.

Aktuell haben wir wirklich Probleme mit einigen Hasen, da sie Erfrierungen in den letzten Tagen erlitten haben, nun ist bei uns die Elfenkrankenstation voll mit kranken Hasen. Bis Ende Jänner haben wir Zeit, die Hasen zu heilen.

Deshalb wurde die Elfen-WM abgebrochen, die soll dann eben im Februar, wenn die Hasen wieder weg sind, weitergehen. Gute Entscheidung. Warum nicht gleich so?

Wir haben alle Wünsche von den Kindern, die zu erfüllen waren, erfüllt, morgen fliegt der Weihnachtsmann mit seinen Rentieren, trotz eingebautem Schnellflugzeug – oder wie es Lumpo nennen mag –, los. Die lieben Hasen sollen bis Ende Jänner bei uns bleiben, dann sind sie von der Erfrierung wieder geheilt. Der Osterhase ist nicht sauer. Ich finde aber, an Weihnachten geht es nicht nur um Geschenke, obwohl Geschenke etwas Schönes sind. Weihnachten ist auch das Fest der Freude, der Liebe und der Familie. Es gibt doch nichts Schöneres, als mit den Menschen Weihnachten zu feiern, die man mag. Nicht jedes Kind kann Weihnachten feiern – aus welchem Grund auch immer. Ich las übrigens einen Brief von einem Kind, in dem stand:

Lieber Weihnachtsmann, ich wünsche mir, dass ich wieder gesund werde.

Leider kann das der Weihnachtsmann nicht erfüllen, aber vielleicht kann das jemand anders. Und ich weiß auch wer – Gott. Was ich dir eigentlich damit sagen will, ist Folgendes: An Weihnachten geht es eben nicht nur um Geschenke. Ein kranker Mensch wünscht sich nur eines – Gesundheit. Ein Obdachloser hätte gern ein Dach über dem Kopf. Ein hungriges Kind wünscht sich Nahrung. Ein Waisenkind wünscht sich Eltern. Ich wünsch mir nur eines – Frieden. Ich wünsche dir, liebe Leseratte, frohe Weihnachten und schöne Feiertage. Ich geh jetzt in meinen wohlverdienten Urlaub. Ab in die Karibik.

Christina Riemelmoser, 29 Jahre jung. Hobbys: Schreiben, Lesen, Sport. „Ricky, der Hausgeist, und die gelbe Kugel" wurde in „Wo die Wilden Geister wohnen Band 2" veröffentlicht.

Besuch in Bethlehem

Samuel, der Besucher im Stall von Bethlehem, schüttelt sich den Staub aus dem Fell. „Pass doch auf!", schimpfen und husten die Spinnen und die Ameisen. „Du kommst einmal im Jahr zu uns, nur um deinen Wüstenstaub über uns zu schütten, mach das gefälligst vor der Tür!"

„Oh, entschuldigt, ich hatte ganz vergessen, was mir die Sonnenstrahlen erzählt haben, hier soll ordentlich viel los gewesen sein. Ist das wahr?"

Ismael, Samuels Cousin, erzählt:

„Weißt du, das war so: Die Himmelsschlüssel, diese blauen Blumen dort, die sind mit den Engeln befreundet. Von denen erfuhren wir, dass hier in unserem Stall ein Wunder geschehen wird. Hier sollte ein großer König geboren werden. Und wir wollten dazu beitragen, dass alles schön gemütlich und sauber ist. Die Sonnenstrahlen leuchteten in jedes Eck hinein, sodass die Ameisen wirklich jedes Flöckchen Staub finden und hinausbefördern konnten. Die Spinnen versprachen, wenn das Kind da ist, sofort ihre Netze aufzufressen, dass es sich nicht erschrickt. Abends fielen wir alle in einen tiefen Schlaf. Am nächsten Tag hatte der Bauer hier viel zu tun. Er tauschte eine Menge kaputter Holzlatten aus und reparierte sogar das Fenster. Unser Opa stand wie immer an seinem Futtertrog. Er schaute lieber zu, anstatt sich irgendwie an der Arbeit zu beteiligen. Er begnügte sich damit, Gelegenheiten zu suchen, um vor sich hin zu granteln, wenn ihm irgendetwas nicht passte. Doch ab und zu holte ihn der Bauer ab, um den Karren mit Gemüse, Käse oder Wolle in die Stadt zu ziehen. Darüber freute er sich jedes Mal, denn meistens gab es auch Kinder zu tragen. Mit dieser leichten Last auf dem Rücken konnte er richtig gemütlich vor sich hin traben, wie es ihm gefiel. Wenn er dabei trotz seines hohen Alters übermütig wurde, plötzlich mit den Hufen ausschlug oder losgaloppierte, dann hatten die Kleinen und er ihre helle Freude. So auch jetzt, nachdem die Arbeiten im Stall erledigt waren. Auf dem Weg in die Stadt leistete ihm der Ochse vom Nachbarhof Gesellschaft. Unterwegs fraßen sie gemeinsam frisches Gras und tauschten Neuigkeiten aus. Hierbei erfuhr unser Opa, dass wir einen Besucher haben werden: Der Ochse wird eine Weile mit ihm an der Futterkrippe stehen. Na, das war immerhin eine Nachricht! Ganz anders als die von diesem König, so Opas Aussage. Bald erschien ein fremder Mann, der einen Esel führte, auf dem eine schwangere Frau saß.

„Damit fing alles an", plappert eine Spinne voller Ungeduld los. „Jetzt brach nämlich die Hölle aus und alles drehte sich nur noch um diese Frau und ihr Kind. Der Bauer mit seiner Familie und eine weitere Frau waren die ersten Besucher, die kamen. Haben die eine Unruhe verbreitet! Die Kinder des Bauern rannten hier herum, die zweite Futterkrippe wurde hervorgeholt. Stell dir vor, da konnten wir über Generationen ungestört unsere Netze bauen, auf einmal war alles weg! Stattdessen wurde ganz frisches Stroh hineingelegt. Vor dem Stall wurde Holz angezündet. Dazwischen schrie das kleinste Kind. Und das alles war erst der Anfang, es kamen immer mehr Menschen dazu. Und du weißt ja selbst, wo die in Massen auftreten, ist es laut und Tiere sind im Weg. Besonders wir Spinnen und Ameisen müssen immer wieder aufpassen, dass wir nicht zertrampelt werden. Und nachdem das Kind geboren war, kamen so viele Besucher, das kannst du dir gar nicht vorstellen. Sehr, sehr oft tauchten schon bei Sonnenaufgang irgendwelche Fremde auf, um vor der Frau mit ihrem Kind niederzuknien und ihr Geschenke zu bringen. Die Letzten gingen nach Sonnenuntergang. Wir hatten überhaupt keine Ruhe mehr. Es muss wirklich ein ganz außergewöhnliches Kind sein, das da geboren wurde."

„Und wie ging es danach weiter?", fragt Samuel.

Ismael beginnt wieder: „In der Nacht, nachdem das Kind geboren wurde, ich hatte schon fest geschlafen, sind mir die Spinnen und die Ameisen über das Gesicht und den Hals gekrabbelt. Meistens machen sie das nur aus Versehen und lassen sich leicht abschütteln, diesmal waren sie sehr hartnäckig. Gleichzeitig lag auf meinen Augenlidern ein enormer Druck. Als ich endlich blinzeln konnte, machte ich direkt vor dem Stall eine gleißend helle Lichtquelle aus. Hinter mir ertönte ein gedämpftes, tiefes *Iaaa*. Ich drehte mich um. Auch Großvater hatte wohl so etwas noch nicht erlebt: Er stand neben seinem heiß geliebten Futtertrog, und starrte gerade aus vor den Stall. Jetzt konnte ich auch erkennen, was er sah: Vor der Familie standen Zweibeiner, die aussahen wie Menschen, sie waren nur größer und trugen Flügel. Sie strahlten eine eigenartige Helligkeit aus. Zahllose kleinere geflügelte Wesen, die genauso aussahen, durchkreuzten fliegend und singend die Umgebung. Einige bliesen in lange silberne Rohre, aus denen wunderschöne Musik kam. Andere trugen runde Töpfe, um mit kurzen Holzstielen darauf herumschlagen. Die riesige Figur direkt vor der Frau war die einzige, die das Maul auf und zu klappte. Sie hat ganz bestimmt etwas sehr Schönes gesagt. Die Wöchnerin sah ganz aufmerksam zu ihr hin. Wir hatten Angst und waren gebannt von diesem wunderbaren, seltsamen Schauspiel. Wir drängten uns in einer Ecke hinten im Stall ganz eng zusammen. Eine Spinne hatte einen Krampf im rechten vorderen Bein, weil sie unbequem stand. So unauffällig wie irgendwie möglich humpelte sie zur Seite, um sich vorsichtig zu strecken. Nach einer Weile wurde das Licht schwächer, die Menschen und die geflügelten Wesen zogen sich zurück. Links und rechts neben dem Stall blieben zwei Menschenfiguren mit Flügeln stehen, ihr Licht glimmte gerade noch wie das von Glühwürmchen. Die Musik klang leise im Hintergrund weiter. Wir standen noch lange beisammen, um über dieses seltsame Schauspiel zu reden, so unauffällig wie möglich."

Die Tiere kauen versonnen auf ihrem Heu herum. Schließlich bricht Samuel das Schweigen. „Und was ist mit Opa? Wieso ist der nicht hier?"

Jetzt wird Ismael wütend, er lässt sein lautestes *Iaaa* hören und galoppiert über die Wiese, bis er sich beruhigt hat. Dann trottet er mit hängenden Ohren und eingezogenem Schwanz zurück in den Stall. „Es schmerzt mich immer wieder", knurrt er vor sich hin, „dass ich zusehen musste, wie Opa litt und ihm nicht helfen konnte."

Er macht eine Pause, nimmt einige Atemzüge und redet dann leise weiter. „Es kamen wirklich noch viele fremde Menschen hierher. Die hatten alle Geschenke dabei und knieten vor der Frau und dem Kind nieder. Eines Tages kam ein ganzer Trupp vornehm gekleideter Männer und Frauen auf Kamelen geritten. Es gab ein Gespräch, das die ganze Familie in großen Aufruhr versetzte. Weil die Menschen Schwierigkeiten hatten, mussten wir einen weiten Weg gehen, der unserem Opa zu viel wurde, und das ist das, was mich so wütend macht."

„Er musste die Menschen tragen?"

„Der fremde Esel und ich, wir beide bekamen Kisten mit den Geschenken aufgeladen, die die vielen Besucher mitgebracht hatten, und Opa musste die Frau und das Kind tragen. Nach zwei Tagen konnte er einfach nicht mehr. Wisst ihr, was die mit ihm gemacht haben? Die ließen ihn einfach zurück! Ich musste noch lange weiterlaufen, meinen Opa habe ich nicht mehr gesehen."

Traurig und mit hängenden Köpfen stehen die Esel um die Futterkrippe herum und fressen ihr Heu.

Christel Heil wurde in Kaiserslautern geboren und wohnte bis 1977 in einer Gemeinde im Landkreis Kaiserslautern. In ihrem 16. Lebensjahr wurde ihre erste Kurzgeschichte veröffentlicht. Nach einer langen Pause begann sie 2011 wieder, zu schreiben und in kleinerem Kreis vorzulesen. In verschiedenen Anthologien wurden einige Kurzgeschichten veröffentlicht, so auch 2014 in der Apfelanthologie. Ein weiteres wichtiges Hobby ist Querflöte spielen.

Biggi und die Christkind-Falle

Birgit mochte ihren Namen nicht besonders – wer hieß den heutzutage noch Birgit? Also in ihrer Klasse niemand. Die hatten alle coole, moderne Namen – und sie war nach ihrer Oma benannt. Also wirklich – was hatten sich ihre Eltern dabei gedacht. Sie war froh, dass sich in ihrer Klasse schnell ein Spitzname für sie fand und so wurde sie von allen *Biggi* gerufen – der Name klang so zwar irgendwie nach Kleinkind und sie ging ja immerhin schon in die erste Klasse, aber immerhin nicht nach Oma.

Ihre Oma hingegen liebte sie aber über alles. Da ihre Eltern oft arbeiten mussten, war Biggi viel bei ihr. So auch heute. Draußen stoben die Schneeflocken, während sie am Küchentisch saß und eine nahezu gigantische Tasse Kakao trank. Ihre Oma saß ihr gegenüber, las Zeitung und nippte ab und an ihrem Kaffee.

„Bald ist Weihnachten", stieß Biggi hervor und griff nach einem Stück Kuchen, das auf einem abgewetzten Tablett vor ihnen lag.

Raschelnd senkte sich die Zeitung und ihre Oma sah sie lächelnd mit einer hochgezogenen Augenbraue an: „So so … na, dann hoffen wir, dass du lieb und brav warst …"

„Hmm … ach, Oma, … als ob ich keine Geschenke bekommen würde, wenn ich nicht brav gewesen wäre …"

Nun legte die ältere Dame die Zeitung demonstrativ weg und widmete sich voll ihrer Enkelin: „Wie meinst du denn das?", sagte sie und griff ebenfalls zum Kuchen.

„Na, diese Weihnachtsmann-Geschichte glaubt doch kein Mensch mehr, ich bin doch kein Baby! Papa und Mama holen die Geschenke!"

Ihre Oma lachte kurz und wischte sich den Mund mit einer Serviette ab: „Da hast du natürlich recht, du bist kein Baby mehr und diese Weihnachtsmann-Story … also, die kannst du wirklich vergessen!"

Biggi nickte so heftig, dass ihr Lockenkopf regelrecht erschüttert wurde, und grinste ihre Oma an, wobei sie eine Milchzahnlücke offenbarte. „Aaaaaber ...", setzte diese an, „... das mit deinen Eltern stimmt leider nicht."

Biggi stockte noch im Kauvorgang und sah sie erstaunt an.

„Die Geschenke bringt nicht der Weihnachtsmann, den gibt's gar nicht, aber deine Eltern holen sie auch nicht ..."

„Wer denn dann?" Biggi war echt verunsichert.

„Natürlich das Christkind!"

Fragende Augen sahen die ältere Dame an. „Das Christkind? Was ist denn daaaas?"

„Na ja, das Christkind bringt in der Nacht vor Heiligabend die Geschenke und legt sie um den Weihnachtbaum. Hast du dich nie gefragt, warum euer Wohnzimmer ab dem 23. Dezember nachmittags abgeschlossen ist?"

„Doch ...", gestand Biggi, „... aber ich dachte, Mama und Papa bereiten da immer alles vor."

„Neeeein ... da kommt nachts das Christkind!"

„Und ... wie sieht das aus?"

„Das ist es ja, das darf keiner sehen! Es bringt seine Geschenke nur heimlich! Also kann keiner sagen, wie es aussieht."

Biggis fragender Gesichtsausdruck änderte sich zu wilder Entschlossenheit: „Dieses Jahr, werde ich es fangen!" Ihre Oma lachte laut auf und strich ihr durch das wuschelige Haar.

Ihr Plan war perfekt. Biggi lag in ihrem Zimmer im Bett. Es war dunkel, nur die Schneeflocken vor dem Fenster schickten ein wenig weißes Licht in ihr Zimmer. Es war der 23. Dezember. Morgen war Heiligabend. Seit zwei Wochen war ihr das Gespräch mit ihrer Oma nicht mehr aus dem Sinn gegangen. Sie schwankte zwischen Glauben und Neugier: Christkind? Wer sollte das sein? Wieder nur eine Geschichte von Oma – solche erzählte sie ihr häufig. Oder gab es das doch?

Und so war es zum Plan heute Abend gekommen – Biggi würde dem Christkind eine Falle stellen. Aus den Vorjahren wusste sie, dass ihre Eltern nach dem Weihnachtsgroßeinkauf am 23. Dezember immer gegen Abend, kurz bevor sie ins Bett musste, das Wohnzimmer abschlossen und sie erst wieder zur Bescherung am nächsten Tag hinein konnte. Aber sie war schlau: Sie wusste, dass ihre Mutter den Wohnzimmerschlüssel immer auf ihren Schreibtisch in die Stiftebox legte. Also wartete sie heute, bis ihre Eltern ins Bett gingen – ihr Schlafzimmer lag neben ihrem eigenen Kinderzimmer, dann würde sie hinunterschleichen ins Wohnzimmer und sich dort verstecken. Sie durfte nur nicht einschlafen … und sie war verdammt müde …

Als endlich alles ruhig war, kletterte sie aus ihrem Hochbett, schlich die Treppe hinunter – die Holzstufen durften auf keinen Fall knarzen –, ging dann ins Arbeitszimmer ihrer Eltern. Oh Gott, war es da dunkel und sie durfte kein Licht machen. Langsam fasste sie in die Stiftebox – ja kein Geräusch – und hätte fast gejubelt: Sie hatte den Schlüssel! Leise ging sie zurück auf den Flur des kleinen Reihenhauses, wandte sich zum Wohnzimmer und schloss es leise auf.

Das Zimmer lag in vollkommener Dunkelheit. Vor dem großen Panoramafenster konnte sie die Umrisse des Weihnachtsbaums ausmachen. Gott sei Dank – noch keine Geschenke da! Sie war also nicht zu spät. Leise schloss sie wieder die Tür und kauerte sich hinter den großen Sessel, den Papa so bequem fand und Mutter nur hässlich. Dort würde sie warten. Oh Gott, war sie müüüüüdeee.

Kurz bevor ihr die Äugelein zufielen, schreckte sie auf: Ein Lichtblitz erhellte das Wohnzimmer. Sie duckte sich nur noch mehr hinter den Sessel und beobachtete, wie aus dem Blitz eine Gestalt ins Wohnzimmer trat. Ein Mädchen, wenige Jahre älter als sie. Es hatte blondes langes Haar und goldene Flügel – sie erinnerte sie an die Engelsbilder aus dem Religionsbuch. Das Mädchen trat auf den Christbaum zu und schnipste. Sie da! Aus ihren Fingern stoben Funken und vor dem Baum erschien ein wunderschön verpacktes Weihnachtsgeschenk. Sie schnippte erneut und wieder lag ein neues Geschenk unter dem Baum.

Biggi verließ ihr Versteck und trat in das hell erleuchtete Zimmer. „Wer bist du?", sagte sie laut.

Erschrocken drehte sich das engelsgleiche Mädchen um und sah Biggi erstaunt an. „Du darfst mich nicht sehen!", sagte es leise – seine Stimme hatte etwas wunderbar Melodisches.

Biggi lächelte. „Ich war neugierig."

Das Mädchen erwiderte das Lächeln: „Ich bin das Christkind und bringe gerade die Geschenke!"

„Kannst du unendlich viele Geschenke machen? Mit dem Schnipsen?"

66

Das Lachen des Christkindes klang wie kleine Glöckchen: „Ja, das könnte man annehmen ..."

„Meine Oma hat mir von dir erzählt, da wollte ich dich unbedingt einmal sehen!"

„Und? Bist du zufrieden mit dem, was du siehst?" Das kindliche Gesicht des Christkindes hatte neben der Freundlichkeit auch eine unglaublich erwachsene, fast weise Ausstrahlung, wie man sie ansonsten nur von sehr alten Leute kennt.

„Du ... du bist wunderschön!", stammelte Biggi!

Wieder ertönte das Glöckchen-Lachen. „Jetzt muss ich aber weitermachen!", sagte das Christkind.

„Kannst du nicht hierbleiben?"

„Aber das wäre doch für alle anderen ziemlich gemein, wenn sie keine Geschenke mehr bekommen würden, oder?"

Biggi nickte. „Ja, das stimmt!"

„Ich wünsche dir und deiner Familie eine frohe Weihnacht!", sagte das Christkind.

„Danke!", brachte Biggi hervor, sah dem Christkind tief in die Augen. Sie fühlte sich plötzlich so müde ... so unendlich müde. Das Glöckchenlachen begleitete sie, als sie in den Schlaf hinüberglitt.

Biggi schreckte hoch. Verschlafen rieb sie sich die Augen. Die morgendliche Sonne strahlte in ihr Zimmer. Es hatte zu schneien aufgehört. Aber ... wie war sie in ihr Bett gekommen?

„Na? Schlafmütze, heute bist du aber lange im Bett." Ihre Mutter hatte das Zimmer betreten.

„Mama! Ich muss dir was erzählen!", platzte es aus Biggi heraus. „Ich hab das Christkind heute Nacht gesehen!"

„Ahhh, das Christkind!" Ihre Mutter nickte lächelnd und öffnete das Fenster. Kalte Luft strömte in den Raum. „Und? Hat es Geschenke gebracht?"

„Ja ... und ... es war wunderschön!", stammelte Biggi verschlafen und aufgeregt gleichzeitig. „Ich habs wirklich gesehen!"

Ihre Mutter strich ihr übers Haar. „Na, wenn das kein Weihnachtstraum war – komm, ich mach dir Frühstück. Raus aus dem Bett. Heute ist doch Weihnachten!"

Oliver Miller ist Lehrer an einem Gymnasium in Hannover.

Die einhundert Paar Schuhe

Mein Name ist Dennis. Gerade bin ich damit beschäftigt, mein bestes Paar Schuhe zu putzen. Auch wenn man es ihnen ansieht, dass sie meine Füße schon so einige Kilometer getragen haben und ihr einstmals schwarzes Leder nun blass und an manchen Stellen brüchig ist.

Morgen ist Nikolaus. Wie alle Kinder möchte ich meine geputzten Schuhe vor die Haustür stellen. Ich hoffe, sie morgen in aller Frühe voller Leckereien vorzufinden. Am liebsten wäre es mir, wenn sie bis zum Rand mit Marzipankartoffeln gefüllt wären, denn die esse ich so gerne.

Letztes Jahr hatte mir der Nikolaus zusätzlich zu den Süßigkeiten auch einen Güterwaggon für meine elektrische Eisenbahn gebracht. Dieses Jahr wäre ich schon mit einem neuen Stromabnehmer für meine Lok zufrieden. Leider ist mir der alte Stromabnehmer kaputt gegangen. Mit meiner Bahn kann ich jetzt nicht mehr spielen.

Ich weiß, dass Jonas aus der dritten Etage, also eine Etage über unserer Wohnung, seine schicken blauen Sneakers herausgestellt hat. Die brauchte er kaum zu putzen, weil sie noch so neu sind. Seine Schwester Carla wollte ihre pinkfarbenen Glitzerboots vor die Tür stellen, die ihr fast bis zu den Knien reichen. Sie meinte, je größer die Schuhe wären, umso mehr Süßigkeiten könne man am nächsten Morgen darin vorfinden. Jonas nickte eifrig, als Carla dies sagte. Er fügte hinzu, es käme aber nicht nur auf die Größe der Schuhe an. Er sagte auch, je neuer die Schuhe wären, desto leckerer wäre der Inhalt, den der Nikolaus da hineinpacken würde. Ich hoffe, die beiden haben unrecht. Denn hätten sie recht, dann hätte ich mit meinen alten Halbschuhen ein schlechtes Los gezogen.

In der Schule war es nicht viel anders. Auch der blonde Simon und die Ute aus Paderborn stimmten mit dem überein, was Jonas zuvor gesagt hatte. Sie hatten ihre größten und neuesten Schuhe herausgepickt. Manche meiner Klassenkameraden kamen sogar auf die Idee, mehr als ein Paar Schuhe vor die Tür stellen zu wollen. Ferdinand aus der Parallelklasse meinte, je mehr Schuhe man einsetze, desto mehr Süßigkeiten könne man ernten. Und wenn er Besitzer von einhundert Paaren Schuhe wäre, dann würde er auch alle einhundert in den Hausflur platzieren. Das hieße *investieren*, sagte er. Das Wort habe er von seinem großen Bruder aufgeschnappt, der auf eine Wirtschaftsschule geht. Und der müsse es schließlich wissen.

Ich hoffe ernsthaft, dass nichts von dem der Wahrheit entspricht, was Jonas, Carla und Ferdinand mir heute am 5. Dezember, dem Tag vor Nikolaus, sagten. Es bereitet mir ernsthaft Sorgen, zu glauben, dass jene Kinder mit den meisten, größten und schönsten Schuhen mehr bekommen als die anderen. Wo bliebe denn dann ich, Besitzer eines kläglichen Paars alter Latschen vom Discounter? Würde der Nikolaus, verwöhnt von so wunderbarem Schuhwerk wie das von Jonas, Carla und Ferdinand, da überhaupt noch etwas hineintun?

Bevor ich zu Bett gehe, komme ich nicht umher, mich noch einmal vor meiner Eisenbahn zu knien. Ich hebe die Lok an und betrachte die defekte Stromleitung. Ein Ersatzteil käme mir jetzt sehr gelegen. Vater meinte, er könne mir zurzeit keines kaufen. Im Moment fehle uns das Geld dafür. Ich stelle die Lok zurück auf die Schienen. Schade, dass die Bahn nicht mehr funktioniert. Ich habe so gerne mit ihr gespielt.

In der Nacht plagten mich seltsame Träume. Ich träumte, ich hätte mich in einen Schuhladen verirrt. Die Schuhe dort waren von einer Art, wie ich sie bisher noch nicht kannte. Sie hatten kleine Flügel, die in allen Farben schillerten. Manche der Schuhspitzen waren zu lustigen Kringeln geformt, andere hatten fröhliche Gesichter. Plötzlich begannen sie, zu singen und zu tanzen. Sie flogen umher und hüpften um mich herum. Ich rannte mit ihnen mit, durch einen langen Gang, an dessen Wänden weitere einhundert Schuhpaare in Reih und Glied standen. Sie glänzten und sie funkelten, als hätte jemand sie tagelang geputzt. Doch sobald ich nach einem der Schuhe greifen wollte, entglitten sie meinen Fingern und huschten aus den Regalen.

Schlagartig erwache ich aus meinem Traum.

Heute ist Nikolaus.

Erstaunlicherweise geht mein erster Gedanke hin zu den Marzipankartoffeln, die ich so gerne hätte. Dann denke ich an das Ersatzteil für meine Eisenbahn. Ach – wäre es doch schön, beides in meinen Schuhen vorzufinden. Ich traue mich kaum, aufzustehen. Barfuß schleiche ich mich zum Hauseingang. Einen Moment halte ich inne, dann öffne ich die Tür.

Doch es ist, wie Jonas, Carla und Ferdinand gesagt hatten. Eine Mandarine, zwei kleine Täfelchen Milchschokolade, eine in jedem Schuh und eine Handvoll doofer Nüsse. Das ist die klägliche Gabe, die mir der Nikolaus brachte – eben passend zu meinen Schuhen. Bestimmt können sich Jonas, Carla und Ferdinand vor Süßigkeiten kaum retten.

Gerade will ich mich mit dem wenigen abfinden, dass mir gebracht wurde, als ich einen kleinen Zettel bemerke, der an der Sohle des linken Schuhs geheftet wurde. Auf den Zettel hat jemand in blauer Tinte das Wort *Balkon* geschrieben.

Ich trete hinaus auf den Balkon unserer Wohnung und mein Blick fällt gleich auf die nagelneuen beigefarbenen Boots mit dem weißen Pelzbesatz am Schaft. Ich erinnere mich, es sind jene Winterschuhe, die ich vor zwei Wochen in einem Schuhladen anprobieren durfte und so toll fand. Ich wollte aber nicht, dass Mama sie mir kaufte, weil sie doch so teuer waren und wir kein Geld dafür haben.

Da stehen sie nun, bis zum Rand vollgestopft mit Marzipankartoffeln. Und oben auf den Süßigkeiten liegt ein Ersatzteil, über das sich meine Lok besonders freuen wird.

Christian Gierend, Jahrgang 1965, verheiratet, Vater eines Sohnes, wohnhaft in Hürth bei Köln, von Beruf Diplom-Ingenieur für Elektrotechnik. Hauptberuflich ist er seit vielen Jahren in einem Konzern für Elektrotechnik tätig. Schon während seiner Schulzeit kam er nicht daran vorbei, seiner schriftstellerischen Fantasie freien Lauf zu lassen. Seitdem verfasst er Kurzgeschichten zu verschiedenen Themen. Wenn er nicht gerade schreibt, treibt er gerne Sport oder geht mit seiner Familie und seinem Hund Kalle spazieren.

Böses Spiel

„Angriff auf die Karawane!" Übermütig, das Plastikschwert vor sich schwingend, sprang Thomas über den Hocker, auf dem seine Großmutter ihre Füße hochlegte. „Und zack, zack." Einer nach dem anderen fielen um – Melchior, Kaspar und Balthasar.

Simon, Thomas kleiner Bruder, stürzte nun in die Kampfesszene und packte die voll beladenen Kamele in seine Piratenschatztruhe. Er klopfte seinem Bruder auf die Schulter. „Das Gold ist unser, Bruder."

Mit indianischem Siegesgeheul begann Thomas um den Weihnachtsbaum zu tanzen. Simon stimmte mit in das Juchzen ein. „Was soll aus den Bestohlenen werden, Bruder?"

Thomas hielt das Plastikschwert über die Köpfe der Heiligen Drei Könige. Simon nahm tief Luft. Er kannte den Text, den er nun aufsagen würde, auswendig. Er hatte es oft genug in der Werbung, die das neue Spiel *Mutige Wegelagerer* pries, gehört. „Keine Überlebenden, Bruder. Zeugen können uns schaden."

Kaum waren die Worte über seine Lippen, erfüllten Babygeschrei, panisches Blöken von Schafen sowie ein aufgeregtes *Iah* die Stube. Erschrocken sahen sich beide Brüder an. Wie konnte das sein? In ihrem Haus wohnte kein Säugling und inmitten der Stadt gab es weder Schafe noch Esel.

Plötzlich hörten sie ein Scharren und die Piratentruhe begann zu wackeln. Thomas und Simon wollten flüchten, als jäh ein helles, goldgelbes Licht den Raum erfüllte. Vor ihnen erschien ein Engel in reinweißem Gewand. Streng musterte er beide Kinder. Thomas schluckte und Simon begann zu zittern. Das Lichtwesen deutete stumm auf das in der Krippe liegende Christkind. Zögernd nahm Thomas es in die Hand und ließ es beinahe fallen. Das Gesicht der Figur war triefend nass, so als ob sie weinen würde.

Simon war der Erste, der seine Fassung wiederfand. Rasch öffnete er die Piratentruhe. Kaum war sie offen, entstiegen ihr auch die

Kamele und begaben sich schnurstracks zu ihren am Boden liegenden Herren. Die Schafe drängten sich dicht beieinander, der Hirte stellte sich mit geschwungenem Stab schützend vor sie. Flehend sahen Maria und Josef zu Thomas hoch, der immer noch die Krippe mit dem Kind in der Hand hielt. Der Engel, der die Banderole mit der Aufschrift *Gloria in Excelsis Deo* hielt, löste sich von seinem Haken, ließ das Schriftstück herabsegeln und flog zu dem kleinen Jesus.

War das ein Traum? Simon und Thomas erwarteten jeden Augenblick, in ihren Betten aufzuwachen. Aber ihre Hoffnung erfüllte sich nicht. Selbst ihre in der angrenzenden Küche arbeitende Mutter schien nicht mitzubekommen, was gerade in der Stube ablief. Die Brüder hörten sie fröhlich Weihnachtslieder summen, als sei alles in bester Ordnung.

„Was hat das zu bedeuten?" Thomas legte die Krippe wieder zurück in den Stall. Der kleine Engel flog zum heiligen Ehepaar und setze sich neben die Krippe.

Der im Raum stehende Engel aber ging in die Hocke und hob das Plastikschwert auf. Kritisch ließ er seinen Blick darüber gleiten. „Warum die Gewalt, Kinder?"

„Es ist bloß ein Spiel." Thomas wagte es kaum, dem Lichtwesen in die tiefblauen Augen zu blicken. Wenn es wirklich nur Spaß gewesen war, warum fühlte es sich plötzlich falsch an? Auch Simon betrachtete seine Füße.

„Welche Freude habt ihr, Leute zu berauben und ihnen die Köpfe abschlagen zu wollen? Jesus ist unter die Menschen gekommen, um der Welt Frieden zu bringen. Es stimmt ihn traurig, zu erleben, dass ihr Raub und Mord spielt. Ich wiederhole meine Frage: Warum?"

Beide Brüder schluckten. Ja, warum eigentlich? Weil es gerade in Mode war? „Wir finden es toll, wenn im Fernsehen die fröhlichen Kinder *Mutige Wegelagerer* spielen. Das möchten wir auch. Es ist spannend, eine Karawane zu überfallen. In der Werbung klingt die Ansage von tollen Geschichten zum Nachspielen vielversprechend." Thomas vergrub seine Hände tief in die Taschen.

„Ich vermute mal, dass ihr dieses Spiel noch nicht habt. Sonst hättet ihr wohl kaum die Heiligen Drei Könige für dieses Spiel missbraucht."

Beide Brüder nickten einstimmig. Sie hatten es nicht erwarten können, dieses neue Spiel zu besitzen, und sich eine eigene Variante zusammengestellt.

„Weihnachten bedeutet Frieden. Da kann es nicht angehen, dass die Heiligen Drei Könige für ein Gewaltspiel benutzt werden. Es stimmt mich bedenklich, dass ihr Freude an solchen Gräueltaten wie Mord empfindet. Ist euch bewusst, welches Leid dies für Opfer bedeutet?"

Simon und Thomas schüttelten verneinend den Kopf. Der Engel nahm ihre Hände. Mit einem Mal überkamen beide Brüder bodenlose Furcht und tiefe Trauer. Sie spürten für einen Augenblick die Verzweiflung der Opfer. Toll war das nicht.

„Wir wissen nun, dass es nicht richtig ist." Thomas schob mit dem Fuß das Schwert, das der Engel auf dem Boden zurückgelegt hatte, beiseite. In der Krippe lächelten das Kind, Maria und Josef.

„Es tut uns leid." Beide Buben streckten dem Engel ihre Hand zur Entschuldigung aus. Lächelnd nahm er sie entgegen. So plötzlich der Zauber begonnen hatte, so abrupt endete er. Das Lichtwesen verschwand – und in der Krippe standen alle Figuren wieder an ihrem Platz.

Am Abend legte Thomas sein Plastikschwert auf das Fensterbrett. Er setzte sich zusammen mit Simon an seinen Arbeitstisch. Einstimmig strichen sie das gewünschte Spiel *Mutige Wegelagerer* durch. Auf das Schwert klebten sie einen neuen Wunschzettel.

Wir wünschen uns, dass du dieses Ding in etwas Schöneres zum Spielen verwandelst und dem Simon ein Buch bringst, das ihm hilft, besser lesen zu können. Danke.

In der Nacht nahm der Engel den Brief und das Schwert an sich. Lächelnd flog er in den Himmel.

Havenne Thérèse wurde 1983 in Lüttich geboren. Die Fachverkäuferin ist seit einem Klassenprojekt im zweiten Schuljahr vom Schreiben fasziniert. Damit das gebastelte Buch „Angeführt, angeführt" aus Kindertagen nicht ihr einziges Werk blieb, hat sie ab September 2018 einen Fernkurs im Schreiben belegt. Nach drei Jahren Kurs nimmt sie nun teil an einer Romanwerkstatt.

Weihnachten im Chaos

Der Himmel zog sich zu wie an jedem Morgen in den kalten Regionen der Erde. Kleine weiße Flocken fielen wie Regen vom Himmel, nur viel angenehmer und leiser. Überall roch es nach selbst gebackenen Lebkuchen, selbst gebackenen Plätzchen. Aus den offenen Fenstern einzelner Häuser hörte man ununterbrochen Weihnachtslieder. Im Radio lief in Dauerschleife *Last Christmas*.

„Okay, Kinder, welche Geschichte wollt ihr denn hören?", fragte Christina ihre beiden Töchter und ihren Sohn.

„Oh. Ich will die Geschichte von *Captain Weihnachten* hören", meldete sich Paul zu Wort.

„Och nee, die Geschichte haben wir gestern schon gehört. Ich will *Weihnachten im Chaos* hören", beschwerte sich Paula.

Christina lächelte. Paul und Paula waren zwar Zwillinge, doch von Grund auf unterschiedlich.

„Ja, das will ich auch hören", bemerkte Jane, die ältere Tochter.

„Okay, in Ordnung, Paul. *Captain Weihnachten* kommt morgen dran, ja?" Der kleine Junge nickte und Christina begann zu erzählen:

„Es war einmal, nicht weit von hier, in einer anderen Welt eine kleine dunkle Gasse. In der Gasse herrschte jeden Abend vor Weihnachten Chaos. Kleine Eichelmännchen flogen umher, verteilten die Geschenke auf den Schlitten. Eichelmännchen waren kleine Wesen, ähnlich wie Kobolde, nur stärker und schlauer. Auf dem Kopf trugen sie eine leere Eichel. Kobolde huschten umher und versorgten die Rentiere des Weihnachtsmanns mit Essen und putzten sie. Feen flogen und verstreuten Feenstaub, damit die Rentiere fliegen konnten.

An der Tür hielt Kroko Wache. Das Krokodil passte auf, dass niemand in die heiligen Räume eintreten konnte. Er war auch ziemlich mutig und stark, doch auch Kroko hatte Angst, und zwar vor dem Weihnachtsmann, wenn er seine Arbeit nicht ordentlich erledigte. Doch der Weihnachtsmann war nicht nachtragend und erlaubte seinem Wächter auch mal kleine Fehler. Es war wirklich ein Chaos, wo selbst der Weihnachtsmann den Überblick verlor und sich lieber von Wunschly, einem kleinen, runden und pummeligen, wuscheligen Geschöpf die Wünsche aller Kinder vorlesen ließ, während er Plätzchen backte und verzierte. Natürlich hatte er dabei auch Hilfe. Das Christkind half ihm, so backten sie mehrere Stunden am Stück, und wenn der Weihnachtsmann mal eine Pause brauchte, zeichnete er und plante das Aussehen der Geschenke.

Wenn sich dann der Himmel langsam blau färbte und das Dunkelrote sich in dunkelblau verwandelte, flog der Weihnachtsmann auf seinem Schlitten und teilte die ersten Geschenke an die Eltern aus, damit jedes Kind pünktlich sein Geschenk bekam. Doch auch für den Weihnachtsmann war das Geschenkeverteilen nicht immer einfach. Einmal geriet er durch das Wetter in einen Schneesturm.

Ein anderes Mal verlor er in einem Unwetter die Kontrolle über den Schlitten und stürzte ab. Er hatte sich nicht verletzt, dennoch brauchte er Hilfe, also hielt er an der nächsten Tankstelle an. Natürlich wurde er komisch angesehen, doch als der Pächter den Schlitten sah, fielen ihm fast die Augen aus dem Kopf. Es war ja auch so, dass, wenn man nicht an den Weihnachtsmann glaubte, ihn nicht sehen konnte. Doch dieser Mann hatte seine ganze Kindheit über an ihn geglaubt. Für ihn war das eine große Überraschung. Der Mann half ihm sofort. Sie rieben den Schlitten mit Öl ein und fütterten die Tiere mit Möhren, damit sie wieder zu Kräften kamen. Durch den Satelliten an der Tankstelle gelang es dem Weihnachtsmann, Kontakt zu seiner Station aufzunehmen. Und so kam am nächsten Tag eine seiner Feen an. In der Nacht schlief der Weihnachtsmann in der Wohnung des netten Mannes, der ebenfalls eine Frau und drei Kinder hatte: Zwillinge und eine ältere, große Schwester, die immer auf die Kleinen aufpasste.

Als der Mann allerdings am nächsten Morgen aufwachte, war der Weihnachtsmann verschwunden, doch er hatte etwas zurückgelassen. Seine selbst gebackenen Kekse und die Geschenke für die Kids, die der Mann wieder versteckte, bevor er diese seinen Kindern an Heiligabend gab. Er freute sich schon auf die Weihnachtszeit. Genauso wie der Weihnachtsmann, der wieder zurück nach Hause gekehrt war und wieder mit dem Alltag begann", beendete Christina die Erzählung.

„Oh, ich liebe diese Geschichte, vor allem den spannenden Teil. Aber besonders mag ich die Figur Wunschly. Mama? Können wir die Wunschzettel schreiben?"

Christina lächelte. „Das ist eine gute Idee Jane. Ihr drei werdet das erledigen, während ich schon mal den Plätzchenteig vorbereite."

„Paul, weißt du, welche Figur ich am liebsten mag?"

„Nein, Paula, welche denn?"

„Ich mag die Feen mit dem Feenstaub am liebsten. Ich wünsche mir Flügel, dann kann auch ich dem Weihnachtsmann helfen."

„Und ich Kroko. Ich will auch ein Krokodil. Ich glaube, ich male ihm eins." Ein paar Minuten vergingen, bis Jane als Erste fertig wurde. „So ich bin fertig", sagte sie.

„Super, ihr Großen! Der Teig ist auch so weit. Ihr könnt kommen, aber wascht euch vorher die Hände", bemerkte Christina uns sah ihren Kindern zu, wie sie sich im Bad die Hände wuschen und dann anschließend zurückkamen. „Wer möchte helfen? Entweder die Plätzchen ausstechen und verzieren oder das Lebkuchenhaus verzieren."

„Oh, ich die Plätzchen."

„Ich auch."

„Okay, Paul, machen wir beide dann das Lebkuchenhaus?"

„Ja, Mama."

„*In der Weihnachtsbäckerei gibt's so manche ...*", begann Christina zu singen und ihre Kinder stimmten mit ein.

„Na, was ist denn hier los?", fragte plötzlich eine männliche Stimme. Es war der Vater der drei Kinder.

„Wir backen, Papa. Mama hat uns die Geschichte *Weihnachten im Chaos* vorgelesen und wir haben unsere Wunschzettel geschrieben."

„Da habt ihr aber viel gemacht heute. Bei mir war auch viel los. Viele Leute mussten ihre Autos tanken ..."

Nina Kölzer *aus Mayen, 16 Jahre. Ihre Hobbys sind Turnen und Schreiben.*

Friedenslicht

Menschen werden geboren
als friedfertige Wesen,
die beseelt vor lauter Glück
mit sich selbst im Reinen sind.

Die Unschuld reiner Herzen
geht mit der Zeit verloren,
seelische Verletzungen
lassen sie stark vernarben.

Allweihnachtlich reget sich
die bittersüße Sehnsucht
nach Mitgefühl und Frieden
in hoffnungsvollen Herzen.

Der Geist der Weihnacht hält gern
Einzug in wunde Herzen,
füllt die Leere mit Liebe
und lang ersehntem Frieden.

Wer dann reinen Herzens ist,
trägt mit Güte dazu bei,
mit seinem *inneren Licht*
Mitmenschen zu berühren.

Ingrid Baumgart-Fütterer

Der kleine Wichtel
mit dem Schnupfen

Der kleine Wichtel Luck wälzte sich in seinem Bett hin und her. Sein Körper glühte und sein Kopf war schwer. Den geringelten Schlafanzug hatte er in der Nacht dreimal wechseln müssen, da er so geschwitzt hatte. Luck hatte sämtliches Zeitgefühl verloren. Und als er plötzlich das Klingeln seines Telefons hörte, wusste er gar nicht, welcher Tag es war. Er stöhnte schmerzerfüllt und zog sich sein Kissen über den Kopf, denn das Geräusch verschlimmerte seine Kopfschmerzen. Da das Klingeln aber unnachgiebig war, schwang er kraftlos seine Beine über die Bettkante und schleppte sich zum Telefon.

„Hallo hier ist Luck", krächzte er in den Hörer.

„Hey Luck, hier ist Niko. Ich wollte hören, ob alles für den Heiligen Abend klar ist. Die Geschenkeproduktion läuft reibungslos, die Rentiere sind fit und Nikola holt gerade meinen roten Anzug aus der Reinigung. Ich kann es kaum abwarten, wenn es in zwei Tagen losgeht!"

Luck zuckte innerlich zusammen. In zwei Tagen war schon Weihnachten. Wie hatte er die Zeit so vergessen können? Es war seine Aufgabe, den Weihnachtsmann zu begleiten und ihn bei der Ausgabe der Geschenke zu unterstützen. Als er antworten wollte, schüttelte ein erneuter Hustenanfall seinen Körper.

„Oh, Luck, das klingt aber nicht gut!", brummte der Weihnachtsmann. „Hast du jemanden, der dir hilft, in zwei Tagen gesund zu werden. Ich kann auf deine Hilfe nicht verzichten. Du weißt, es werden immer mehr Menschen und wir müssen immer schneller werden. Ein Kind an Weihnachten ohne Geschenke – nein, das geht nicht. Wenn meine Frau sich um mich kümmert, bin ich spätestens nach einem Tag wieder fit!"

Luck zuckte erneut zusammen. Als eingefleischter Junggeselle konnte er auf die Hilfe einer Frau gut verzichten. Er mochte die Ruhe und Unabhängigkeit. Er vermutete nur, dass Niko seine Meinung nicht teilen würde, deswegen antwortet er schwach: „Keine Sorge, ich bekomme das hin! Am 24. Dezember bin ich wieder gesund!"

Er hörte den Weihnachtsmann seufzen, bevor er antwortete: „Hoffen wir das Beste! Oder soll ich dir Lena vorbeischicken? Sie mag dich wirklich gerne und auf der letzten Weihnachtsfeier habt ihr euch doch gut unterhalten. Sie hat die Planung der Geschenkeroute für Südamerika übernommen, aber ist so gut wie fertig damit. Einen Tag könnte ich auf sie verzichten."

Lucks Kopfschmerzen verstärkten sich weiter. Es klopfte und pochte hinter seiner Stirn. „Keine Frau in meinem Haushalt und schon gar nicht jetzt", dachte er bei sich. „Das ist lieb, aber absolut unnötig. Ich bekomme das alleine hin!", antwortete er mit sämtlicher Energie, die er aufbringen konnte.

Nach dem Telefonat schlurfte Luck ins Wohnzimmer. Eigentlich hätte er etwas trinken und essen müssen, aber er hatte keine Lust und keinen rechten Appetit. Er legte sich auf die Couch und schaltet *Nordpol News 25* ein. Dort lief gerade ein Beitrag über einen Skandal in der Kakaoherstellung. Unbekannte hatten einen Liebestrank in die Getränke gemischt und somit einige Ehen durcheinandergebracht. Luck interessierte der Bericht wenig und er zappte sich durch die Kanäle.

Der Tag verging, am Abend hatte Luck immer noch nichts gegessen und das Fieber sowie der Husten waren unverändert. Die Nacht war noch schlimmer als die letzte und er hatte keinen frischen Pyjama mehr, sodass er nur in Shorts und einem T-Shirt mit Weihnachtsapplikationen erwachte, als erneut das Telefon klingelte. Es dauerte diesmal noch länger, bis er es zum Hörer schaffte.

„Hey hier ist Niko", hörte er die vertraute Stimme des Weihnachtsmanns. „Wie ist die Lage?", fragte der alte Mann.

„Viel besser", log Luck mit schwacher Stimme.

„Ich will nicht der Weihnachtsmann sein, wenn das nicht geschwindelt ist. Lena ist in fünf Minuten bei dir und wehe, du machst nicht auf! Ich brauche dich morgen! Ich dulde keine Widerrede!"

Bevor Luck antworten konnte, hatte der Weihnachtsmann den Hörer auf die Gabel gelegt und es klickte in der Leitung. Noch ehe Luck die Neuigkeit verdauen konnte, läutete es an seiner Tür. Das konnten niemals fünf Minuten gewesen sein! Er raufte seine zerzausten Haare und vermutete eine Verschwörung. Da er immer noch die strenge Stimme von Niko im Ohr hatte, tapste er zur Tür und drückte die Klinke hinunter.

Vor ihm stand Lena, eine hübsche Wichteldame. Sie trug ein rotes Kleid und weiß-rot gekringelte Strümpfe. Ihre Wangen waren von der Kälte rosig gefärbt und ihr Blick war klar und freundlich. Sie rümpfte allerdings die Nase, als sie Lucks Wohnung betrat. „Sag mal, wie lange hast du nicht gelüftet? Es riecht hier wie in einem Pumakäfig." Ihr Blick fiel auf den Stapel durchgeschwitzter Pyjamas! Luck trat verlegen von einem Bein auf das andere. Genau deswegen wollte er keine Frauen in seiner Wohnung haben.

Lenas Gesicht veränderte sich erneut und sie klatschte plötzlich voller Tatendrang in die Hände: „Also, was soll es. Packen wir es an. Du gehst duschen und ich übernehme das hier!" Sie zeigte auf verschiedene Punkte in seiner Wohnung.

Luck fühlte sich zwar zu schwach zum Duschen, aber er war froh, sich der Situation entziehen zu können, und verschwand im Bad. Er ließ sich sehr viel Zeit und hätte sein Bad ein Fenster gehabt, hätte er sicher Fluchtpläne geschmiedet. Nach einer gründlichen Reinigung seines Körpers fühlte er sich überraschend etwas besser. Er öffnete vorsichtig die Badtür und spähte hinaus. Die Waschmaschine lief, sein Bett war frisch bezogen und durch die geöffneten Fenster wehte frische Luft in die Wohnung, was seine Lebensgeister aktivierte. Aus der Küche kamen klappernde Geräusche und als er sich näherte, roch es köstlich. Sein Magen begann, zu knurren.

Als Lena ihn erblickte, lächelte sie. „Da bist du ja. Die Suppe ist fertig und du musst was essen, um zu Kräften zu kommen. Niko braucht dich morgen!" Sie stellte einen Teller auf den Tisch und wies Luck an, sich zu setzen.

Luck gehorchte und die warme Suppe tat seinem wunden Hals gut. Er fühlte, wie die Energie zurückkam. Lena schien wirklich nett zu sein und vor allem sehr attraktiv. Außerdem war es gar nicht schwer, sich mit ihr zu unterhalten, denn sie war auch klug. Sie berichtet von den Neuigkeiten aus der *Weihnacht & Co GmbH* und Luck spürte die wohlige Vorfreude auf den Heiligen Abend, die er sonst, wenn er nicht krank war, auch verspürte. Auch tat ihm die Gesellschaft gut. Der Tag verging wie im Fluge und Luck fühlte sich besser und besser.

Am Abend klingelte erneut das Telefon. Luck sprang auf und nahm den Anruf entgegen.

„Hey, hier ist Niko. Geht es dir besser?"

Luck musste grinsen. „Ja, mir geht es gut. Ich bin fit für morgen!" Der Weihnachtsmann lachte: „Ho ho ho, dann kann morgen ja nichts mehr schiefgehen. Trinkt noch eine Tasse von dem Kakao, den ich Lena mitgegeben habe, dann schick sie mir zurück. Ich muss noch ein paar Details wegen morgen mit ihr besprechen."

Lena nickte, denn die Stimme von Niko war laut und deutlich auch aus einiger Entfernung neben dem Telefon zu hören. Als sie gemeinsam den Kakao tranken, wurde Luck ganz warm ums Herz. Vielleicht war es doch nicht so schlecht, eine Frau im Haus zu haben. Zum Abschied brachte er Lena zu ihrem Schlitten, blickte ihr lange hinterher und fragte sich, ob das warme Gefühl in seiner Brust an dem Kakao gelegen haben könnte.

Noch in der Dämmerung machte sich Luck voller Elan auf den Weg zum Weihnachtsmann. Sie glitten durch die Luft und die Glöckchen der Rentiere klingelten. Luck und Niko arbeiteten Hand in Hand und im Nu waren alle Geschenke verteilt – bis auf eines. Niko runzelte fragend die Stirn, als er die Plane zurückschob und das Päckchen erblickte.

Luck errötete und murmelte: „Das ist für Lena als Dankeschön, dass sie mich gesund gepflegt hat!"

Der Weihnachtsmann murmelte amüsiert: „Was eine Tasse Kakao so alles ausmachen kann …"

Aber Luck hörte das schon gar nicht mehr hin, denn er saß bereits auf seinem Schlitten mit dem Geschenk in der Hand.

*Dr. med. **Barbara Bellmann** wurde 1984 in Hagen/Westfalen geboren. Nach dem Studium der Humanmedizin an der Rheinischen Friedrich-Wilhelms-Universität Bonn begann sie in Aachen ihre Facharztausbildung zur Kardiologin am dortigen Universitätsklinikum. Im Sommer 2013 setzte sie ihren Weg an der Charité Berlin fort. Seit April 2019 arbeitet sie als leitende Kardiologin in Düsseldorf. Sport und Literatur begeistern sie neben ihrer Tätigkeit als Ärztin. Im Frühjahr 2017 erschien ihr erster Roman „Alexander bricht aus" in Zusammenarbeit mit Theres Krause.*

Leni und das kleine Weihnachtswunder

Das erste *offizielle* Weihnachten bei Tante Selma stand vor der Tür. Erst im letzten Jahr hatten wir am Weihnachtsabend eine Fee im Stall gesehen und von Tante Selma erfahren, wie es dazu kam, dass sie die Hüterin von Mira, dem Einhorn, und ihrem Geheimnis wurde. Durch das Erzählen von Miras Geschichte hatte Tante Selma Mama und mich ebenfalls zu Trägerinnen des Geheimnisses gemacht, worauf wir sehr stolz waren.

Im darauffolgenden Frühling war es so weit und Mama und ich zogen in den Schwarzwald zu Tante Selma und ihrem Hund Muffin. Von da an war wieder Leben im Haus – das tat Tante Selma richtig gut und Mama und mir auch. Mama brauchte sich keine Sorgen machen, wenn sie arbeitete, da ich bei Tante Selma bleiben konnte. Es gab immer etwas zu tun bei ihr. Muffin wollte Spaziergänge machen und um die Pferde Mira und Max und die anderen Tiere musste man sich auch kümmern. Tante Selma lehrte mir kochen, backen und stricken. Außerdem kannte ich mich im Schwarzwald nun schon so gut aus, da wir oft eine kleine Wanderung machten. Tante Selma erklärte mir dann alles, auch alles über die vielen Tiere und Pflanzen. Ich weiß noch, dass wir einmal ganz früh morgens losgingen und ein Riesenglück hatten, weil wir einen Auerhahn sahen. Diese Tiere sind eigentlich sehr scheu und selten.

Auch der Sommer und der Herbst waren herrlich. Der Himmel war hier so blau und die Wiesen so grün. Einfach toll! Ich durfte auf Max und Mira reiten lernen und das machte mir großen Spaß. Ich bemerkte auch, dass Mira immer kräftiger wurde. Anfangs dachte ich, dass es daran liegen würde, dass ich mit ihr jetzt öfter unterwegs war und sie mehr Muskeln bekommen hatte. Aber zu Beginn des Herbstes meinte Tante Selma, dass ich Mira nun schonen sollte, damit sie die letzten Wochen vor der Geburt ihres Fohlens entspannen konnte und sich nicht mehr verletzte.

„Waaasss? Mira bekommt ein Fohlen?", fragte ich glücklich und überrascht. Also das war der Grund, warum sie besonders in den letzten Wochen an Gewicht zugelegt hatte. Ich war total platt und freute mich zugleich riesig. Mira würde also bald ein Fohlen bekommen und Pferdemama werden. Ich kümmerte mich von da an noch viel liebevoller und behutsamer um Mira. Sie sollte es gut haben und sich auf die Geburt in aller Ruhe vorbereiten können.

Als die Adventszeit begann, backte Tante Selma mit mir Plätzchen und wir besuchten mit Mama Weihnachtsmärkte im Schwarzwald. Das ganze Haus dekorierten wir weihnachtlich mit selbst gesammelten Zweigen, Ästen und Zapfen von unseren Waldspaziergängen. Auch einen selbst gebastelten Adventskranz stellten wir auf und daneben die alte Holzkrippe. Diese legten wir mit frischem Moos aus.

Zwei Tage vor Weihnachten hatte es kurz geschneit. Leider war der Schnee nicht liegen geblieben, sodass wir keine weiße Weihnacht haben würden. Auf dem Feldberg, dem höchsten Berg des Schwarzwaldes, den man auf den Spaziergängen immer wieder sehen konnte, gab es ein bisschen Schnee. Allerdings waren Tante Selma dort zu viele Touristen unterwegs und sie bevorzugte es, sich an Orten aufzuhalten, wo weniger los war – und das fand ich auch gut.

Dann war er endlich gekommen – der 24. Dezember, der Weihnachtstag. Natürlich verbrachten wir ihn gemeinsam. Nachmittags, nach einem Spaziergang mit Muffin, setzten wir uns alle ins große Wohnzimmer und tranken etwas Warmes und aßen Plätzchen. Anschließend kochten wir gemeinsam das Weihnachtsessen. Wie jedes Jahr durften die Tiere vor uns ihr leckeres Weihnachtsmenü zu sich nehmen.

Mira verhielt sich dabei eigenartig. Sie hatte gar keinen Hunger und blähte ihre Nüstern, als wir bei ihr im Stall waren. Vorsorglich brachte sie Tante Selma in ihre eigene Box und legte diese mit extra viel Stroh aus. „Mmh, alles klar meine Süße? Wir werden nachher noch einmal nach dir schauen", versprach sie ihr und streichelte ihr dabei liebevoll über den Hals.

Wir aßen im Esszimmer zusammen und es gab Geschenke. Ich dachte dabei an Mira. „Was ist denn mit Mira, Tante Selma? Müssen wir uns Sorgen machen."

„Ich weiß nicht, ich habe eine Vermutung, aber eigentlich kann es nicht sein, was ich denke. Mira ist eine sehr kluge und weise Stute, wenn sie Hilfe bräuchte, würde sie es mir zeigen. Vorhin wollte sie, glaube ich, keine Hilfe, mmh." Tante Selma blickte nachdenklich und ernst.

„Lass uns noch einmal nach ihr schauen, ok?", schlug ich vor. „Ja, ich denke, das ist eine gute Idee, komm mit", erwiderte Tante Selma.

Im Stall angekommen, war alles ruhig. Mira lag in ihrer Box und daneben stand ein kleines braunes Fohlen. Als Max uns entdeckte, schnaubte er mehrfach und wippte aufgeregt mit dem Kopf. Er wollte das kleine Fohlen unbedingt auch begrüßen. Ich hielt den Atem an. Darauf war ich gar nicht vorbereitet. Das kleine Fohlen war so süß und Mira schleckte es liebevoll mit ihrer Zunge ab. Und das zauberhafteste war, dass auch das kleine Fohlen schon ein kleines Horn auf der Stirn hatte. Es gab nun also ein zweites Einhorn. Auch Mama war ganz überwältigt.

Tante Selma hatte Tränen in den Augen. „Mein Mädchen, hatte ich doch recht mit meiner heimlichen Vermutung. Was bescherst du uns denn heute am Weihnachtstag mit einem kleinen Wunder und das mitten im Winter? Na ja, bei dir wundert mich nichts mehr." Vorsichtig öffnete Tante Selma Miras Box, nahm frisches Stroh in ihre Hand und rubbelte ein bisschen an dem kleinen Fohlen, damit sein Kreislauf in Schwung kam. „Herzlich willkommen, du kleiner Wildfang. Dann schauen wir gleich mal, ob du ein Mädchen oder ein Junge bist", meinte Tante Selma.

Es war eine kleine Stute und sie bekam den Namen Mona. Im Arabischen bedeutet das *Hoffnung* und das passte ganz gut, denn sie war die Hoffnung auf eine neue Generation von Einhörnern. „Bleib da, ich hole kurz die Paste aus dem Haus, die dafür sorgt, dass man das Horn nicht sehen kann. Leider müssen wir sehr vorsichtig sein und auch dieses Horn von Mona gleich unsichtbar machen, bevor es jemand entdeckt." Das war Mama und mir bewusst, da wir die Hüterinnen des besonderen Geheimnisses waren.

Natürlich konnte ich mal wieder kaum schlafen in dieser Weihnachtsnacht, in der ein kleines Wunder passierte, bei dem ich dabei sein durfte.

Vanessa Dinkel (1986) wohnt am Kaiserstuhl und veröffentlicht in Papierfresserchens MTM-Verlag seit 2017 Kurzgeschichten.

Der Weihnachtstraum

Vom Morgenland die drei Weisen
waren lange unterwegs auf Reisen
Kaspar, Melchior und Balthasar
wertvolle Geschenke bringen sie dar
Weihrauch Myrrhe und edles Gold
von weither sind sie dem Stern gefolgt

Licht an Licht strahlt am Himmelszelt
nächtliche Ruhe in wundersamer Welt
Die stille Zeit mit hellen Schein
zaubert Wärme in die Nacht hinein
ein Tannenzweig mit Christbaumschmuck
durch alle Herzen geht ein Ruck

Kerzenschein und Plätzchenduft
Schneeflocken tanzen in der Luft
in Bethlehem die stille Nacht
über der Herberge die Sternenpracht
ein Fest der Freude in dem Stall
die Engel fröhlich all überall

An der Krippe erfüllt sich ein Himmelstraum
alle wollen das Christkind schau'n
wundervoll ist dieser Segen
Hirten beten auf all den Wegen
Wünsche liegen unterm Weihnachtsbaum
wir alle erleben einen göttlichen Traum

Wolfgang Mach: *Geboren in Ludwigsburg, lebt seit 1973 in Bad Waldsee, Oberschwaben. Er lernte Drucker, studierte Werbung und Verlagsherstellung.*

Weihnachtspost von Juri

Lieber Rune,

ich habe gehört, du wünschst dir zu Weihnachten ein Kuscheltier? Hier! Das bin ich! Darf ich mich schon mal vorstellen? Mein Name ist Juri. Ein Hase mit wunderschönen langen Ohren. Heute habe ich deine Tante Martha kennengelernt. Sie ist an mir im Spielwarengeschäft vorbeigelaufen. Sie hat mich gesehen, fand mich ganz besonders süß und hat mich sofort in ihren Einkaufskorb gesetzt. Martha hat mir gesagt, dass ich ab Weihnachten bei dir wohnen werde. Aber vorher ich darf dir schon mal schreiben. Martha meint: „Vorfreude ist die schönste Freude." Ich berichte dir schon mal von meinen Abenteuern bei Martha, okay?

Adventslieder-Singen

Martha und ich waren heute beim Adventslieder-Singen in der Kirche. Erst sollte ich in Marthas Rucksack, aber ich habe protestiert und wollte alles von Marthas Kapuze aus sehen. Von da aus hat man nämlich den besten Blick. Das Adventslieder-Singen war schön, ich konnte zwar nicht alle Texte auswendig, aber Mitsummen, das ging. Allerdings war es sehr kalt in der Kirche. Martha hat jetzt Angst, dass ich mich erkältet habe. Sie hat mir eine Wärmflasche hinter die Ohren und eine auf den Bauch gepackt. Ich darf jetzt in einer dicken Wolldecke Fernsehen gucken. Martha bringt mir alles. Ich denke, erkältet zu sein, ist gar nicht so schlimm, oder?

Im Restaurant

Heute sind wir essen gegangen. Martha wollte unbedingt ganz hinten in einer Ecke sitzen, aber ich nicht. Ich wollte neben dem Aquarium sitzen. Ich konnte Martha überreden! Das Essen war sehr lecker und als Martha kurz zur Toilette ging, hab ich den Fischen auch was zu essen gegeben. Das hat denen gefallen, glaube ich. Ich wollte den Fischen noch mehr geben. Leider ist dabei mein Teller ins Aquarium gerutscht. Das war irgendwie nicht gut, denn Martha hat Ärger vom Restaurant-Chef bekommen. Wir sind dann ziemlich schnell gegangen. Martha hat aber nicht mit mir geschimpft. Sie hat mich verstanden. Ich wollte den Fischen ja auch nur Gutes tun. Aber noch mal soll ich das nicht machen – nur wenn sie dabei ist.

Plätzchenbacken

Mein Freund Onno und ich dachten, wir machen Martha eine Freude und backen heimlich Plätzchen, während Martha auf der Arbeit ist. Das war aber gar nicht so einfach: Die Eier landeten irgendwie neben der Schüssel und Puderzucker liegt jetzt überall auf dem Boden, auf dem Kühlschrank, auf dem Tisch und ... ja, auch in Marthas Backbuch sind jetzt Schokoladenflecken ... oh, oh! Das Rezept können wir jetzt jedenfalls nicht mehr lesen. Die Seite reißen wir raus. Onno und ich müssen jetzt schnell die Küche putzen, bevor Martha nach Hause kommt! Mach's gut und bis bald!

Der Wunschzettel

Ich schreibe gerade meinen Wunschzettel an den Weihnachtsmann. Ich wünsche mir Hasen-Schlittschuhe, einen warmen Schal, einen großen Vorrat weißer Schokolade und einen Laserpointer, um Katzen zu ärgern. Ob ich den bekomme, weiß ich nicht, aber man kann seine Wünsche ja äußern. Leider kann ich in Marthas Adressbuch die Adresse vom Weihnachtsmann finden. Hast du sie vielleicht?

Nikolaus

Fröhlichen Nikolaus! Martha ist auf der Arbeit und ich finde den Nikolaus-Stiefel nicht. Das kann Martha doch nicht vergessen haben? Das kann nicht sein. Der Stiefel ist sicher aus Versehen zu unserem Nachbarn Uwe rübergerutscht – da steht jedenfalls einer. Ich geh gleich noch mal gucken. Hast du deinen Stiefel gefunden?

Die Krippe

Heute ist der 3. Advent und Martha und ich waren in der Kirche. Nach dem Gottesdienst hat sich Martha mit jemandem unterhalten und ich bin zur Krippe gehoppelt, die wollte ich mir näher anschauen. Ich habe ja schon von der Weihnachtsgeschichte gehört und fand die Holzfiguren sehr schön. Ich wollte dann kurz testen, ob die Krippe auch bequem genug ist für das Christkind. Gerade als ich das Christkind rausnahm und mich hineinlegen wollte, wurde ich an den Ohren hochgezogen. Martha hat gesagt, das seien keine Spielfiguren und nur zum Angucken. Sie hat das Christkind genommen und wieder in die Krippe gelegt. Ich muss noch viel lernen, sagt Martha.

Beim Bäcker

Martha hat heute entdeckt, dass die Seite mit ihren Lieblingsplätzchen im Backbuch fehlt. Martha hat mich schräg angeguckt und gesagt, dass wir dann wohl zum Bäcker müssen. Beim Bäcker hatten wir eine riesige Auswahl an Plätzchen und konnten uns nicht entscheiden. Ich habe Martha ins Ohr geflüstert, ob wir vielleicht welche probieren könnten? Martha hat die Verkäuferin gefragt und wir durften zwei Sorten probieren. Dann habe ich Martha gefragt, ob ich noch mal die erste Sorte probieren könne. Ich hatte schon vergessen, wie die schmeckt. Aber Martha meinte: „Jetzt ist aber gut!", und dann hat sie die mit dem Zuckerguss genommen. Die Plätzchen sind für morgen, da kriegen wir Besuch. Aber ein Stück haben wir beide noch auf dem Rückweg gegessen.

Besuch zum Tee

Ilse ist heute Nachmittag zum Tee vorbeigekommen. Ich durfte mit am Tisch sitzen und die Plätzchen essen. Dann wurde mir langweilig und ich bin zur Weihnachtspyramide gegangen. Habt ihr auch so was? So eine Mühle mit Figuren, die sich dreht, wenn vier Kerzen brennen. Ich habe dann versucht, das Rad in die andere Richtung zu pusten. Gar nicht so einfach. Dann habe ich noch so allerlei ausprobiert, als plötzlich die Flügel schwarz wurden. Qualm hat sich gebildet und es hat gestunken. Martha hat ganz laut: „Halt! Stopp, Juri!", gerufen und mich von der Pyramide weggezogen. Mit Feuer spiele man nicht, das sei gefährlich. Ilse hat mich dann auf ihren Schoß genommen. Sie hat mich gestreichelt und wir haben gemeinsam die Pyramide angeschaut. Das war schön.

Weihnachtsbaum-Schmücken

Unser Nachbar Uwe hat uns einen Tannenbaum in die Wohnung

geschleppt, den haben wir dann mit vielen schönen Anhänger und Christbaumkugeln geschmückt. Die unteren Äste konnte ich problemlos erreichen, bei den höheren wurde es jedoch schwieriger. Ich habe versucht, zu springen. Aber während eines Sprunges habe ich das Gleichgewicht verloren. Ich habe mich gerade noch so an einem Ast festhalten können, aber dann kippte unser Tannenbaum zur Seite und ich lag unterm Baum. Hm. Martha hat den Tannenbaum vorsichtig angehoben und nach mir geschaut. Dann fing sie laut an zu lachen: Mit den Nadeln auf meinem Fell sah ich angeblich aus wie ein Igel ... Es pikste jedenfalls ordentlich. Auf dem Balkon wurde ich abgeklopft. Und ein bisschen doller auf dem Popo ...

In der Badewanne
Übermorgen ist Weihnachten und damit bin ich auch bald bei dir! Martha meint, ich soll besonders gut aussehen, wenn du mich zum ersten Mal in den Händen hältst. So wurde ich in die Badewanne gesteckt. Vor lauter Schaum habe ich erst gar nichts mehr gesehen. Dann habe ich den Schaum weggepustet und mir eine Burg gebaut. Später baute ich aus dem Schaum noch ein Schiff und als ich dann mit einer Wasserschlacht anfing und ordentlich Wellen gemacht habe mit großen Spritzern über die Wanne hinaus, hat mich Martha rausgeholt. Schade. Das nächste Mal fange ich direkt mit dem Schiff und den Wellen an.

Heiligabend
Ganz früh sind wir heute mit jeder Menge Gepäck in den Zug Richtung Oldenburg gestiegen – zu dir! Ich bin schon sehr aufgeregt und kann gar nicht still sitzen. Zur Bescherung bin ich also rechtzeitig da. (Ich will dir schon mal ganz schnell verraten, in welchem Geschenk du mich unterm Tannenbaum findest: in der Schachtel mit dem roten Geschenkpapier und den kleinen goldenen Sternen). Ich freu mich schon! Mein erstes Weihnachten – und das mit dir! Ich muss Schluss machen, gleich kommen wir an! Bis ganz bald! *Juri*

Silja Nemetschek, geb. 1975 in Oldenburg. Auf der Suche nach Abenteuern und Erfahrungen hat die Autorin bisher in acht Bundesländern gelebt und gearbeitet. Zurzeit wohnhaft in einem alten Bauernhaus in Worpswede.

Klirrend kalt

Klirrend kalt,
die Winterzeit,
doch Wärme in Gedanken da,
wenn das Christkind wieder kommt,
zur Weihnachtszeit,
das Herz es pocht,
es freut sich sehr,
und aus dem Himmel ein Engelschor ertönt,
was gibt es da in dieser Zeit,
doch Freude,
Lachen, Heiterkeit?
Und in das Lachen stimmt man
fröhlich ein,
ein Schneetreiben vor dem heiligen Fest,
Winterzeit
ist Freudezeit,
für Groß und Klein,
„frohe Weihnacht heute jedem"
es mag die Freude in jedem doch so stark da leben,
und die Liebe sie ist nah,
Weihnachten,
wie ist dieses Fest doch wunderbar.

Dani Karl-Lorenz: *Die Autorin malt gerne und hat in diversen. Anthologien verschiedener Verlage veröffentlicht. Weitere Werke sind zu finden auf ihrer Homepage: www.daniliyrik.de.*

Schneekätzchen sind out

Ich habe ein Schneekätzchen. Es ist winzig mit einer Stupsnase. Letztes Weihnachten wollte ich es unbedingt haben. Jetzt nicht mehr. Schneekätzchen sind out.

Schnurri habe ich es genannt. Liebevoll gerufen und geknuddelt. Jetzt nicht mehr. Schnurri ist hässlich. Wo ist sein flaumiges Jungenfell? Die übergroßen Tatzen und die Glupschaugen sind weg. Es ist ein Schneekater mit langen Beinen und dichtem Deckhaar. Vielleicht hätte ich mir lieber etwas anderes wünschen sollen. Ein neues Handy zum Beispiel.

Ich möchte Schnurri nicht mehr sehen. Das unnötige Geschenk. Ein Fehler. Vor einem Jahr wollten alle ein Schneekätzchen haben. Das war cool. Ich war cool. Bis zum Frühling. Plötzlich war mein Geschenk nicht mehr so süß. Hatte einen eigenen Willen. Leider kann man es nicht umtauschen. Ich habe es versucht. Aber Schneekätzchen sind out.

Einmal die Woche muss man den Kater bürsten. Das ist ärgerlich. Kostet Zeit und Geld. Ein Handy muss man nicht kämmen. Deshalb lasse ich es bleiben. Meine Eltern schimpfen mit mir. Aber es ist mir egal. Ich lasse das weiße Fell verfilzen. Schnurri wird wilder. Ich ängstlicher.

Früher habe ich mit dem Schneekätzchen gespielt. Den ganzen Winter lang. Das war süß. Schnurri war süß. Zusammen haben wir im Garten getobt und Schneeburgen gebaut. Mit einem Schneekönig. Das war Schnurri. Jetzt soll er allein spielen. Seine Fangzähne machen mir Angst. Außerdem kratzt er nach mir.

Vieles stört mich an Schnurri. Seine stechenden Katzenaugen besonders. Das Schneekätzchen hatte das nicht. Damals waren sie noch blau. Vor meinen Freunden verstecke ich das Tier. Nenne es nur *das lästige Geschenk*. Keiner will es streicheln. Kein Wunder. Schneekätzchen sind out.

Es ist wieder Weihnachten. Eine neue Chance. Dieses Mal mache ich es besser. Wünsche mir etwas Sinnvolles. Keinen Schnurri mehr. Der Kater darf am Fest nicht teilnehmen. Dafür ist er zu wild. Und zu verfilzt. Ich habe ein schlechtes Gewissen. Dann nicht mehr.

Es bellt unter dem Weihnachtsbaum. Mein Herz macht einen Sprung. Schnurri auch. Springt von draußen gegen die Scheibe. Ich ignoriere ihn. Nehme ein winselndes Fellbündel in die Arme. Der ist genauso weich wie Schnurri. Früher. Morgen zeige ich ihn meinen Freunden. Hoffentlich werden Dackel nicht so schnell out.

Sophie-Christine Feige, Jahrgang 1997, wurde in Bayern geboren. Neben ihrem Medizinstudium in Wien widmet sie sich leidenschaftlich dem Schreiben.

Omas Weihnachtsschmuck

Es war das erste Weihnachtsfest ohne Oma. Alle Familien vermissen verstorbene Verwandte an den Feiertagen, aber das erste Weihnachten ohne einen geliebten Menschen ist immer das schlimmste. Schon der erste Advent machte Annika traurig. Im letzten Jahr hatte sie mit Oma Stollen gebacken. Darauf hatte Oma Wert gelegt, ein richtiger Stollen musste vier Wochen lagern.

„Mama, backen wir zusammen einen Stollen?", fragte Annika ihre Mutter.

„Jetzt? Nein, ich habe keine Zeit. Ich muss den Adventskalender für meine Schulklasse vorbereiten."

Auch Papa war beschäftigt. Als Journalist musste er oft am Wochenende arbeiten und schrieb gerade eine Kolumne über Weihnachtsbräuche. Ihr Bruder David probte für das Krippenspiel.

Annika überlegte kurz, ob sie alleine einen Stollen backen sollte, verwarf die Idee aber, weil sie ihrer Mutter nicht noch mehr Arbeit machen wollte. Stattdessen ging sie auf den Dachboden und holte die Kiste mit Omas Weihnachtsschmuck. Als Omas Wohnung aufgelöst wurde, hatte Annika darauf bestanden, die Weihnachtskiste zu behalten. Der Weihnachtsschmuck war Omas ganzer Stolz gewesen.

Annika öffnete die Kiste und nahm als erstes Omas Weihnachtskrippe heraus. Sorgsam baute sie den Stall vor dem Esszimmerfenster auf, stellte Hirten, Tiere und das heilige Paar hinein. Das Jesuskind sollte erst am Heiligen Abend dazu kommen, so hatte Oma es auch immer gemacht. Ihre Mutter lächelte im Vorbeigehen. „Ach, die Krippe. Die hatte Oma schon, als ich Kind war." Dann war sie wieder im Arbeitszimmer verschwunden.

„Eigentlich ist Weihnachten ganz schön hektisch", dachte Annika traurig.

Am Nachmittag des zweiten Advent fand ein Weihnachtskonzert mit Chor und Streichquartett in der Kirche statt.

„Wollen wir zu diesem Konzert gehen?", fragte Annika.

„Ich muss leider noch einen dringenden Artikel über den Weihnachtsmarkt gestern schreiben", sagte Papa.

Auch Mama schüttelte den Kopf. „Ich habe keine Zeit. Am Mittwoch ist die Weihnachtsfeier vom Turnverein, da muss ich noch die Päckchen für all die Kinder packen."

Annika sah ihren Bruder erwartungsvoll an: „Gehst du mit mir zum Konzert?"

David verdrehte die Augen: „Bloß nicht, ich war schon heute Morgen zur Probe in der Kirche."

Annika seufzte und packte weiter Omas Weihnachtskiste aus. Oma wäre mit ihr zum Konzert gegangen. Annika fand die große Pyramide aus dem Erzgebirge. Behutsam setzte sie die einzelnen Stockwerke mit Reifentieren und Figuren zusammen, steckte die Kerzen auf die Halter und das Flügelrad auf die Spitze. Die Pyramide stellte sie auf den kleinen Tisch im Wohnzimmer.

Mama kam herein und musste das Wunderwerk bestaunen. Sie erlaubte Annika, die Kerzen anzuzünden, und sie betrachteten, wie sich die Pyramide wie von Zauberhand zu drehen begann. Papa erklärte David die Technik der Pyramide.

„Lasst uns doch die Päckchen für die Turnkinder zusammen packen", schlug Mama vor und holte eine große Box mit Süßigkeiten, Nüssen und Obst. Sie setzten sich auf den Wohnzimmerteppich. Mama packte die Leckereien in kleine Tüten, David schnitt das Band zurecht und Annika band Schleifen um die Tüten. Papa machte eine Pause und legte eine Weihnachts-CD ein. Das war fast so schön wie ein Konzert und fühlte sich tatsächlich ein bisschen weihnachtlich an, wie sie so Hand in Hand arbeiteten.

Nur Oma fehlte.

Am Morgen des dritten Advent packte Annika die kleinen Glasvögelchen aus Omas Schatzkiste aus. Sie glitzerten in bunten Pastellfarben und hatten Schwänze aus echten Federn. Aus dem Garten holte Annika einen großen Ast, verzierte ihn mit Watte, sodass er aussah, als hätte es darauf geschneit, und befestigte die Vögel daran. Den Ast stellte sie in eine Vase im Wohnzimmer.

Als Mama hereinkam, stellte sie sich neben Annika und strich ihr über den Kopf. „Diese Vögel habe ich als Kind auch sehr geliebt. Oma hat jedes Jahr einen neuen gekauft."

Annika blickte zu den Vögeln und einer davon schien ihr zuzuzwinkern, so wie Oma es immer getan hatte, wenn sie ein Geheimnis gehabt hatten.

Am späten Vormittag begann es, zu schneien. Dicke Flocken schwebten herab und bedeckten die Wiese hinter dem Haus. Die kahlen Äste des Kirschbaums sahen aus wie der Ast mit dem Watteschnee. „Juhu, es schneit!", rief Annika.

„So ein Ärger", sagte Mama, „jetzt muss ich auch noch Schnee kehren, dabei muss ich doch die Mathearbeit korrigieren. Schatz, könntest du vielleicht …?"

Sie blickte zu Papa, der schüttelte den Kopf. „Ich muss noch die Kolumne fertig schreiben."

Annika nutzte die Gelegenheit. Bevor David etwas sagen konnte, rief sie: „Wenn David und ich Schnee kehren, gehen wir dann heute Nachmittag Schlitten fahren?"

„Hm, bis heute Nachmittag bin ich wohl fertig", meinte Mama.

„Den Bericht kann ich heute Abend noch zu Ende schreiben", brummte Papa.

Nachdem es aufgehört hatte zu schneien, befreiten Annika und David den Gehweg vor dem Haus von der dicken Schneeschicht. Sie hatten bereits einen Schneemann gebaut, als Mama und Papa aus dem Haus kamen.

Mama trug eine altmodische Strickmütze in Braun und Orange. „Die hat Oma für mich gestrickt", erklärte sie. „Weißt du, was Oma und ich immer als Erstes gemacht haben, wenn es geschneit hat?" Mama suchte eine unberührte Stelle auf der Wiese, legte sich auf den Rücken und bewegte die ausgestreckten Arme hin und her. „Schneeengel!", rief sie fröhlich.

Annika, David und sogar Papa taten es ihr nach und weil sie sowieso schon nass waren, begannen sie eine Schneeballschlacht. Dann holte Papa die Schlitten aus der Garage und sie machten ein paar Abfahrten im benachbarten Feld.

Als es dunkel wurde, stellte Mama Bratäpfel mit Mandeln, Rosinen, Schokolade und Zimt in den Ofen. „Rezept von Oma", flüsterte sie und zwinkerte Annika zu.

„Irgendwie ist Oma doch nicht so weit weg", dachte Annika.

Am vierten Advent schaute Annika wieder in Omas Weihnachtskiste. Dort war außer den Kugeln und Figuren für den Christbaum nur noch der große hölzerne Nussknacker mit der Gardeuniform und dem hölzernen Gebiss übrig. Annika stellte ihn auf den Esstisch und begann, den Tisch fürs Frühstück zu decken.

„Was schreibst du heute, Papa?", fragte Annika, die wusste, dass Papas Kolumne zum Thema Weihnachten immer montags in der Tageszeitung erschien.

„Heute schreibe ich darüber, dass manche Familien ihren Weihnachtsbaum im Wald selbst schlagen."

„Ach du liebe Güte!" Mama schlug sich die Hand vor den Mund. „Wir haben ja völlig vergessen, einen Weihnachtsbaum zu kaufen. Und morgen ist schon Heiligabend!"

„Warum schlagen wir unseren Baum nicht auch selbst?", fragte Annika.

„Au ja!", rief David. „Dann zeigst du mir, wie man mit einer Axt umgeht, Papa."

„Und du kannst das gleich in deinen Bericht einbauen. Oder habt ihr keine Zeit?" Annika sah von einem zum anderen.

„Ich habe Zeit", sagte Mama. „Es sind ja schon Ferien."

„Und ich muss schließlich Recherche für meine Kolumne betreiben", schmunzelte Papa.

Mama fand schnell heraus, dass der Förster im benachbarten Stadtwald Baumschlagen für Spätentschlossene anbot. Die Familie machte sich auf den Weg. Annika und Mama suchten einen Baum aus, der auch Oma gefallen hätte, Papa und David fällten ihn nach allen Regeln der Kunst und gemeinsam hievten sie ihn aufs Autodach und brachten ihn stolz nach Hause.

Annika schmückte die prächtige Tanne am nächsten Morgen mit Omas Christbaumschmuck. „Richtige Glaskugeln und echte Kerzen", sagte Mama andächtig. „Wie bei Oma!"

Dann deckten sie den Tisch. Annika legte fünf Teller auf. Einen für Mama, Papa, David, sie selbst – und einen Teller für Oma. Denn irgendwie war sie immer noch da.

Andrea Nesseldreher ist 47 Jahre alt und schreibt gerne lustige und spannende Geschichten für Kinder, die sie als Erstes ihren beiden Söhnen vorliest. 2020 wurde ihr erstes Kinderbuch veröffentlicht, es handelt von ihrer Lieblingsinsel Amrum. Mit ihrer Familie lebt sie in Mittelhessen und reist am liebsten jeden Sommer ans Meer.

Ein hoffnungsvoller
Weihnachtsabend

Eisiger Wind zog durch die Straßen der Großstadt. Fauchend wirbelte er durch die Fußgängertunnel, während er seine klirrende Kälte bis in jede Nische verteilte. Schneekristalle glitzerten in der Luft und legten sich auf die Wangen jener Menschen, die sie durchquerten.

In einem dieser Tunnel lebte seit vielen Jahren der alte Max. Mit seinen blau gefrorenen Händen hatte er die Decke eng um seine Schultern gezogen und zitterte am ganzen Körper. Seine mit Flicken verunstaltete Decke war klamm, doch trotzdem erhoffte er sich Wärme von ihr. Neben ihm lag ein alter, zerschlissener Hut, in dem nicht mehr als ein paar mickrige Münzen lagen. Viel zu wenig, um sich davon etwas zu essen zu kaufen.

Max sah die vorbeieilenden Menschen bittend an. Er wusste, dass manche von ihnen dadurch bereitwilliger ihre Brieftasche öffneten. Doch an diesem Spätnachmittag des 24. Dezembers funktionierte diese Methode nicht. Entweder starrten die Leute auf den Boden oder in eine andere Richtung, damit sie ihn auch ja nicht bemerken mussten. Andere von ihnen waren so in ihrer Hektik vertieft, schleppten mit Geschenken vollgestopfte Taschen, sodass ihre Augen ihn, der ihre Hilfe und Fürsorge eigentlich am nötigsten hatte, tatsächlich übersahen.

Max kannte das alles. Er hatte sich abgefunden mit seinem Schicksal. Nur manchmal wünschte er sich, es einmal in seinem Leben etwas besser zu haben. So wie heute, am Heiligen Abend.

„Hier, für Sie."

Max schreckte hoch. Er war so in seine Eintönigkeit vertieft gewesen, dass er ihn fast nicht bemerkt hätte. Perplex sah er in das lächelnde Gesicht eines etwa zehnjährigen Jungen, der ihm die Hälfte seiner Butterbreze hinhielt. Die andere Hälfte behielt er für sich.

„Vielen Dank", brachte Max gerade noch heraus und wusste nicht, wie ihm geschah. Dankbar lächelte er den Jungen an, der ihm mit einem Zwinkern noch: „Frohe Weihnachten", wünschte. In dem Moment traten zwei schwarz gekleidete Männer auf den Knaben zu, packten ihn an beiden Armen und zerrten ihn mit sich.

„Halt!", rief Max hinterher, doch seine eigene Stimme ging in den lauten, angsterfüllten Schreien des Jungen unter. „Haltet sie auf, das ist eine Entführung!" Doch weder ihm noch dem Jungen wurde Aufmerksamkeit geschenkt. Ganz so, als wären jegliche Passanten nur seelenlose Marionetten, denen das Schicksal anderer gleichgültig war.

Max zögerte einen Moment. Dann riss er sich die schützende Decke von den Schultern und eilte ihnen hinterher. Als er die Treppen der Unterführung erklommen hatte und auf der belebten Straße stand, sah er gerade noch, wie der Junge in ein dunkles Auto gezerrt wurde. Mit aufheulendem Motor und quietschenden Reifen brauste es davon. Mit hängenden Schultern stand der alte Mann mitten auf dem Bürgersteig und starrte dem Fahrzeug so lange hinterher, bis es um eine Ecke bog und aus seinem Sichtfeld verschwand. Was sollte er nur tun?

Obwohl Max die Stadt gut kannte, wusste er nicht, wohin. Er folgte einfach seinen Füßen, die ganz automatisch eine Richtung einschlugen. Zwei Stunden lang irrte er kreuz und quer durch die belebte Stadt, bis er das Fabrikgelände außerhalb des Zentrums erreichte. Die hohen Bauten wurden abgelöst von riesigen Hallen, in denen der Betrieb in der Weihnachtszeit bereits eingestellt worden war. Nur aus einem der Bürogebäude drang ein schwacher Lichtschein zu ihm hinüber.

Sofort eilte Max darauf zu. Das konnte schließlich nur eines bedeuten – der Junge und seine Entführer waren hier. Das dunkelfarbige Auto war zwar nicht zu sehen, aber er fühlte, dass er auf der richtigen Spur war.

Es dauerte eine ganze Weile, bis er eine unverschlossene Tür gefunden hatte, durch die er ins Innere des Fabrikgebäudes huschen konnte. Max wusste nicht, was hier produziert wurde. Es war ihm auch egal. Immerhin zählte nur eines – den Jungen in Sicherheit zu bringen.

Vorsichtig sah er sich um. Doch bis auf ihm völlig fremde Gerätschaften konnte er nichts Ungewöhnliches entdecken. So huschte er von Gang zu Gang. Es war still und dunkel hier. Nur die schwache

Notbeleuchtung wies ihm den Weg. Nichts rührte sich. Bis er plötzlich aus einem der Zimmer ein herzzerreißendes Geräusch hörte. Der Junge!

„Hör auf zu heulen. Oder willst du wieder geknebelt werden? Na also."

Unentschlossen stand Max auf der Stelle. Nun war es wirklich allerhöchste Zeit, die Polizei zu rufen. Aber er wollte das Kind auch nicht allein lassen.

„Du wirst sowieso nicht lange hierbleiben. Mein Kumpel ist schon zu eurem Haus gefahren, um die Lösegeldforderung einzuwerfen. Sobald Mami und Papi gezahlt haben, sagen wir ihnen, wo du bist." Er lachte hässlich.

Max hatte genug gehört. So leise es ihm möglich war, schlich er den Gang entlang zurück. Er musste ein Telefon finden.

„Halt, wer sind Sie?", dröhnte plötzlich eine donnernde Stimme.

Max schrak auf und sah dem dunkel angezogenen Mann entgegen, der in dem spärlichen Licht nur schemenhaft zu erkennen war. „Bitte, tun Sie mir nichts", wimmerte der Alte und hob seine zitternden Hände an den Mund. „Draußen ist es so kalt und außerdem ist doch Weihnachten. Bitte habt Erbarmen und lasst mich heute Nacht hier schlafen."

Der Verbrecher, zumindest glaubte Max, dass er dazu gehörte, wirkte für einen kurzen Moment irritiert. Doch dann packte er ihn an der Schulter und wies ihm mit einer Hand den Weg. „Dort hinten in der Ecke kannst du schlafen, Penner. Aber lass es dir ja nicht einfallen, im Gebäude herumzuspionieren. Verstanden?"

„Ja, ja. Vielen herzlichen Dank. Sie haben einem armen Mann das Leben gerettet."

„Schon gut. Und jetzt verschwinde."

Max sah dem Mann nach, der in der Richtung verschwand, in der der Junge gefangen war, und atmete auf. Das war noch mal gut gegangen. Er versteckte sich hinter einer der Gerätschaften und wartete. Nach wenigen Minuten verließen beide Männer das Fabrikgebäude, ohne ihn zu bemerken. Das war seine Chance! Kaum waren die Verbrecher nicht mehr zu sehen, stürmte er auch schon auf das Gefängnis zu und atmete auf. Der Schlüssel steckte!

„Zeit, zu verschwinden. Was meinst du?", sagte der alte Mann und zwinkerte dem völlig verdutzten Jungen zu.

Schnell war dieser befreit und die beiden verschwanden im Schutz der Dunkelheit.

„Wo wohnst du denn?"

„Am Rosenhain", antwortete der Knabe und drängte sich nah an Max' Seite. „Am anderen Ende der Stadt."

So machten sich Max und der Junge auf den Weg. Als sie die Stadtmitte passierten, blieben sie jedoch ruckartig stehen. „Was macht denn der Junge ... Wieso ist er frei? Du hast die Tür nicht abgeschlossen, du Trottel!"

Max packte das Kind an der Hand und floh mit ihm über den Weihnachtsmarkt, als plötzlich der Mond hinter der schweren Wolkendecke hervortrat und genau auf den hell erleuchteten Weihnachtsbaum traf. „Los, hier lang!" Sie versteckten sich hinter dem immergrünen Geäst und wie durch ein Wunder blieben die beiden unentdeckt. Ja, es war ein Wunder. Ein echtes Weihnachtswunder.

„Komm, lass uns nach Hause gehen."

Ein Polizeiwagen stand bereits vor der Tür. Doch wie groß war die Freude und Erleichterung, als die Eltern ihren Sohn endlich wieder in die Arme schließen konnten. Und auch für Max gab es ein Happy End. Von nun an würde sich sein Leben verändern. Er durfte bei der Familie bleiben und wurde endlich wieder satt.

Viel später, als alle schon schliefen, kam der Junge noch einmal zu Max ins Gästezimmer gehuscht. „Warum haben Sie mich eigentlich gerettet?"

„Denke an deine Breze, die du mit mir geteilt hast. Wer Hoffnung sät, wird Hoffnung ernten", sagte Max lächelnd und zwinkerte geheimnisvoll.

Anna-Magdalena Tannhäuser ist das Pseudonym einer im Chiemgau lebenden Einzelhandelskauffrau. Seit frühester Kindheit denkt sie sich Geschichten aus. Sie schreibt Fantasy sowie Kinder- und Jugendbücher. Einige ihrer Kurzgeschichten sind bereits in Anthologien erschienen. Ende 2016 veröffentlichte sie ihren Fantasy-Debütroman „Ärascas". Mit „Fell" startete sie eine Reihe von Kinderbüchern, welche zum Nachdenken anregen und Freude am Lesen wecken. Sie liebt das Leben auf dem Land und widmet sich neben dem Schreiben gerne auch der Musik.

Lies mir eine Geschichte vor

„Ein Winter wie früher", denkt Marthe. So kalt und klar, dass ihre Schritte knirschende Geräusche im festen Schnee verursachen. Zielstrebig führt sie ihr Weg zum Park, der jetzt verlassen wirkt. Heute Nachmittag lachten hier noch Kinder und die grinsenden Schneemänner freuen sich darauf, sie morgen wieder begrüßen zu dürfen. Nun aber ist es still. Totenstill.

Die Kinder sind fort. Rotwangig von der Kälte kehrten sie in die Häuser und Wohnungen zurück und ihre Gesichtsfarbe hat sich nicht verändert. Jetzt aber ist es die Aufregung, die ihnen das Blut in die Wangen treibt. Es ist die Zeit der Bescherung. Einige machen sich später bestimmt mit ihren Eltern noch einmal auf den Weg zur Kirche und werden dort mit großen Augen diesen besonderen Geburtstag feiern, um dann todmüde ins Bett zu fallen.

„Todmüde", sagt Marthe leise vor sich hin. So, wie sie sich fühlt. Der Weg zur Kirche wird die Menschen nicht am Park lang führen – und das ist gut so. Die Bank ist vom Schnee befreit und hat heute den Vätern und Müttern Platz geboten, als sie ihren Kindern beim Toben zugesehen haben. Ihre Bank. Dort haben Kurt und sie tagaus, tagein gesessen.

Der Abend hat den Himmel schon schwarzblau angemalt, sodass selbst der tagsüber puderweiße Park ein wenig davon abbekommt. In der nahen, wolkenlosen Nacht wird jeder Stern funkeln und insgeheim hofft Marthe natürlich, diesen einen besonderen zu sehen. Wer wünscht sich das nicht in der Weihnachtsnacht, auch wenn es natürlich nicht erfüllt werden kann. Aber heute wäre es angebracht, denkt sie sich. Das erste Weihnachten ohne Kurt. Sie hatten einander, um sich zu freuen, zu lachen, zu weinen, aber insbesondere sich zu trösten. Doch nun ist sie allein.

Sie hat das Buch dabei. Das Buch, aus dem sie ihrer Tochter vorgelesen hatte. Stets dieselben Geschichten. Auch als es Paula immer schlechter ging. Kurt hatte extra weitere Bücher gekauft, so wie Marthe es von ihm erbeten hatte. Aber nein, Paula wollte nur etwas aus diesem Märchenbuch hören. Jeden Abend, immer wieder, zeigte sie auf das Buch und sagte: „Lies mir eine Geschichte vor." Wort für Wort kannte sie und doch lächelte sie nach jedem Märchen und schlief nach dem letzten Satz fast augenblicklich ein. Bald flüsterte sie nur noch: „Lies mir eine Geschichte vor", und irgendwann war es so still wie jetzt im Park. Kein Hauch, kein Flüstern mehr, nur schwarzblaue Stille. Vielleicht wäre es heutzutage heilbar, aber Kurt und sie erlebten dies im Damals. Und das begleitete die beiden ein Leben lang.

Kurt und sie hatten dennoch ein schönes Leben geführt. Sätze wie: „Das Beste daraus machen", „Bereit sein, das Schicksal anzunehmen", oder „Es muss ja weitergehen", und andere, hörten sich für ihre Freunde und Bekannten banal an. Für Marthe und Kurt waren sie wie ein unverzichtbares Lebenselixier, ein Strohhalm, um nicht selbst unterzugehen. Und tatsächlich, dass Leben ging weiter, obwohl beide daran kaum zu glauben wagten. Sogar das Glück kehrte zurück. Jedenfalls, solang Kurt da war. Doch ... nun ist sie ganz allein.

Marthe streichelt zärtlich über das Buch. Seit sechzig Jahren hat sie es das erste Mal wieder in ihren Händen. Sie wird müde und freut sich über die Kälte. Beides zusammen wird es ihr leichter machen. Einfach hinüberschlafen – wer weiß, wer dann dort auf sie warten wird? Kurz nachdem sie die Augen geschlossen hat, stupst sie jemand in die Seite.

„Ist das dein Buch?", hört sie eine Kinderstimme fragen.

Verdutzt schaut Marthe zur Seite. Ein Kind um diese Zeit allein im Park? Aber die Zeiten haben sich geändert, vielleicht ist so etwas ja heutzutage *normal*.

„Hallo, junge Dame! Ja, das ist mein Buch. Darf ich auch etwas fragen? Was machst du hier so allein?"

„Also. So lange ich bei dir sitze, sind wir zu zweit."

Marthe lächelt. Kinder, insbesondere clevere, mochte sie immer gern. Genauso war Paula. „Da hast du auch wieder recht. Also anders gefragt: Vermissen dich deine Eltern nicht?"

„Nein", antwortet das Kind und offensichtlich ist damit aus seiner Sicht alles gesagt. Irgendwie merkt es aber, dass diese Antwort bei der älteren Frau nicht so gut ankommt. „Ich gehe ja bald nach Hause, aber wie sagt Vater: Es bleibt immer Zeit für eine gute Geschichte." Bei diesen Worten schielt es auf das Buch in Marthes Händen.

"Ähm, das ist an sich ein Buch mit Geschichten für Paula", antwortet Marthe leicht verunsichert.

"Lies mir eine Geschichte vor."

Als Marthe diesen vertrauten Wunsch hört, kann sie nicht anders. Sie schlägt das Buch auf und es öffnet sich bei dem Märchen *Das kleine Mädchen mit den Schwefelhölzern.*

"Das passt ja irgendwie", denkt sich Marthe und sie beginnt zu lesen. Während sie liest, kuschelt sich das Kind an ihre Seite und als ob Schwefelhölzer angezündet werden, wärmt jede dieser Berührungen und tut gut.

"Sie hat sich erwärmen wollen!", lautet einer der letzten Sätze und kurz darauf ist das Märchen zu Ende und Marthe schließt leise und sanft das Buch.

"Ein schönes, aber trauriges Märchen", sagt das Kind. "Es passt zur kalten Nacht, aber nicht zu diesem Tag. Heute ist das Fest des Glaubens, der Liebe und der Hoffnung."

"Na ja", sagt Marthe.

"Doch, heute ist Weihnachten und da darf man sich etwas wünschen. Du liest wirklich toll. Ich möchte, dass du jeden Tag einem Kind so ein Märchen vorliest."

Marthe stutzt. "Ich habe keine Kinder und kenne auch keine. Wie soll das denn gehen?", fragt sie das Kind, wissend, dass es wohl keine Antwort für sie hat, doch sie täuscht sich damit.

Das Kind nimmt ihre Hand und sagt: "Du wirst welche finden, wenn du suchst. Was meinst du, wie viele Kinder nur darauf warten, eine gute Geschichte vorgelesen zu bekommen? Aber nun muss ich los, ich werde erwartet." Dann drückt es Marthes Hand und küsst sie auf die Wange. Es läuft los durch den Schnee und ruft ihr noch zu: "Nächstes Jahr, gleicher Ort, gleiche Zeit, Marthe. Und denk daran: Ich wünsche es mir!"

Perplex bleibt Marthe allein sitzen, aber dieses Gefühl wie zu Anfang stellt sich nicht mehr ein. Irgendwie ist sie nicht mehr allein. Irgendwas, irgendwer ist bei ihr.

"Woher kennt das Mädchen meinen Namen?", fragt sie sich kurz, aber sie wird ihn wohl nebenbei erwähnt haben. Sie spürt plötzlich die Kälte und steht entschlossen auf.

„Das Leben muss doch weitergehen. Und nächstes Jahr, gleicher Ort, gleiche Zeit", sagt sie sich.

Durch den knirschenden Schnee macht sie sich auf den Weg nach Hause. Der Weg ist leicht zu finden. Marthe muss nur dem hellen Stern folgen.

Ulrich Borchers ist ein 59-jähriger Verwaltungsbeamter aus Flensburg, der sich nunmehr seit knapp über zehn Jahren seinem Hobby Schreiben widmet. Zahlreiche Veröffentlichungen in Anthologien folgten und zwischenzeitlich auch schon vier eigene Kurzgeschichtensammlungen. Mehr auf https://ulrichborchers.jimdofree.com.

Dir gutem Weihnachtsmann

Dir, gutem Weihnachtsmann, hab' anvertraut
ich meine Wünsche für das Weihnachtsfest,
als gestern nacht ich dich im Traum geschaut.
Ich hoff', dass du nicht unerfüllt sie lässt.

Manch Spielding nur und manche Süßigkeit,
gewärmte Herzen um beglänzten Baum,
dem ganzen Erdkreis eine frohe Zeit
und dass ich wieder schau'n darf dich im Traum.

Wolfgang Rödig, geboren in Straubing, lebt in Mitterfels, hat seit 2003 etwa 350 belletristische Texte in diversen Anthologien, Literaturzeitschriften, Zeitungen, Magazinen und Kalendern veröffentlicht.

Erika, die Buchhalterin

„Frau Ohmsick, Sie haben doch sicherlich nichts dagegen, noch kurz das Kuchenbuffet für den Geburtstag unseres Jüngsten zu bestellen?! Wir wissen Ihre Umsicht sehr zu schätzen!", sagte der einstige Juniorchef mit einer Würze Arroganz. Er hatte inzwischen seine Mutter beerbt und leitete den Kaffee- und Konfekthandel nun selbstständig. Schon verschwand er mit Hut und Mantel durch den Ausgang. Erika Ohmsick hörte noch das Aufheulen des Motors und weg war er, *der Junior*, wie Erika ihn noch immer nannte, denn sie hatte ihn schon früher als Dreikäsehoch auf dem Schoß sitzen gehabt. Verdrossen musterte sie ihre Armbanduhr, die 16.45 Uhr anzeigte, und es damit nur noch 15 Minuten bis zum Dienstschluss waren.

„Was heißt hier *noch kurz?*", grummelte sie in sich hinein. Um 17.30 Uhr erwartete sie bereits eine kranke Nachbarin, deren Malteser Welpen namens Flori sie Gassi führen sollte. Dass sie das noch schaffte, erschien ihr fragwürdig. Außerdem verlangte der Kompagnon vom Junior, dass Erika für ihn privat noch Briefmarken kaufte.

Unter Frau Doktor Wüffelsen, der Mutter vom einstigen Dreikäsehoch, hatte sie meistens pünktlich Schluss gehabt. Besonders Erikas Genauigkeit am Jahresende, die Jahresbilanz über Einnahmen und Ausgaben des Betriebes, wurde immer sehr gelobt. Gelegentlich stolperte sie über Fehler einer Kollegin, die dem Wirtschaftsprüfer peinlich aufgefallen wären, wenn Erika diese nicht zuvor entdeckt hätte. So korrekt wie ihre Bilanzen war sie auch selbst – nie nahm sie sich ein Stück Kuchen zu viel, wenn denn mal eines spendiert wurde, und auch an dem Konfekt der firmeneigenen Herstellung bereicherte sie sich nicht. In Zeiten der Corona-Pandemie ging es dem Laden gar nicht so schlecht, denn der Online-Handel blühte auf, gerade zur Weihnachtszeit, die unmittelbar vor der Tür stand. Frau Doktor Wüffelsen hatte Erikas Dienste nie ausgenutzt, aber jetzt reichte es der Buchhalterin endgültig.

Sie schaltete ihren Rechner wieder ein und suchte nach der Excel-Tabelle für den Geburtstag von Juniors Jüngstem. 28 Personen waren geladen und weil die Frau des Juniors nicht backen wollte, sollte Erika die Bäckerei beauftragen, die auch die Arbeitsmeetings mit Kuchen bestückte.

Für private Zwecke wurde sie seit dem Ausscheiden der Seniorchefin immer öfter herangezogen. „Bin ich seine Ehefrau?", frotzelte Erika wütend.

„Oje, jetzt ist es gleich 17.26 Uhr, den kleinen Flori werde ich nicht mehr abholen können, wie schade!", stellte Erika mürrisch fest, als sie nach den Erledigungen den Heimweg ansteuerte.

Ihre Nachbarin machte ihr später am Telefon die Hölle heiß, da Flori sein Geschäft mittlerweile im Wohnungsflur verrichtet hatte.

Nach einer schlechten Nacht las die Buchhalterin am nächsten Tag dem Junior die Leviten und kündigte fristlos.

Dafür würde niemand Verständnis haben, war sie sich sicher, und natürlich erhielt sie von der Arbeitsagentur erst mal eine Sperre und überhaupt wunderte man sich dort, was ihr mit ihren 57 Jahren denn so einfiele, da die Jobs für so eine abgehalfterte Buchhalterin schließlich nicht auf der Straße lägen, ob sie sich nicht hätte zusammenreißen können, warf ihr die Dame vom Amt vor.

Weihnachten rückte näher und – na ja –, Erikas Konto wies kein dickes Polster auf. Wovon auch?! Die Miete gehörte zu den laufenden Posten und war nicht gerade niedrig – die Lebensmittelpreise schnellten in die Höhe, der Friseur, Reparaturkosten für eine Waschmaschine und ein neuer Kühlschrank nagten an ihrem Budget.

Das äußerliche Nagen spiegelte bloß ihr inneres Zerwürfnis mit der *Confiserie GmbH* wider. Mit 33 Jahren Betriebszugehörigkeit galt sie als Urgestein des Unternehmens, aber der Junior hatte kaum eine Braue verzogen, als sie ihm die sofortige Kündigung auf den Tisch knallte.

Kurz vor Weihnachten quälte sie der Gedanke, wo sie günstig ein paar Tannenzweige erstehen könnte. Da überfiel sie ein interessanter Impuls … Das früh einsetzende Dunkel nutzend, griff sie zu ihrer Gartenschere und schlich auf das Grundstück der nahe gelegenen katholischen Kirche. Eine Tannenhecke begrenzte die Fläche zur Hauptstraße hin und davon ließen sich doch sicher ein paar Zweige entbehren, spekulierte die Buchhalterin ganz entgegen ihrer sonstigen Natur, aber Not macht bekanntlich erfinderisch. Wenngleich im Gemeindehaus Licht brannte, lag die Tannenhecke doch ziemlich im Finsteren, eine gute Gelegenheit also für das heimliche Erbeuten einiger Zweige. Erika schnitt etwas Tannengrün ab und ließ dieses geschwind in eine große Tasche gleiten.

Plötzlich strahlte sie ein grelles Licht an, eine Art Scheinwerfer, und eine Ordensschwester trat auf sie zu. Blitzartig versuchte Erika, die Tasche zu verbergen, und bevor die Geistliche auch nur ein Wort an sie hätte richten können, stammelte Erika verlegen: „Aus botanischem Interesse wollte ich mir mal ihre Hecke anschauen ..."

„Liebe Schwester, unser gütiger Herrgott sieht alles! Holen Sie die Tasche doch hervor und geben mir bitte Ihre Schere. Ein paar ganz besonders schöne Zweige möchte ich Ihnen noch mit nach Hause geben!", sagte die Frau in schwarzem Ordenskleid, dem Habit, leise lächelnd.

Verblüfft und beschämt händigte Erika schweigsam der Nonne Gartenschere und Tasche aus. Dann schritten die Frauen gemeinsam zu einer großen Tanne, die zentraler auf dem Kirchengrundstück wuchs. Mehrere kräftige Zweige landeten aus der Hand der Nonne in Erikas Tasche.

„Sie sind herzlich willkommen zu unserem Adventskaffee! Vergessen Sie nie, er liebt uns alle, er rechnet nicht und er liebt auch Sie – Friede sei mit Ihnen!", verabschiedete sich die Schwester mit warmen Worten.

Erika wich verdutzt von dem christlichen Grund und Boden. So viel Güte hatte sie selten erfahren.

Zu Hause musste sie sich zunächst sammeln, kramte eine große Vase hervor, die ihre Großmutter bereits besessen hatte, und stellte die Tannenzweige hinein.

Am Morgen des Heiligabends schmückte Erika die Zweige mit allerlei Strohsternen, getrockneten Orangenscheiben, Hagebutten und Schleifen, auch ein wenig Konfekt hängte sie in das Grün.

Da schellte es gegen 11.00 Uhr an ihrer Haustür.

„Guten Morgen Frau Ohmsick!", sprach der Junior, und die Buchhalterin konnte ihren Augen kaum trauen, als sie den jungen Mann mit einer hübschen Schachtel Pralinen ganz unverhofft vor sich stehen sah. Nicht lange zögernd ließ sie ihn ein und bei einem Tässchen Kaffee saßen sie plaudernd um den dekorierten Tannenstrauß. Herr

Wüffelsen entschuldigte sich für seine privaten Indienstnahmen und bat die ehemalige treue Mitarbeiterin freundlich um die Rückkehr in die *Confiserie GmbH.*

Da kamen Erika die Worte der Nonne in den Sinn: Gott rechnet nicht! Nach kurzer Überlegung willigte die Buchhalterin ein, und sie besiegelten die Versöhnung mit einem kleinen Schluck von Erikas selbst gemachtem Schlehenlikör.

„Gesegnete Weihnachten, Frau Ohmsick!", verabschiedete sich der junge Chef, den Erika fortan nicht mehr als Junior, sondern als Chef betrachtete.

Maren Rehder studierte Kunst, Kunstgeschichte, Evangelische Theologie, Pädagogik und Soziologie. Schon als Kind wurde sie wegen ihrer Ideen geschätzt – mit dem Schreiben begann sie erst im Erwachsenenalter. Neben Kurzgeschichten und anderen Texten widmet sie sich speziell der Naturpoetik. Im Rahmen naturkundlicher Lehrwanderungen trägt Maren Rehder eigene Gedichte im Alten Botanischen Garten Kiel vor.

Weihnachten
mit der Tallu-Maus

Knusper Knusper Knäuschen
Das kleine Tallu-Mäuschen baute gerade ein Lebkuchenhäuschen

Es klingelte an der Tür – wer mochte das sein?
Papa Hase steckte den Kopf herein

Er brachte den Baum, den sie wollte
Ob er wohl beim Schmücken helfen sollte?

Das Angebot freute sie wirklich sehr
Da kam auch schon der brummige Bär

Er zog einen Schlitten hinter sich her
Denn alleine fahren wollte er nicht mehr.

Er wollte so gern, dass sie rauskommen zum Toben
Tallu-Maus sprach: Komm doch nach oben

Wir schmücken den Baum und trinken Tee
Danach spielen wir zusammen im Schnee.

Da kam das Lama mit drei Schüsseln voll Teig
Sagte: Mein Ofen ist seit heute im Streik

So schmückten sie den Baum vom Stamm bis zur Spitze
Und erzählten sich beim Plätzchenausstechen Witze

Dann gingen sie raus und spielten im Schnee
Da hatte Tallu-Maus eine Idee

Sie könnten doch auch den Abend zusammen verbringen
Und unter dem Weihnachtsbaum Lieder singen

Alle nickten und stimmten ein
Zu Weihnachten ist niemand gerne allein.

Knusper Knusper Knäuschen
Nun aßen alle zusammen das Lebkuchenhäuschen.

Anja Pachali *aus München: Ingienieur, Windsurfinstruktor, Hobby-Autor, Mutter. Geschichten mit und über die Tallu-Maus ist eines von mehreren Schreibprojekten.*

Weiße Weihnacht

Was gibt es Schöneres, als zur Weihnachtszeit im Schnee zu spielen? Sich im Schnee zu wälzen und mit den Armen Schneeengel zu fächern? Oder einfach eine lustige Schneeballschlacht mit den Freunden zu machen? Seit Ende November freuten sich Samu und Maxim auf die weißen Kristalle, die langsam vom Himmel fallen und die sonst grüne Landschaft in eine weiße Märchenlandschaft verwandeln. Die Äste der Tannen würden schwer behangen bis zum Boden reichen und alles würde aussehen, wie in einer Erzählung der Gebrüder Grimm. Ach, wie freuten sie sich darauf! Wie alle Kinder! Wie jedes Jahr!

Auch ihre Schwestern Frieda und Sofie konnten es kaum erwarten. Jeden Morgen schauten sie erwartungsvoll aus dem Fenster. Doch in diesem Jahr war alles anders. Es wollte und wollte einfach nicht schneien. Nicht eine schneegefüllte Wolke stand am Himmel. Kein schneebringender Wind, der die weiße Pracht ins Land weht. Keine Aussicht auf weiße Weihnachten.

Heiligabend kam immer näher. Weihnachten ohne Schnee? Das wäre ja eine Katastrophe! Würden sie denn in diesem Jahr nicht mit ihren hölzernen Schlitten fahren können? Oder ein Iglu bauen? Eine Schneeballschlacht machen oder gar keine Ameisen-Kribbelhände fühlen, wenn sie mit ihren eiskalten Händen ins wohlig warme Haus kamen und es dann so herrlich in den Fingern kribbelte, weil sie endlich wieder auftauen würden, nachdem sie stundenlang im Schnee getobt hatten?

Und wie sollte der Weihnachtsmann mit seinem Schlitten fahren? Nein, das war eine schreckliche Vorstellung. Tränen liefen der kleinen Sofie über das Gesicht. Da wurde auch Frieda ganz traurig.

Samu und Maxim gingen trotzdem hinaus, sie hatten ja Ferien und wollten diese in vollen Zügen genießen. Sie liefen an ihren Lieblingsplatz im unteren Rabental. Dort gab es einen kleinen Waldsee. Normalerweise war er um diese Zeit längst zugefroren, doch dieses

Jahr fehlte die dicke Eisschicht, die die Kinder schon so oft getragen hatte. Sie setzten sich ans Ufer. Maxim stocherte gedankenversunken mit einem langen Ast am Ufer herum und schmiedeten Pläne. Eine ganze Weile saßen sie dort und als es langsam dunkel werden wollte, zog Maxim seinen Ast aus dem kühlen Nass. Eigentlich wollte er ihn voller Schwung in den See werfen, doch Samu hielt den knorrigen Ast plötzlich fest. „Schau mal, was da hängt", rief Samu Maxim erstaunt zu. Und tatsächlich, an dem Ast hing etwas. Maxim untersuchte den schlammigen Ast und erkannte einen kleinen Ring. Maxim polierte das Schmuckstück mit seinem wolligen Schal, zuckte mit den Schultern und wollte ihn gerade wieder ins Wasser werfen.

„Halt, nicht", rief jemand von oben.

„Nicht ins Wasser werfen!", ergänzte eine feine grillenhafte Stimme.

Maxim hielt den Ring in der Hand und suchte das Ufer ab, konnte jedoch niemanden erkennen. Er schaute in den Himmel, doch auch dort konnte er nichts entdecken.

„Ein Harznok, ich fasse es nicht", rief Samu erfreut. Und tatsächlich, ein kleines feenartiges Wesen kam aufgeregt auf sie zugeflattert.

Nun müsst ihr wissen, dass Wurpik ein Harznok ist. Ein Harznok? Ja, tatsächlich, ein kleiner Harznok. Die Harznoks sind die weisesten und ältesten Wesen in den Harzer Wäldern und sind kleine fuchsähnliche Gestalten, die nicht größer als deine Handfläche sind. Die putzigen Wesen stellen die Ordnung zwischen den Tieren der alten und der neuen Welt im Wald her. Wie alle Harznoks hatte auch Wurpik blau schimmernde Flügel auf dem Rücken und sein Körper war mit einem weichen Flaum überzogen. Samu war begeistert – so ein schönes Exemplar hatte er noch nie gesehen.

Wurpik berichtete, dass er auf der Suche nach genau diesem Ring sei. Er hatte ihn einst im Flug verloren, als er einmal ganz heftig niesen musste, und dann hatte er den Ring aus den Augen verloren. Und da der Ring für die Hochzeit seines besten Freundes bestimmt war, musste er ihn natürlich unbedingt wiederfinden.

„Der Ring besitzt magische Kräfte", ergänzte Wurpik. „Wer einen solchen Ring besitzt, dem ist die große Liebe sicher", schwärmte er weiter. „Nur die Harznoks besitzen solche Ringe und sie sind ganz

besonders wertvoll", fügte Wurpik hinzu. „Sie werden im Morgen-
tau im hochziehenden Nebel von den alten Wissenden Greisen her-
gestellt und nur am dritten Tag nach dem ersten Vollmond im Juli",
erklärte er voller Stolz.

Und er ergänzte noch stolzer: „Und das an einer ganz besonderen
Stelle! Am Glückauf, einem ganz wundervollen Waldstück, kurz vor
der kleinen idyllischen Harzer Bergstadt." Er fügte dann noch an,
dass jeder Ring ein klein bisschen Katzengold enthielte. Die Menschen meinten zwar, dass das nicht besonders wertvoll sei, aber
zum Glück wissen die Menschen ja nicht alles. Der wahre Wert war
nicht in Geld aufzuwiegen, sondern in den besonderen Fähigkeiten.
Wurpik war ganz im Glück!

„Und", sagte er zwinkernd, „Katzengold hilft gegen Hexenschuss,
und der ist im Harz ja besonders häufig anzutreffen bei den vielen
Hexen, die hier herumschwirren!" Froh, den Ring doch noch rechtzeitig gefunden zu haben, bot er Samu und Maxim einen Wunscherfüller an. Wann immer sie wollten, könnten sie ihn einsetzen.

„Doch wählt euren Wunsch mit Bedacht, man kann den Wunscherfüller nur einmal einsetzen", hörte man den kleinen Harznok noch
sagen.

Samu und Maxim schauten sich an und wie aus einem Munde
sagten sie: „Wir möchten, dass es Heiligabend schneit."

Wurpik fragte noch einmal nach: „Ihr wollt, dass es schneit?"
Begeistert bejahten dies die beiden gleichzeitig. „Dann werft den
Wunscherfüller, so weit ihr nur könnt, in den Himmel, schließt die
Augen und denkt an weiße Weihnacht."

Maxim nahm erwartungsvoll den Wunscherfüller, holte aus,
schaute noch einmal zu Samu, dieser nickte ihm zu – beide schlos-
sen die Augen und dann warf er, so hoch er nur konnte. Da flog
der Wunscherfüller in den Himmel hinauf. Er flog immer höher und
höher. Irgendwann war er nicht mehr zu sehen. Als sich die beiden Jungs umdrehten, war der kleine Harznok bereits verschwunden. Sie zuckten mit den Schultern, drehten sich ebenfalls um und
machten sich auf den Weg nach Hause.

Endlich war es so weit, Heiligabend stand vor der Tür. Frieda und
Sofie jammerten noch immer über den fehlenden Schnee. Und
Samu und Maxim? Die schmunzelten nur. Noch war ja nicht Heilig-
abend.

Dann war er da, der Heiligabend! Samu und Maxim hatten kein Auge zugemacht! Machte der Harznok sein Versprechen wahr? Endlich ging die Sonne auf. Und mit ihr kamen die ersten Schneeflocken. Noch ganz zart und kaum zu sehen, tanzten sie vom Himmel. Mit jedem Moment wurden sie stärker und dichter. Und endlich schneite es! Ach was war das für eine Freude! Samu und Maxim schrien durchs ganze Haus! So laut, dass auch Frieda und Sofie wach wurden! Gemeinsam liefen sie aus dem Haus und quietschten vor Übermut. Endlich! Schnee! Und gerade noch rechtzeitig! Sie warfen den Schnee in die Luft, sie formten ihn zu Schneebällen und sie machten Schneeengel im Schnee. Wurpik hatte sein Versprechen gehalten. Das waren die schönsten Weihnachten! Weiße Weihnachten!

Yasmin Mai-Schoger lebt mit ihrer Familie im Schwabenländle und schreibt lustige Geschichten und Gedichte. Mehl am Schurz, Tinte an den Händen und den Schalk im Nacken – eine Autorin mit viel Fantasie und einer großen Portion Lebensfreude. Ihre Gedanken hat sie in den Büchern „Schmunzelstücke" und „Frau Wirbelwusch" veröffentlicht.

Einst stand
im tiefen Schnee

Einst stand im tiefen Schnee
ein ziemlich kleines Reh.
Es sah sich um und sah –
was ziemlich seltsam war –
ein rotes Wesen stehen.
Rot vom Kopf bis zu den Zehen.
Mit einem großen Sack bepackt,
den trug er lässig huckepack.
Ein weißer Bart ziert sein Gesicht,
er irgendwas von „Hohoho" spricht.
Das Kleine erzählt es den anderen Rehen
damit sie es mit eigenen Augen sehen.
Die Rehe sich fürchterlich empörten,
sich lauthals an dem Fremdling störten.
Sie beschlossen, den Roten zu suchen
und stapften zwischen Tannen und Buchen.
Schauten in Höhlen, suchten hoch oben.
Sahen in Löcher und fanden am Boden
eine rote Spur!
Wohin führt sie nur?
Da lag ein Handschuh, dann eine Mütze –
und das auf einer zugefrorenen Pfütze.
Dort, ganz links, lag eine Kufe,
ein Stück weiter folgten Rufe:
„Hoho, hihi – hihi hoho!
Da lieg' ich nun auf meinem Po!
Der Schlitten ist zwar jetzt entzwei,
doch das ist mir einerlei.
Die Fahrt hat sich gelohnt,
das bin ich nicht gewohnt!
Das war ein riesen Spaß!

Ich meine Arbeit fast vergaß."
Die Rehe eilten schnell herbei,
fragten, ob alles in Ordnung sei.
Und wer er, der Rote ist,
und welche Arbeit er vergisst.
Da sprach der fremde Mann:
„Seht ihr's mir denn nicht an?
Bin ganz rot von Kopf bis Fuß,
hier und da ein bisschen Ruß.
Der kommt vom schmutzigen Kamin,
der 6. Dezember ist mein Haupttermin.
Da gehe ich von Haus zu Haus,
teile den Kindern Geschenke aus.
Mache das so, dass mich niemand sieht,
trällere dabei ein Weihnachtslied.
Dann gehe ich wieder raus –
ja, ich bin der Nikolaus!
Kennt ihr mich denn nicht?"
Die Rehe zogen ein seltsam' Gesicht.
Fragten, wieso nur Kinder was kriegten,
Tiere doch auch Geschenke liebten!
Da grübelte der Nikolaus,
dachte an Rehe, Hasen und Maus,
an Hirsche, Igel und Specht.
„Ihr habt ja wirklich recht!
Ich hab' nicht an die Tiere gedacht!
Habe mir nie Gedanken gemacht,
dass auch ihr Tiere etwas wollt,
verstehe nun, dass ihr jetzt schmollt.
Seid nicht betrübt, seid wieder froh,
ab heute kriegt ihr ebenso,
und das von nun an, Jahr für Jahr,
weil ich so vergesslich war.
Nun geht schon heim in euer Bett,
wenn ihr erwacht, wird's wirklich nett."
Die Rehe brachten noch schnell Nik'laus Sachen,
was sollten sie auch mit Handschuhen machen?
Die brauchten sie nun wirklich nicht,

Nikolaus ein Dankeswort spricht.
Er reparierte den Schlitten, setzte die Mütze auf,
und zog ihn samt Sack den Berg hinauf.
So kam es, dass seit diesem Tag,
Herr Nikolaus, der die Tiere sehr mag,
im Anschluss an die Kinder auch
die Tiere beschenkt, das ist nun sein Brauch.

Magdalena Czarnetzki: geboren 1983 in Oppeln (Polen), wohnt heute in Hof (Bayern). Sie ist verheiratet und hat zwei Kinder.

Die Schneekugel

Mika schüttelte die Schneekugel und stellte sie wieder auf seinen Schreibtisch. Langsam sanken die weißen Flocken nach unten. Er legte das Kinn auf die übereinanderliegenden Hände, um mit der Nasenspitze näher an die Schneekugel zu kommen. Wenn er die Augen zusammenkniff, konnte er sich vorstellen, dass er in der verschneiten Landschaft der Kugel stand. Es gab ein paar hohe Tannen und ein schiefes Holzhäuschen. Vor dem Häuschen lagen Geschenke auf dem Boden. Mika seufzte und setzte sich wieder aufrecht hin. Er musste immer noch die Deutschhausaufgabe beenden, hatte aber überhaupt keine Idee, was er schreiben sollte. *Mein liebster Weihnachtswunsch* lautete die Überschrift. Die Lehrerin hatte sie vorgegeben.

Mika sah aus dem Fenster. Es dämmerte bereits, doch im Licht der Straßenlaterne konnte er den Regen fallen sehen. Seit Tagen regnete es. Mika interessierte sich nicht für das Wetter. Draußen hätte das beste Freibadwetter sein können und er hätte nichts anderes gemacht, als drinnen zu hocken und Trübsal zu blasen.

Seine Mutter sagte nichts deswegen. Dazu war sie selbst viel zu traurig. Es war nun 41 Tage und 18 Stunden her, dass sein Vater ausgezogen war. Klar, es gab seitdem keinen Streit mehr zu Hause und die Eltern hatten es so geregelt, dass Mika seinen Vater alle zwei Wochen besuchen konnte, aber es war einfach nicht dasselbe.

Mika sah auf die Überschrift in seinem Heft. Er nahm einen Stift und schrieb:

Mein liebster Weihnachtswunsch ist, dass ich mit meinen beiden Eltern Weihnachten feiern kann. Ohne Streit."

Ende der Geschichte.
Die Lehrerin würde das zu kurz finden. Und die anderen? Die würden bestimmt nur lachen. Deren Eltern hatten sich ja nicht ge-

trennt. Mika riss die Heftseite fein säuberlich heraus und zerknüllte sie. Lieber würde er einen Strich wegen nicht gemachter Hausaufgaben bekommen, als den anderen vorzulesen, dass er sich ein Weihnachtsfest mit seinen Eltern wünschte.

Mika schüttelte die Schneekugel erneut. Er hatte sie beim Wichteln im Sportverein bekommen. Jeder sollte ein hübsch verpacktes Geschenk mitbringen, der Trainer hatte sie unter ihnen verlost. Mika war nichts anderes eingefallen als drei große Packungen Smarties aneinanderzukleben. Ida hatte sein Geschenk gezogen und so wie sie geguckt hatte, mochte sie keine Smarties. Mika zuckte mit den Achseln. Er mochte auch keine Schneekugeln und hatte jetzt trotzdem eine auf dem Schreibtisch stehen. Er schüttelte wieder und sah den weißen Flocken zu, wie sie die Geschenke bedeckten.

„Ohhh", stöhnte plötzlich eine Stimme, „kannst du bitte damit aufhören? Mir ist schon ganz schlecht."

Mika fuhr herum. Sein Zimmer war leer.

„Ich bin hier unten!"

Mika starrte in das Schneetreiben und entdeckte neben den Geschenken einen kleinen Wichtel mit blassem Gesicht, der sich den Bauch hielt. „Ich habe noch nie jemanden getroffen, der so oft schüttelt", klagte er.

„Ich – das tut mir leid. Ich wusste nicht, dass die Kugel bewohnt ist", stammelte Mika.

Trotz seiner Übelkeit musste der Wichtel lachen. „Ich wohne doch nicht hier", sagte er. „Aber komm rein, dann können wir besser reden."

Zu seinem Erstaunen bemerkte Mika, dass er immer kleiner und kleiner wurde, bis er schließlich neben dem Wichtel stand. Ein paar letzte Flocken fielen auf seine Schultern, dann hatte sich das Schneetreiben beruhigt.

„Eigentlich dürfen wir uns den Menschen nicht zeigen", sagte der Wichtel, „aber ich hatte solche Angst, dass du noch mal schüttelst."

Mika nickte. Er wusste gar nicht, welche Frage er zuerst stellen sollte, doch der Wichtel redete schon weiter. „Ich heiße Enno. Ich bin ein Bastelwichtel. Wir stellen Schneekugeln her. Bei dieser wurden leider die Geschenke neben dem Häuschen vergessen und als ich sie schnell reinstellen wollte, wurde die Kugel schon gekauft."

„Müssen wir jetzt für immer hier drin bleiben?", fragte Mika. Er wunderte sich, dass er nicht fror. Immerhin stand er in einer Winterlandschaft.

„Nein, du kannst jederzeit wieder gehen. Ich muss warten, bis die Kirchturmuhr Mitternacht schlägt. Eigentlich wäre ich schon längst weg, doch die letzten Nächte war die Kugel in Geschenkpapier gewickelt und ich konnte nicht raus. Danke, dass du mich befreit hast."

„Gern geschehen." Mika lächelte. Enno war sehr nett.

„Wir können auch ins Haus gehen", schlug dieser vor. „Es ist voll ausgestattet. Es stehen sogar Pfannkuchen mit Mandelsirup auf dem Tisch. Magst du Mandelsirup?"

Mika wiegte den Kopf. Er hatte bisher nichts von Mandelsirup gehört.

„Komm, es wird dir gefallen."

Mika folgte Enno ins Haus.

Drinnen war es sehr gemütlich. Es gab einen Tisch mit zwei grünen Holzstühlen und im Kamin brannte ein knisterndes Feuer. „Wer legt das Holz nach?", wunderte sich Mika.

Enno zuckte mit den Schultern und setzte sich an den Tisch. „Über die Magie hinter den Schneekugeln dürfen wir nicht sprechen. Setz dich doch zu mir, die Pfannkuchen sind köstlich." Er rollte einen Pfannkuchen zusammen und biss beherzt hinein. „Du mupft dich beeilen, wemm du noch was willst", schmatzte er.

Mika lachte. Er nahm auf dem zweiten Stuhl Platz und zog einen Pfannkuchen auf den Teller vor sich. Enno goss ihm reichlich Mandelsirup darüber. „Und jetzt iss", sagte er. „Die helfen gegen alles, auch gegen Traurigkeit."

„Woher weißt du, dass ich traurig bin?" Mika fühlte sich ertappt. Enno goss konzentriert Sirup über seinen Pfannkuchen und schwieg. Da brach es aus Mika heraus und er erzählte alles: von dem blöden Aufsatz, der Trennung seiner Eltern, den lachenden Klassenkameraden und seinem Weihnachtswunsch. Als er geendet hatte, waren die Pfannkuchen leer und er fühlte sich etwas besser. Enno hatte die ganze Zeit schweigend zugehört.

„Du bist doch ein Wichtel", überlegte Mika laut, „kannst du nicht machen, dass meine Eltern sich wieder vertragen und wir zusammen Weihnachten feiern?"

„Stimmt, ich bin ein Wichtel, aber kein Zauberer. Deshalb kann ich dir bei deinem Wunsch nicht helfen. Es wäre auch falsch, deine Eltern mit Zauberkraft zur Versöhnung zu zwingen. Der Wunsch müsste aus ihnen kommen, nicht von außen."

Mika seufzte. „Das wird nie was."

„Das weißt du nicht", erwiderte Enno. „Es gibt eine viel größere Magie als Zauberkraft."

„Ja? Welche soll das sein?"

„Die Zeit. Deinen Weihnachtswunsch kann ich dir nicht erfüllen, aber vielleicht werden sich deine Eltern schon in den Frühlingsferien so gut verstehen, dass ihr zusammen deinen Geburtstag feiern könnt. Und wer weiß, wie schön es dann im Sommer wird?"

Mika fand den Gedanken so beruhigend, dass er gar nicht danach fragte, woher der Wichtel sein Geburtsdatum kannte.

Plötzlich legte Enno den Zeigefinger an die Lippen und ging zum Fenster. Vorsichtig sah er hinaus. „Es ist deine Mutter", sagte er. „Sie ist gerade nach Hause gekommen und wird dich vermutlich gleich vermissen."

„Schon?" Hektisch sprang Mika auf. „Wann ist es so spät geworden?"

„Ich habe doch gesagt, dass Zeit die viel größere Magie ist", lächelte Enno. „Es hat mich sehr gefreut, dich kennenzulernen, Mika. Ich helfe dir nun aus der Kugel, aber bitte – nicht mehr schütteln."

„Versprochen."

Sie nickten einander noch einmal zu, dann saß Mika plötzlich wieder auf seinem Schreibtischstuhl. Verwirrt strich er sich durch die Haare. Ein paar Schneeflocken fielen herab.

„Mika?" Seine Mutter rief ihn vom Treppenhaus. „Wo bist du?"

„Ich bin hier!" Er stand auf.

„Komm runter, ich habe Pizza mitgebracht!"

Mika lächelte. Pizza war sein Lieblingsessen, das passte auch noch nach Pfannkuchen mit Mandelsirup.

Katharina Spengler (*1983) lebt mit ihrer Familie im Taunus. Sie war viele Jahre in der Schule, erst auf der einen Pultseite, dann auf der anderen, geschrieben hat sie aber schon immer. Einige ihrer Texte sind in Anthologien zu lesen. Katharina ist Mitglied der Autorengruppe „Wortakrobaten Unterschleißheim". www.katharina-spengler.de.

Lieschens
Weihnachtsgedanken

Weihnachten – Friede, Freude, Honigkuchen,
Geschenke, Kerzen, Oma besuchen.
Wie ist das mit der Heiligen Nacht?
Lieschen Müller hat sich Gedanken gemacht.

Frieden – in jedem Land, jedem Haus,
danach sieht es häufig gar nicht aus,
Freude – über die Geburt Jesu im Stall.
Ist das nicht so manchen Menschen egal?

Honigkuchen – Gans und andere Delikatessen,
bei den einen, andere haben wenig zu essen.
Geschenke – ja, kleine Gaben für die Lieben.
Wird das Weihnachtsgeschäft nicht sehr übertrieben?

Kerzen – Symbole für Hoffnung in dunkler Zeit,
oder Deko – es blinkt und glitzert weit und breit.
Oma besuchen – nach Einsamen sehen,
bei diesem Stress – wie soll das gehen?

Fakten, Argumente, Fragen,
Weihnachten in unseren Tagen,
Lieschen will etwas ändern – und nun
hofft sie, dass das auch noch andre tun.

Margret Küllmar lebt in Nordhessen.

Mein Tagebuch

Liebes Tagebuch,
nun bin ich ja schon ziemlich lange im Tierheim, aber jetzt ist hier plötzlich alles anders. Die Menschen haben hübsche Sachen aufgestellt und aufgehängt und sie knabbern so kleine Teile, die scheinbar etwas Besonderes zu sein. Von Weihnachten ist die Rede. Was immer das ist, einige von den Kumpels hier sagen, das sei für uns Tiere keine gute Sache. Menschen verschenken uns dann häufig. Und setzen uns anschließend aus, wenn sie merken, dass wir Zeit und Geld kosten und Arbeit, Dreck und Ärger machen. Einige kennen das, das ist der Grund, warum sie hier sind. Und das sind noch die, die Glück gehabt haben und nicht auf der Straße gelandet sind. Ich habe ja auch einige Zeit auf der Straße leben müssen, ehe ich diesen bösen Unfall hatte und dann im Tierheim gelandet bin. Hier werde ich wohl ewig bleiben, denn mit dieser hässlichen Narbe will mich niemand haben. Ich finde es schade, dass die Menschen nur *schöne* Tiere haben wollen.

Aber es gibt Menschen, die bringen uns Weihnachten Geschenke oder geben den Menschen hier Geld, damit die es für uns ausgeben. Ich habe letzte Weihnachten noch auf der Straße gelebt, da ging es eigentlich nur ums Überleben, von dem ganzen Weihnachten habe ich nichts mitbekommen. Das werde ich dann wohl jetzt kennenlernen.

Liebes Tagebuch,
heute war ein blöder Tag! Mittags war ein Mann da, der wollte eine Katze haben. Ich bin gar nicht erst zu ihm hin, sondern auf meinem Aussichtsplatz geblieben. Mich will ja ohnehin keiner wegen dieser Narbe. Der Mann hat mit einigen von den Kumpeln gespielt. Dann sah er mich. Wollte, dass ich herunterkomme. Ich wollte aber nicht, warum auch. Einer von den Tierheimmenschen hat mich einfach gepackt und auf den Arm genommen. Ich wollte mich schon

wehren, aber er ist mein Lieblingsmensch hier, den wollte ich nicht kratzen. Als er mich auf dem Arm hatte, kam dieser Mann zu mir. Er kraulte mich vorsichtig und wollte wissen, was denn mit mir passiert sei. Dann nahm er mich vorsichtig auf den Arm und spielte mit mir. Auch ein paar Leckerli gab er mir. Er sagte, ich würde sicher gut zur Familie passen. Ich habe mich schon so gefreut. Dann ist er einfach gegangen, ohne mich!!! Von den anderen hat er auch niemanden mitgenommen. So ein gemeiner Kerl, und ich hatte ihn ganz nett gefunden. So was Gemeines!

Liebes Tagebuch,
heute ist Nikolaus. Sagen die Menschen wenigstens. Dann haben sie von einer Nikolausfeier erzählt, da kommt der Nikolaus und bringt kleine Geschenke für die Menschen. Das soll hier im Tierheim im Menschenbereich sein. Das hätte ich gerne gesehen, aber es kam dann ganz anders.

Mein Lieblingsmensch hat mich auf den Arm genommen und mit mir geschmust, dann wurde ich plötzlich in eine Kiste gesteckt. Das ging so schnell, ich konnte noch nicht einmal protestieren. Und von meinen Kumpeln verabschieden war auch nicht möglich, denn ich wurde schnell mit der Kiste weggebracht und in ein Auto geladen. Ich hatte Angst und habe geschrien und versucht, aus dem Ding rauszukommen. Der Mensch im Auto hat zwar mit mir geredet, und irgendwie kannte ich auch die Stimme, aber ich hatte nur furchtbare Angst. Es kam dann noch schlimmer, ich wurde ausgeladen und bei einem anderen Menschen abgegeben. Dieser stellte die Kiste in ein Zimmer und ich blieb eingesperrt. Nun ja, der Mensch versuchte, mich zu beruhigen, und er steckte mir auch Leckerstangen durchs Gitter, aber ich war so verwirrt, ich konnte mich gar nicht beruhigen und auch nichts fressen.

Nach Ewigkeiten packte der Mann dann die Kiste und sagte: „Zeit für den Nikolaus." Er verließ das Haus, ging über die Straße und stellte mich vor eine Tür. Dann ging er wieder und ließ mich allein. Und das, obwohl es eisig kalt und außerdem schon dunkel war. Geschneit hat es auch. Nach wenigen Minuten hörte ich Geräusche, eine Lampe wurde hell. Dann öffnete sich die Tür und ein paar Kinder schrien durcheinander.

„Oh, der Nikolaus war da."

„Wie süß, ein Kätzchen."

„Mama, der Nikolaus hat uns ein Kätzchen gebracht." Und so weiter. Eines der Kinder wollte die Kiste öffnen, aber sie wurde plötzlich hochgehoben.

„Kommt erst mal alle ins Haus. Die Katze darf noch nicht raus, sie muss uns erst kennenlernen und wissen, dass sie nun hier zu Hause ist. Nicht, dass sie Angst kriegt und uns wegrennt, das wollen wir doch nicht", bestimmte jemand, offenbar jemand, der was zu sagen hatte.

Die Stimme kannte ich doch, auch roch der Mensch irgendwie bekannt. Dann wurde die Kiste auf einen Tisch gestellt und geöffnet.

„Lass sie erst mal in Ruhe, sie wird schon selbst kommen", sagte die Stimme. Dann sah ich den Menschen, der dazugehörte. Das war ja der Mann von vor ein paar Tagen. Ob der ein schlechtes Gewissen bekommen hatte und mich deshalb doch noch geholt hat, aber warum das ganze Theater? Und warum hatte der Nikolaus mich gebracht?

Nach einiger Zeit nahm ich meinen Mut zusammen und kroch aus der Kiste direkt zu dem Mann, der mich auch sofort auf den Arm nahm. Die Kinder drängten sich um mich, aber er beschützte mich und erklärte den Kindern, dass sie mir Zeit lassen müssten, weil das alles noch neu für mich sei und ich bestimmt Angst habe.

Das fanden die Kinder zwar nicht so toll, aber sie zogen sich zurück. Der Mann – mein eigener Mensch! – schmuste noch eine Weile mit mir, dann setzt er mich auf einen schönen neuen Kratzbaum, der plötzlich im Wohnzimmer stand. Neben einem Klo, einem Futternapf und einigen anderen Sachen für mich.

Scheinbar war ich nur für die Kinder eine Überraschung, der Mann und seine Frau wussten schon vorher, dass ich heute kommen sollte.

Ich habe übrigens dann im Laufe des Abends noch vorsichtig die Kinder begrüßt, die scheinen auch ganz nett zu sein. Und sie waren vorsichtig, damit sie mich nicht erschrecken oder verletzen. Später – die Kinder waren im Bett – lag ich dann in Herrchens Nähe auf dem Sofa. Frauchen fragte ihn, wie er es denn geschafft hätte, weil die doch im Dezember keine Tiere mehr vermitteln würden. Das machen die wohl, damit wir nicht unüberlegt als Geschenke angeschafft und dann wieder abgegeben oder – noch schlimmer

– ausgesetzt werden. Er sagte, er hätte mich schon vorher ausgesucht und mit den Tierheimmenschen geredet. Weil die mich aber im Dezember nicht hergeben durften, hat er mich da schon adoptiert. Und die Tierheimmenschen nach einer Katzenpension in der Stadt gefragt, weil ich doch erst Nikolaus einziehen sollte. Das hat die Menschen dann wohl überzeugt und sie haben gesagt, das wäre zu viel Stress für mich, da wäre es schon besser, wenn ich noch ein paar Tage bliebe, sozusagen in Pension. Die waren so froh, dass mich jemand trotz dieser doofen Narbe genommen hat, dass sie sogar kein Geld dafür nehmen wollten. Herrchen will aber kurz vor Weihnachten mit den Kindern hinfahren und Futter für alle Insassen bringen.

Und damit ich nicht zu früh ankomme – der Nikolas kommt erst abends – hat er mich ein paar Stunden beim Nachbarn gelassen, das war der Mann, der mich dann hier vor die Tür gestellt hat.

Ich habe nur nicht verstanden, was das mit dem Nikolaus zu tun hat, das waren doch alles Menschen. Das finde ich schon noch heraus, ist aber jetzt erst mal egal. Ich bin so glücklich das ich endlich eine eigene Familie und eigene Menschen habe, dass ich sogar darüber hinwegsehe, dass Herrchen mich vor ein paar Tagen so enttäuscht hat.

Ich bin richtig müde, kann aber vor lauter Aufregung nicht schlafen, deshalb kann ich dir das alles heute Abend noch erzählen. Aber ich glaube, ich probiere nun mein neues Kuschelbett – mein eigenes Kuschelbett! – aus.

Gute Nacht, liebes Tagebuch.

Margit Günster, Jahrgang 1963, ist Hauswirtschaftsmeisterin und in diesem Beruf seit über 30 Jahren tätig. Seit über 25 Jahren gibt es diverse Veröffentlichungen (Gedichte, Geschichten und Fotos) in Zeitungen, Zeitschriften, Fachzeitschriften und Kalendern, zum Teil als Peter Pony mit Geschichten ihrer Ponys und anderer Tiere. Lebt in Boden, einem kleinen Ort im Westerwald.

Nix zu Weihnachten

Wenn in der kalten Winterwelt
sanft der Schnee in Flocken fällt,
dann ist wieder es so weit,
es beginnt die Weihnachtszeit.

Und sofort geht los das Denken,
was soll ich zur Weihnacht schenken?
Muss ja nicht groß noch teuer sein,
doch mir fällt überhaupt nichts ein.

Deshalb haben wir gedacht,
und für uns es ausgemacht,
heuer machen wir es wahr:
keine Geschenke dieses Jahr!

Die Sorge: Ach, was schenk ich bloß,
bin ich, Gott sei Dank, jetzt los.
Ich hoff', er hält sich auch daran.
Weiß nicht, ich kenn doch meinen Mann!

Nicht, dass nur ich so ohne alles ...
Ich muss, nur für den Fall des Falles,
'ne Kleinigkeit in petto haben.
Die leg ich heimlich zu den Gaben.

Festlich geschmückt ist nun der Baum,
es duftet weihnachtlich im Raum.
Während wir singen *Stille Nacht*,
wird ans Bescheren schon gedacht.

Für die Kinder ein paar Päckchen,
für die Großen kleine Säckchen.
Und auspacken! Das ist das Beste
am Geschenk zum Weihnachtsfeste.

Wir zwei seh'n uns verlegen an,
dann lächeln wir und holen dann
ein jeder sein Geschenk herein.
„Frohe Weihnacht, Schatzilein."

Eine Bescherung ohne Gaben
möchten wir denn doch nicht haben.
Nichts wird verändert, nie und nimmer,
Weihnachten soll sein wie immer.

Carola Cursio ist 73 Jahr alt, wohnt in Nürnberg und ist im Ruhestand. Gearbeitet hat sie als Sachbearbeiterin bei einer Bank. Lesen und Reisen gehört zu den Dingen, die ich nicht missen möchte. Sie kocht gern mediterran, auch zusammen mit meinem Mann, und trinkt gern ein Glas guten Rotwein. Gedichte schreiben macht ihr Freude und sie hat schon drei in der Anthologie „So schön die Nacht" veröffentlicht.

Weihnachtsüberraschung für Emilia

Emilia hatte sich gerade einen Dominostein auf ihren Teller gelegt. Vor lauter Vorfreude auf die Bescherung konnte sie eigentlich nichts essen, aber einen Dominostein musste sie wenigstens probieren. Und während die Familie beim Kaffeetrinken zusammensaß, hatten sie das Radio eingeschaltet. Die Sendung sollte die Wartezeit für die Kinder bis zur Bescherung ein wenig erträglicher machen.

Jetzt wird's spannend
Emilia hörte, dass der Sprecher gerade sagte: „Jetzt spitzt bitte eure Ohren, liebe Kinder. Nach der folgenden Musik haben wir eine Überraschung für euch. Legt euch bitte schon einmal einen Stift und ein Blatt Papier bereit." Dann folgte Musik.
„Papa, hast du das gehört? Bitte nimm doch Papier und einen Stift und höre da mal genau zu", bat Emilia ihren Papa. Der hielt auch beides bereit und wartete mit seiner Tochter gespannt auf die nächste Ansage des Sprechers.
Die Musik verstummte.
„Ich sage euch jetzt eine Telefonnummer und wenn ihr etwas Glück habt, dann erreicht ihr mich hier im Studio und dann kann ich euch überraschen."
Papa hatte sich die Nummer notiert und auch sofort ins Telefon eingegeben. Und tatsächlich, Emilia hatte Glück und das Freizeichen am anderen Ende der Leitung ertönte.

Mit wem spreche ich?
„Hier ist der Weihnachtsmann. Mit wem spreche ich, bitte?"
„Papa, da ist der Weihnachtmann dran. Da stimmt was nicht", flüsterte Emilia ihrem Papa zu. „Du hast eine falsche Nummer gewählt."
Das hatte der Weihnachtsmann gehört. „Nein, nein, meine Klei-

ne. Du sprichst wirklich mit dem Weihnachtsmann. Sagst du mir bitte deinen Namen."

Emilia hatte es die Sprache verschlagen. Emilia, die sonst immer keck eine Antwort parat hatte, war stumm. Sie schluckte und schaute dabei ihren Papa an, der neben ihr stand. Der nickte ihr lächelnd zu und forderte sie zu einer Antwort auf.

„Ich heiße Emilia", sagte sie zaghaft. Ihr war es mit einem Mal unheimlich heiß. „Und du bist wirklich der Weihnachtsmann?", fragte sie etwas ungläubig.

Der Weihnachtsmann bestätigte Emilias Frage und so langsam legte sich bei Emilia die Aufregung. „Sag, liebe Emilia, was stand auf deinem Wunschzettel?", wollte der Weihnachtsmann jetzt wissen.

Emilia brauchte nicht lange nachzudenken und zählte gleich eine lange Liste von Dingen auf.

Der Weihnachtsmann staunte nicht schlecht, als er die Wünsche hörte. „Na, dann wollen wir mal sehen, was ich dir nachher bringe. Lass dich überraschen. Emilia, was hast du denn heute schon gemacht?", fragte der Weihnachtsmann jetzt.

„Weihnachtmann, ich war zum Kindergottesdienst in der Kirche. Da haben andere Kinder ein Krippenspiel aufgeführt und gesungen. Dann haben wir gebetet, dann hat der Mann auf der Orgel ein Lied gespielt und dann sind wir nach Hause gegangen. Oma und Opa waren nicht mit. Sie sind zu Hause geblieben, nur Mama und Papa waren mit."

Das Geschenk

Der Weihnachtsmann hörte interessiert zu. Dann sagte er: „Da hast du ja ein schönes Geschenk gemacht, liebe Emilia."

Emilia stutzte. „Aber ich habe doch gar nichts mitgenommen, kein Geschenk. Ich kann doch in die Kirche kein Geschenk mitnehmen. Ist doch kein Geburtstag."

„Das ist nicht ganz richtig, liebe Emilia. An Weihnachten feiern die Christen die Geburt von Jesus Christus, dem Sohn Gottes. Und so, wie an deinem Geburtstag deine Geburtstagsgäste dich besuchen kommen, so kommen die Menschen in die Kirche, um Jesus Christus an seinem Geburtstag zu feiern. Bei dir zu Hause bringen die Gäste ein Geschenk mit und sind selbst genauso gespannt wie du, ob sie das Richtige für dich mitgebracht haben. Und dann werden bestimmt Spiele gespielt. Vielleicht singt ihr auch Lieder und dann gehen deine Gäste wieder nach Hause."

Emilia nickt bestätigend, aber das konnte der Weihnachtsmann durch das Telefon nicht sehen.

„Und in der Kirche ist es ebenso. Die Menschen feiern die Geburt von Jesus Christus und als Geschenk bringen sie ihre Zeit mit."

Emilia muss da den Weihnachtsmann leider unterbrechen. „Aber die Besucher können doch keine Zeit in einer Schachtel mitbringen und sie vorn in der Kirche ablegen. Das geht nicht. Habe ich vorhin nicht gesehen."

Der Weihnachtsmann erklärt

Der Weihnachtsmann behält seine ruhige Stimme und erklärt Emilia weiter: „In einer Schachtel kann man keine Zeit einpacken, da hast du vollkommen recht, liebe Emilia. Aber jeder Mensch – und auch du – hat nur eine begrenzte Zeit auf der Erde, eine begrenzte Lebenszeit. Und von dieser begrenzten Lebenszeit haben alle Gottesdienstbesucher einen kleinen Teil, nämlich die eine Stunde, die die Feier gedauert hat, als Geschenk dem lieben Gott gebracht. Sicherlich hätten alle Besucher in dieser Zeit auch gern zu Hause einen kleinen Mittagsschlaf gemacht oder den Kaffeetisch gedeckt oder, so wie du, vielleicht gespielt. Aber sie haben sich für den Besuch in der Kirche wegen der Feier des Geburtstags von Jesus Christus entschieden. Sie haben eine Stunde ihrer Lebenszeit geschenkt. Verstehst du das, Emilia?"

Emilia verstand.

Der Weihnachtsmann wendet sich an alle Hörerinnen und Hörer

„Wenn ich noch etwas anfügen darf, liebe Emilia, liebe Zuhörerinnen und Zuhörer klein und groß. Du, liebe Emilia, hast heute eine Stunde als Geschenk in der Kirche verbracht. Anschließend bist du mit deinen Eltern wieder nach Hause gegangen. Das ist schön. Es gibt aber auch viele, viele ältere Menschen, die in einem Alten- oder Pflegeheim leben und die keinen Menschen haben, der eine Stunde für sie opfern kann. Oder es sind Menschen, die zwar noch Angehörige haben, die sich aber leider nicht um sie kümmern. Auch nicht zu Weihnachten. Wäre es da nicht ein supertolles Geschenk für diese Menschen, sich gerade zum Weihnachtsfest um sie zu kümmern, sie zu besuchen, ihnen ein klein wenig eigene Zeit zu schenken. Dazu braucht keiner erst ins Kaufhaus zu rennen und irgendeinen Unsinn kaufen. Da reicht es aus, das Kostbarste, was alle haben, – Zeit – zu schenken. Einfach bei den einsamen Menschen sein, vielleicht mit ihnen zu singen, etwas erzählen und sich die Gedanken und Sorgen der alten Menschen anzuhören. Oft sind die Ehemänner der alten Frauen im Krieg umgekommen. Oder Krankheiten, Unfälle oder andere schlimme Begebenheiten haben Eheleute, Kinder, Verwandte, Bekannte oder Freunde schon sterben lassen und die Alten sitzen jetzt verlassen und vergessen im Heim. Vielleicht hat die eine oder andere Hörerin oder der eine oder andere Hörer Zeit und Lust, einen kleinen Teil seiner Lebenszeit einem alten Menschen zu schenken. Und vielleicht entstehen daraus auch neue Freundschaften. Wäre doch toll, oder?"

Einen Augenblick schweigt jetzt der Weihnachtsmann. Und auch Emilia und die im Zimmer sitzende Familie ist still.

Den Weihnachtsmann würde es freuen

Das Gespräch zwischen Emilia und dem Weihnachtsmann im Radio haben viele Kinder und Erwachsene gehört. Und in der einen oder anderen Familie wird schon überlegt, wie sie das Weihnachtsfest im kommenden Jahr feiern wollen. Und in der einen oder anderen Familie wird bestimmt auch ein Besuch im Alten- oder Pflegeheim fest mit eingeplant. Die Idee des Weihnachtsmanns finden sie super.

Mit den Worten: „Ich wünsche allen großen und kleinen Hörerinnen und Hörern ein frohes, gesegnetes Weihnachtsfest!", verabschiedete sich der Weihnachtsmann.

Der Sprecher im Radio sagte noch: „Jetzt muss er sich aber beeilen, damit er noch rechtzeitig die Geschenke zu euch bringen kann. Tschüss, Weihnachtsmann! Frohes Fest!"

Und in die leise beginnende Weihnachtsmusik fragte dann der Sprecher: „Na, war das eine Weihnachtsüberraschung, Emilia?"

Charlie Hagist wurde am 1. Juli 1947 in Berlin-Steglitz geboren. Er ist verheiratet, hat einen Sohn und lebt seit Beginn seines Vorruhestandes in Dallgow-Döberitz.

Leckere
Weihnachtsplätzchen

Mmmh, leckere Plätzchen!
Komm her, mein Schätzchen,
du sollst eines essen und dich freuen.
Die duften nicht nur gut, die schmecken auch so,
du wirst es nicht bereuen.

Mandel, Schoko und auch Zimt.
Wirklich selbst gebacken? Ja, das stimmt.
Egal ob Stern, Nikolaus oder Weihnachtsbaum.
Alles ist möglich und bleibt kein Traum.

Schnell noch den Baum schmücken.
Die Zeit, bis das Christkind kommt, überbrücken.
Ich lege noch ein paar Plätzchen für das Christkind bereit.
Brrr, kalter Wind weht draußen und es schneit.

Klingelingeling, das Christkind war da.
Schaut mal unter den Baum, alle schreien *Hurra*.
Frohe Weihnachten allerseits.
Und die Plätzchen? Oh nein, alles weg bereits.

Lisa Marie „LiMa" Kormann ist Autorin, Tänzerin und gelernte Theater- und Tanzpädagogin. Schon seit ihrer Kindheit schreibt sie gern Krimis, Theaterstücke, Thriller und Kindergeschichten. Einige Gedichte und Kurzgeschichten wurden in Anthologien, u .a. in der Frankfurter Bibliothek veröffentlicht. Ihr Kinderbuch „Stella - Die Sternschildkröte Sammelband 1" und der Krimi „Mord in der Tanzschule" erschienen 2019. Mehr Infos auch unter www.lisamarie. de.rs.

Dezembernacht

Johanna rollte sich in ihrem Bett zusammen und hielt sich die Ohren zu. Ihr Herz pochte wild. Das Sirenengeheul war kaum zu ertragen. Ihr ganzes Leben lang würde sie es nicht vergessen. Warum konnte der Zweite Weltkrieg nicht endlich aufhören. Warum waren die Menschen untereinander so schrecklich verfeindet? Nur weil sie eine unterschiedliche Sprache sprachen, einer anderen Religion angehörten? Johanna wollte Frieden, Frieden für das herannahende Weihnachtsfest und für alle Zeit. Voller Kummer weckte sie ihre kleine Schwester Lissy auf.

„Mag nicht", murmelte Lissy. „Will schlafen."

„Du musst", drängte Johanna. „Bombenalarm."

Die Mädchen zogen sich in Windeseile an. Johanna half Lissy in die dicken Strümpfe und festen Winterstiefel. Der Wintermantel, Mütze, Schal, Handschuhe lagen griffbereit am Fußende des Bettes. Ihre Mutter und ihr Vater eilten durch das Haus und rissen alle Fenster auf, damit die Druckwellen der Luftminen nicht das Glas zerbarsten.

Zusammen rannten sie zum Bunker im hintersten Teil des Gartens und hörten auch schon die Flugabwehrkanonen vermischt mit dem tiefen Brummen und Grollen der Bomben. Es lag bereits ein ekliger Brandgeruch in der Luft.

Der Bunker lag tief in der Erde. Johannas Vater hatte ihn zu Kriegsbeginn aus schweren Betonplatten gebaut, zusammen mit seinen beiden Söhnen Otto und Wilhelm. Beide waren nicht mehr zu Hause, sondern kämpften im Krieg, der eine bei der Artillerie, der andere bei der Marine. Nur zwei Bänke standen in dem Schutzraum, auf denen sie ausharren mussten, bis der Fliegeralarm vorbei war.

Vor Angst und Kälte zitternd, zog Johanna ihre Beine hoch und umschlang sie mit ihren Armen. Sie schaute auf die Uhr. Es war noch mitten in der Nacht. Sie wünschte sich, noch ein bisschen schlafen zu können.

Lissy kroch auf den Schoss ihrer Mutter und fragte: „Bekommen wir ein kleines Stückchen Schokolade, wenn die Flieger weg sind?" „Ja, mein Schatz. Wir haben noch einen winzigen Rest", versicherte die Mutter und wickelte ihre kleine Tochter mit ihrem dicken Mantel ein. Die letzten Worte wurden vom lauten Dröhnen der Geschütze überdeckt. Just in diesem Moment kamen die beiden Jungs ihrer jüdischen Nachbarn in den Bunker gekrochen. „David, Jakob", flüsterte Johannas Vater und gab ihnen eine warme Decke. „Legt sie euch um, es ist eine kalte Dezembernacht." Die Jungs waren zum ersten Mal in den Bunker gekommen. Ihnen und allen anderen Juden war es verboten, nachts aus dem Haus zu gehen. Jüdische Kinder durften auch nicht mehr zur Schule gehen. Otto hatte mit David früher die Schulbank geteilt und plötzlich war sein Freund nicht mehr da. Johannas Familie war zutiefst erschüttert. Wann immer es ging, halfen sie ihren Freunden. Aber das war gefährlich. Besonders Johannas Mutter rechnete jederzeit damit, verhaftet zu werden. Jedes Mal, wenn sie Stiefelschritte auf der Straße hörte, bekam sie ängstliches Herzklopfen.

Johanna mochte David sehr. Sie hatte ihn lange nicht gesehen und trotz der Bombennacht kam ein winziges Glücksgefühl in ihr auf. Ihr fehlten die Gespräche mit ihm. Sie unterhielten sich oft über das Christen- und Judentum, die Feindseligkeit, den wahnsinnigen Hass und den Neid und immer wieder stand ein übergroßes FRAGEZEICHEN über ihren Gesprächen. Wie konnte es nur so viel Menschenverachtung geben?

„Wie geht es euch", fragte Johanna leise. „Braucht ihr etwas? Habt ihr genug zu essen?"

David zog seine Wollmütze bis über beide Ohren. Er druckste: „Mutter ist krank. Aber das wird schon wieder. Das Wichtigste ist, wir haben uns. Das ist genug." Mehr sagte David nicht und es wurde still im Bunker. Nur das Pfeifen der Bomben drang an ihre Ohren. Der Boden bebte.

Johanna schluckte. Die Antwort schmerzte sie. Sie wusste, dass viele Juden plötzlich nicht mehr da waren. Wohin kamen sie? Was wurde aus ihnen? Zum Glück war die Familie ihrer Nachbarn noch zusammen. Hoffentlich geschah ihnen nichts.

In dem Gesicht von Johannas Mutter zuckte es und im spärlichen Schein einer kleinen Kerze sah sie ihren Mann beschwörend an. Der senkte seinen Kopf um wenige Millimeter und schloss zustimmend die Augenlider. Johannas Mutter beugte sich zu den Jungs vor und sagte mit milder Stimme: „Ihr kommt an Heiligabend zu uns. Otto und Wilhelm kämpfen an der Front. Es sind zwei Stühle frei. Und die Gans, die unser Vater bei seiner Skatrunde gewonnen hat, reicht für mehr als sechs Esser. Zum Nachtisch gibt es Bratäpfel mit Zimt und Zucker aus dem Backfach unseres Kachelofens. Das ganze Haus wird wundervoll duften." Johannas Mutter lehnte sich zurück und atmete einmal tief durch. Richtig wohl war ihr bei dieser Einladung nicht, aber sie konnte nicht anders. „Und eurer kranken Mutter und eurem Vater nehmt ihr anschließend etwas mit nach Hause", fügte sie etwas eigenwillig hinzu.

David und Jakob rissen die Augen auf. Fleisch und dann auch noch einen Gänsebraten hatten sie lange nicht mehr gegessen. Inzwischen schlotterten ihnen die Hosen um den Bauch herum. David schüttelte den Kopf und stotterte: „Das können wir nicht annehmen. Und unsere Eltern, was werden die dazu sagen. Und wenn uns jemand entdeckt?"

„Eure Eltern werden froh sein, dass ihr etwas zwischen die Zähne bekommt", konterte Johannas Vater schroff. „Also keine Widerrede."

Beide Jungs wagten nicht, zu widersprechen. Sie saßen schweigend da, teils voller Furcht, aber auch in stiller Vorfreude auf das Weihnachtsfest. Obwohl im jüdischen Glauben ihres Vaters erzogen, feierten sie dennoch die Geburt Christi, da ihre Mutter Christin war.

Johannas Herz jubelte. Sie dankte ihren Eltern. Sie würde einen ganzen Abend neben David sitzen und mit ihm über Gott und die Welt diskutieren können. Vielleicht bekam sie Klarheit in ihre Gedanken. Vielleicht wusste er mehr über das Schicksal der Juden. Langsam wurde es ruhiger und sie hörten, dass die Flugabwehrkanonen in eine andere Richtung schossen. Johannas Mutter begann, mit ihrer melodischen Stimme Weihnachtslieder zu singen. Alle stimmten mit ein. Es fielen die ersten dicken Schneeflocken vom Himmel und läuteten die Weihnachtszeit ein.

„Kommt nach der Christmette zu uns", flüsterte Johannas Mutter, als die Sirenen endlich zu dem einminütigen Heulton anhoben und Entwarnung gaben.

Die Jungs nickten mit freudigen Augen und liefen zurück zu ihrem Elternhaus. Auch Johanna und ihre Familie marschierten erleichtert durch das Schneegestöber zurück in ihr Haus. Dieses Mal war alles unversehrt geblieben. Erst vor wenigen Wochen hatte eine Brandbombe das Fenster im Treppenhaus zerschlagen. Zum Glück hatte Johannas Vater das Feuer sofort gesehen und konnte es löschen. Johanna und Lissy krochen in ihre Betten. Die Angst war für diese eine Nacht besiegt. Jetzt konnten die Mädchen noch ein paar Stunden schlafen, bevor der nächste Tag anbrach. Auf dem Schreibtisch im Wohnzimmer stand bereits ein kleiner Tannenbaum, den Johanna zusammen mit Lilly am nächsten Tag schmücken wollte. Walnüsse und Äpfel aus ihrem Obstgarten sollten den Baum verzieren, ein

bisschen Lametta würden sie im Keller finden und Kerzenreste gab es bestimmt auch noch. Außerdem nahm sich Johanna vor, Plätzchen zu backen. Gestern hatte ihr Vater etwas Butter, Zucker und Mehl organisiert und gegen Kartoffeln von ihrem eigenen Acker eingetauscht. Kipferle brauchten viel Butter, aber Zimtsterne und Lebkuchen kamen ohne Fett aus. Sie wollte den Jungs an Heiligabend einen großen Teller voller Weihnachtsplätzchen überreichen. Den konnten sie mit nach Hause nehmen und mit ihren Eltern teilen. Ob es überhaupt irgendwelche richtigen Geschenke an Weihnachten gab? Ihre Mutter würde von ihrem Vater ein wunderschönes Abendhandtäschchen mit feinster Gobelinstickerei bekommen. Wo er das wohl herhatte? Falls das Täschchen ihrer Mutter nicht gefiel, würde sie es benutzen. Aber würde es dazu jemals eine Gelegenheit geben? Leise summte sie das Weihnachtslied *Stille Nacht, Heilige Nacht* und fiel in einen festen Schlaf.

Das Abendhandtäschchen hat den Krieg überlebt und befindet sich immer noch im Besitz von Johanna.

Ariane Gilgenberg ist in Köln geboren und lebt mit ihrer Familie in der Nähe von Mainz. Die promovierte Agraringenieurin arbeitet als Kinderbuchautorin, Journalistin für den Pferdesport und ist Lesepatin in der Grundschule. In Papierfresserchens MTM-Verlag erschien ihr Pferdekrimi „Karamell" und die Weihnachtsgeschichte „Kater Kürbis und die Bratkrähe". Außerdem hat sie viele Texte für die Anthologien des Verlages verfasst.

Sabrina und Nils

Ein weiteres Jahr für Sabrina die Elfe. Sie freute sich schon, über den glitzernden Schnee zu fliegen und die Menschenkinder zu besuchen. Kurz vorher holte sie sich ihren Staub ab und machte sich bereit. „SABRINA ZUM WEIHNACHTSMANN!", dröhnte es durch die Gänge. Jeder sah sie an.

„Hast du etwas falsch gemacht?", wollten ihre Freunde wissen. Sie schüttelte den Kopf. Sie war sich keiner Schuld bewusst. „Vielleicht werde ich nur versetzt", gab sie leise von sich. Doch in ihr herrschte Angst, konnte sie vielleicht doch etwas getan haben, was dem Weihnachtsmann nicht gefiel?

Langsam winkte sie den anderen und flog durch die Gänge immer höher den Weihnachtsbaum hinauf. Vorsichtig klopfte sie an das Holz der Tür. Durch Magie öffnete sie sich. „Ja?", piepste sie.

Der Weihnachtsmann stand am Kamin. Neben ihm flatterten schon die ersten Herzenswünsche der Kinder ein. „Du hast dieses Jahr einen ganz besonderen Auftrag."

Erleichtert ließ sie die Luft hinaus, die sie angehalten hatte. „Und welchen?"

„Nils wird jetzt drei Jahre alt."

Das kleine Herz der Elfe schlug höher. „Wie geht es ihm?"

Der Weihnachtsmann wandte sich zu ihr. Sein weißer Bart war mit Schleifen übersät. Diese waren magische Zettel, was er nicht vergessen wollte. Zu jeder Jahreszeit trug er seinen roten Samtmantel und die dazu passenden Hose. Nur hier im Haus trug er Schlappen. „Du erinnerst dich an ihn?"

„Ja, der kleine Junge aus dem Wald."

Lächelnd nickte er und nahm auf seinen großen roten Stuhl platz. „Du begibst dich als Mensch in das Dorf und gibst ihm seinen Wunsch."

„Als Mensch?", hinterfragte sie.

Er bejahte es erneut. „Hast du etwas dagegen?"

„Nein, ich freue, mich den Kleinen wiederzusehen."
Der Weihnachtsmann zeigte ihr an, dass sie gehen durfte. Schnell lief sie in ihr Zimmer und holte sich warme Kleidung heraus. Nur noch vage konnte sie sich erinnern, wie es war, ein Mensch zu sein. Aber die Kälte war ihr im Gedächtnis geblieben. Es kribbelte in ihr vor Freude. Sie war gespannt, was aus dem kleinen Jungen geworden war, den sie als Baby gefunden hatte. War er so lieb, wie sie dachte? Sie winkte ab. Bestimmt.

Durch das Tor des magischen Weihnachtsbaumes und die Ebene des Weihnachtswunderlandes ging es. Alles glitzert und funkelte hier. Überall schwirrten die Kobolde mit ihren grünen Kleidern und Hosen herum, um die besonderen Geschenke zu bauen. Weiter sah sie Rentiere, die gestriegelt und gefüttert wurden. Die Aufmerksamkeit war Sabrina sicher. Es war ihr unangenehm, noch nie war eine Elfe in Menschenkleidung durch das Weihnachtswunderland gelaufen. Schweiß hatte auf ihrer Stirn gebildet, schwer atmend stand sie an der Barriere. Sie konnte sich daran erinnern, als wenn es gestern gewesen wäre, als sie hier durch ging.

Ein großer Schritt und sie war auf der anderen Seite. Die Luft kühlte ihr Gesicht. Ihr Blick ging zur Erde, sie war wieder groß, das kurze Ziehen in ihrem Rücken bedeutete, ihre Flügel waren verschwunden. Auf dieses Abenteuer freute sie sich trotzdem.

Schwer kam sie voran, sie vermisste es, zu fliegen. Immer wieder musste sie halten und Luft holen. Fast eine Stunde war sie unterwegs, als sie endlich das Dorf erreichte. Reges Treiben und niemand beachtete sie. Ihr Weg führte zu dem kleinen Gasthaus, wo sie damals gewartet hatte. Es war voll besetzt. Sie stellte sich an die Theke.

„Ja?", brummte der runde Mann dahinter.

„Ich suche Nils, vor längere Zeit war ich hier und habe ihn aus dem Wald gerettet."

Der Mann sah unter seinen dicken Augenbrauen zu ihr. „Die Familie lebt nicht mehr hier."

„Wo kann ich sie finden?"

„Keine Ahnung", gab er von sich. „Frag die Heidi." Bevor sie Fragen kann, wer das sei, schrie er den Namen durch den Gastraum. „Die Kleine da will zu den Andersons."

„Und warum kommst du zu mir?", fragte Heidi.

„Er meinte, Sie wüssten es."

„Wer sind Sie überhaupt?"

„Sabrina. Ich habe damals Nils gefunden." Sie streckte der dünnen Frau die Hand hin.

„Sie sind ein Dorf weitergezogen, Nils ist schwer krank."

Traurig wandte sich Sabrina ab. „Wie schwer?"

„Nur ein Wunder kann den Kleinen noch retten."

„Dafür bin ich gut." Sabrina hatte Mut gefasst, jetzt wusste sie, warum der Weihnachtsmann sie hingeschickt hatte. „Welche Richtung?"

„Nordwesten", grummelte der Mann neben ihr in seinen braunen Vollbart.

„Danke", rief Sabrina freudig über die Schulter und lief hinaus. Sie lief die Straße entlang, ein leises Klingeln verriet eines ihrer Geschwister. „Komm heraus!"

„Was machst du hier?", fragte die kleine Schwester mit piepsiger Stimme.

„Ich habe einen Auftrag."

„Brauchst du meine Hilfe?"

Erst wollte sie *Nein* sagen, aber dann nickte sie.

Ihre Schwester nahm auf der Schulter Platz. „Dann erzähl mal."

Beim Laufen erzählte sie ihr, wie sie zur Weihnachtselfe geworden war.

Erst spät am Abend kamen sie in dem Dorf an. Durch den Zauber ihre Schwester fanden sie ihren Weg recht schnell zu dem Haus, in dem die Familie leben sollte. Zaghaft drückte Sabrina auf die Klingel mit dem Name *Anderson* darauf.

Die Tür ging auf und ein Mann öffnete die Tür. „Was ... Oh Sie." Er hatte sie erkannt.

„Ich war im Dorf und wollte mich nach Nils erkundigen, mir wurde gesagt, er sei krank und darum bin ich hier", erklärte sie sofort.

Sein Blick ging über die Schulter. „Okay, kommen Sie rein."

Sabrina schlüpfte in das Haus. Ihre Schwester versteckte sich hinter ihrem Haar. Der Mann führte die beiden in ein kleines Zimmer, erzählte dabei, dass die Ärzte immer noch nicht wüssten, was Nils habe. Sabrina kniete sich neben dem Bettchen und musterte das schlafende Kind.

„Er hat Fieber", flüstere ihr die Schwester zu.

Kurz nickte Sabrina. Sie legte ihre Hand auf die Stirn des Kleinen. „Habt ihr einen Tee?", fragte sie dann.

„Äh, ja klar." Der Vater verließ das Zimmer.

„Was hast du vor?", wollte die kleine Schwester wissen.

„Ich weiß es nicht. Aber der Weihnachtsmann hat mich hierhergeschickt, so muss ich etwas tun können."

„Ich kann mich gar nicht mehr erinnern, krank gewesen zu sein", sagte ihre Schwester.

„Ich mich auch nicht." Genau dies brachte Sabrina auf die Idee, warum sie hier war. Sie nahm das Kind heraus.

„Was machst du da?"

Aber Sabrina hörte nicht auf ihre Schwester, legte die Hand auf die Schläfe und reichte dem kleinen Kind ein Teil ihrer Elfenmagie.

„Was machst du da?", wiederholte die Schwester und versuchte, Sabrina am kleinen Finger wegzuziehen.

Nils öffnete die Lider, blickte zu Sabrina und fing an, fröhlich zu jauchzen.

„Nur so konnte ich ihn retten", erklärte sie.

„Warum?"

„Wir sind Elfen, wir werden nicht krank."

„Ich glaube nicht, dass der Weihnachtsmann dies gut ..." Die Schwester unterbrach sich.

Sabrina merkte den feinen Schimmer um sich. „So werden Elfen geboren", flüsterte Sabrina dem Kind zu und lächelte.

„Nils", hörte sie eine Frau.

„Ihm geht es gut."

„Egal, wie Sie es getan haben", wimmerte die Frau, „Sie haben ihm wieder das Leben gerettet."

Sabrina strich über Nils' Köpfchen. „Ihm geht es besser, das ist wichtiger." Ihre Lippen legte sie auf seine Stirn. „Du bist mein Weihnachtswunder."

Luna Day wurde 1982 in Wertingen geboren und wuchs in Augsburg auf, wo sie immer noch mit ihrem Mann und ihren zwei Kindern lebt. Ihre Liebe zum Schreiben entdeckte sie durch Harry Potter und Roll-Play-Games. Sie tippt Kindergeschichten, aber auch Fantasy- und Liebesgeschichten. www.lunadayautorin.com.

Stille Nacht

Missmutig saß der alte Bauer Hinnerk auf der Bank am Ofen und schaute durchs Fenster. Es regnete in Strömen und seine Stimmung war alles andere als weihnachtlich. Mit einem Ruck zog er die Vorhänge zu und stand auf, um die Tageszeitung zu holen. Nachdenklich vertiefte er sich in den Sportteil.

Aus dem Radio ertönte ein Weihnachtslied. Die Bäuerin zündete die vierte Kerze am Adventskranz an und summte leise die Melodie mit. Dann holte sie eine große Schüssel und bereitete den Teig für den Weihnachtsstuten zu. Auf der Anrichte stand ein Teller mit gebackenen Honigplätzchen, die einen aromatischen Duft verbreiteten. Im hinteren Teil der Stube wartete der Tannenbaum darauf, geschmückt zu werden. Längst war es dämmerig geworden und das trübe Licht der alten Straßenlaternen schien durch die geschlossenen Vorhänge.

„Du solltest dich umziehen, die Christmesse fängt gleich an." Die Bäuerin band ihre Schürze ab und schob den Stuten in den Backofen. Murrend legte Hinnerk die Zeitung zur Seite und erhob sich stöhnend. Seine Frau schüttelte den Kopf. Sie verstand ihren Mann nicht mehr. Er hatte sich in den letzten Jahren zu einem alten Brummbär entwickelt, der oft missgelaunt war. Sie hatte es wirklich nicht leicht mit ihm, nichts konnte sie im recht machen.

Dabei war ihr Mann früher ein fröhlicher Mensch gewesen. Schon oft hatte sie überlegt, welches Ereignis ihn so verändert haben könnte. Er hatte sich vor einigen Jahren heftig mit seinem älteren Bruder gestritten, aber Hinnerk war nun mal ein Hitzkopf, das wusste auch sein Bruder. Solche Streitereien kamen unter Geschwistern ab und zu vor.

Der Bauer kam aus der Schlafkammer, setzte sich auf die Ofenbank und zog seine Stiefel an. Die Bäuerin legte seinen Schal und die Handschuhe bereit, dann nahm sie ihre Lederhandtasche von der Garderobe und öffnete die schwere Dielentür.

Stumm gingen sie nebeneinander her. Der Regen ließ langsam nach und es bildeten sich auf dem Kopfsteinpflaster große Pfützen. Noch immer war der Himmel nebelverhangen und kein einziger Stern zu sehen. Nur langsam schob sich der Mond hinter einer Wolke hervor und erhellte mit seinem milden Schein die dunkle Christnacht.

Es war schon spät, die meisten Kirchenbesucher hatten bereits in der kleinen Kapelle Platz genommen. Hinnerk und seine Frau fanden gerade noch zwei leere Sitzplätze in der hintersten Reihe der festlich geschmückten Kirche. Zwei große Tannen, mit roten und goldenen Kugeln verziert, standen neben dem Altar. Flackernde Kerzen tauchten den Raum in ein unwirkliches Licht. Der Schulchor sang *Oh du fröhliche* ... und der Pastor predigte von Nächstenliebe und Rücksichtnahme. Die Bäuerin faltete ihre Hände zum Gebet, während Hinnerk seinen Kopf senkte und sich einige Male unruhig über die Augen strich.

Der Wind war eisig, als Hinnerk und seine Frau einige Zeit später das Gotteshaus verließen. Die Bäuerin zog ihre Handschuhe an und ging einige Schritte die Straße hinunter. Doch plötzlich blieb sie stehen und sah sich um. Der Bauer stand noch immer an der Kirchentür und blickte angestrengt zum Wald hinüber.

„Komm, Hinnerk", sagte die Bäuerin ungeduldig, „wir müssen den Stuten aus dem Ofen holen, er brennt sonst an." Was hatte der Bauer nur? Stumm stand er da und starrte zum Wald hinüber.

Endlich drehte er sich langsam um und sah seine Frau nachdenklich an. „Geh schon vor", sagte er leise, „ich komme gleich nach. Ich habe noch etwas zu erledigen."

Die Bäuerin schüttelte verständnislos den Kopf und machte sich zögernd auf den Heimweg.

Der Bauer steckte seine Hände tief in die Taschen seines Mantels und ging schnellen Schrittes auf den Wald zu. Nach einigen Metern gelangte er an eine schmale Brücke. Erstaunt fiel sein Blick auf das morsche Geländer. Unsicher betrat er die knarrenden Holzbohlen, die unter seinem Gewicht leicht schwankten. Er war diesen Weg schon sehr oft gegangen, aber an eine Brücke konnte er sich nicht erinnern. Beunruhigt sah er sich um. Kein Mensch war weit und breit zu sehen, auch die hell erleuchtete Kirche mit ihren kupfernen Türmen war verschwunden. Langsam ging er weiter.

Plötzlich sah er vor sich eine alte, baufällige Bauernkate. Durch eines der Fenster fiel ein Lichtschein, Hinnerk sah vorsichtig durch das trübe Fensterglas. Er erblickte eine ärmlich eingerichtete Stube, die nur vom schwachen Feuer des Kamins erhellt wurde. Am Tisch saß ein alter Mann, der den Kopf in seine Hände gestützt hatte. Etwas an der Haltung des alten Mannes kam Hinnerk bekannt vor. Hinnerks Herz klopfte heftig und auf seiner Stirn sammelten sich Schweißtropfen. Er wusste ganz genau, dass in dieser Gegend noch nie eine Bauernkate gestanden hatte, genauso wenig, wie es die morsche Brücke gab. Was hatte das alles nur zu bedeuten? Erschöpft lehnte er seine Stirn an die kühle Fensterscheibe und starrte ins Innere des Hauses.

Der alte Mann hatte sich inzwischen von seinem Stuhl erhoben und ging gebückt zur Feuerstelle. Sein Rücken schien sehr zu schmerzen, denn immer wieder blieb er stehen und verschnaufte. Dann legte er etwas Holz in den Kamin, drehte sich langsam um und kam auf das Fenster zu.

Hinnerk stöhnte laut auf und fasste an sein Herz. Schwer atmend lehnte er sich gegen die Hauswand. Jetzt wusste er, warum ihm der Alte bekannt vorkam. Der alte Mann war sein Bruder! Aber warum lebte er in dieser baufälligen Hütte? Offensichtlich war er schwer krank und schon sehr alt ...

Hinnerk konnte das alles nicht verstehen. Das Haus und die Brücke gab es nicht wirklich, was hatte das alles zu bedeuten? Warum war er hier? Plötzlich fiel sein Blick auf einen vergilbten Kalender an der Wand der Stube. Auf dem Kalenderblatt stand ein Datum: *24. Dezember 2020.*

Und da wusste der Bauern, warum er hier war. Das, was er hier scheinbar sah – war die Zukunft ... Und die Zukunft seines Bruders sah nicht gut aus. Hinnerk dachte an den hässlichen Streit vor vielen Jahren, es war höchste Zeit, sich endlich mit seinem Bruder zu versöhnen. Viel zu lange hatte er diese Last mit sich herumgetragen. Heute war Weihnachten, das Fest der Liebe.

„Meine Frau hat sicher nichts gegen einen Gast einzuwenden", dachte Hinnerk und setzte seinen Hut auf. Als er sich umdrehte und noch einmal durch das Fenster schauen wollte, war die alte Bauernkate verschwunden. Hinnerk stand am Rande des Waldes und sah sich verwundert um.

Er stand wieder vor der kleinen Kapelle, der Pastor schloss gerade die Eingangstür und die letzten Kirchgänger machten sich auf den Heimweg. Im Schein der Straßenlaterne glitzerte das nasse Kopfsteinpflaster wie flüssiges Silber.

„Hinnerk, so komm doch endlich. Der Stuten brennt an." Die Bäuerin kam ungeduldig auf ihn zu und zupft an seinem Ärmel.

Zitternd vor Kälte legte der Bauer seinen Arm um die Schultern seiner Frau und sagte leise: „Wir müssen noch einen kleinen Umweg machen. Ich kenne da jemanden, der sich bestimmt über einen Besuch freut."

Die Bäuerin drückte Hinnerk fest die Hand und eine Träne der Freude lief über ihre runzeligen Wangen.

Später, als drei glücklichen Menschen vor dem Kaminfeuer saßen und von früheren Zeiten sprachen, begann es, sachte zu schneien. Dicke weiße Schneeflocken taumelten vom Himmel und überzogen die Landschaft mit einer Decke aus Zuckerwatte. In der Küche duftete es nach frischem Stuten und Glühwein, die Bäuerin zündete die Kerzen am Weihnachtsbaum an und im Radio sang ein Kinderchor: *Stille Nacht ...*

Helga Licher, 1948 in Osnabrück geboren, hat bereits zwei Romane, zahlreiche Kurzgeschichten in Anthologien und Kolumnen für Zeitungen veröffentlicht. Zurzeit arbeitet sie an ihrem dritten Roman, der wieder an der Nordsee spielt.

Ein Schneeengel

Jette presste ihre Nase an das Fenster, wobei sie die Kälte spürte. Am Morgen nach dem Aufstehen entdeckte sie die ersten Eisblumen am Fenster, doch noch immer fehlte Schnee. Stattdessen war die Welt draußen grau und nebelig-trüb.

Ihre Schwester Frederike war zwei Winter zuvor mit sieben Jahren an Diphtherie gestorben. Als der Arzt die Erkrankung feststellte, konnte er ihr nicht mehr helfen. An dem Tag, als sie starb, versprach sie ihrer Zwillingsschwester Jette, dass sie auf die Erde zurückkommen würde – um die Weihnachtszeit, als Winterengel: „Ich werde immer bei dir sein. An Weihnachten komme ich als Winterengel zu dir zurück", hatte sie der weinenden Jette versprochen.

„Wie soll ich dich denn erkennen?", fragte Jette verzweifelt weinend. „... und wo soll ich suchen?"

„Warte auf den ersten Schnee. Erkennen wirst du mich mit dem Herzen", antwortete Frederike krächzend.

Kurz darauf war sie für immer eingeschlafen.

Im Winter des Vorjahres gab es kaum Schnee, allenfalls Schneematsch, der nicht liegen blieb. Das ganze Jahr wartete Jette sehnsüchtig auf den nächsten Winter. Ende November wurde es empfindlich kalt, über Nacht froren die Weiher zu, auf den Dächern am Morgen sah man Raureif.

Bis zum Nikolaustag war immer noch kein Schnee gefallen, sodass Jette jeden Abend betete, Petrus möge es endlich schneien lassen.

Endlich, Mitte Dezember fielen die ersehnten Schneeflocken. Einen Tag und die ganze Nacht lang schneite es. Mit gemischten Gefühlen zog Jette ihre warmen Stiefel an und ging hinaus. Sanft knirschte der frisch gefallene Schnee unter ihren Stiefelsohlen. Sie bückte sich, um mit bloßen Händen einen Schneeball zu formen.

„Wo bist du?", fragte sie leise.

Dabei schaute sie auf die tauende Schneekugel in ihren Händen. Nichts geschah. Auch am Hügel, der zum Weiher hinunterführte, fand sie keine Antworten. Jette suchte ihre Lieblingsplätze auf, Orte, wo sie gemeinsam gespielt hatten, aber nirgendwo fühlte sie sich ihrer Schwester nahe. Hinten am See standen kahle Kopfweiden. Nachdenklich schlenderte sie dorthin. Niemand hatte die Stelle im Schnee bislang betreten. Langsam tastete sie sich zum Uferrand vor. Das Eis hielt. Es würde gewiss nicht brechen. Vielleicht konnte sie in den nächsten Tagen Schlittschuhlaufen gehen, überlegte sie. Auf dem Rückweg rutschte Jette auf einer kleinen Eisscholle unter dem Schnee aus und fiel rücklings hin. Dabei ruderte sie einige Male mit den Armen. Selbst als sie auf dem Rücken lag, versuchte sie händeringend, aufzustehen. Als sie endlich wieder stand, sah sie die Kuhle im Schnee, in der sie gelegen hatte. Sie hatte die Form eines Engels.

„Die Schneeengel", rief sie plötzlich laut aus und legte sich neben die Kuhle in den frischen Schnee. Dann begann sie, Arme und Beine zu bewegen, sodass der Abdruck eines zweiten Schneeengels entstand.

Als der Engel fertig war, hörte Jette plötzlich das Lachen ihrer Schwester neben sich. Für einen kurzen Moment sah sie ihre Frederike neben sich im Schnee, wie sie die Hand ausstreckte. Als sie ihre Hand berühren wollte, fühlte sie etwas flauschig Weiches zwischen den Fingern. Überrascht stellte sie fest, dass sie eine große weiße Feder in ihrer Hand hielt. Sanft strich sie mit der Feder über ihre Lippen, dann drückte sie sie an ihr Herz.

„Danke, Frederike", flüsterte sie mit Tränen in den Augen. „Jetzt weiß ich, uns kann nichts trennen!"

Dorothea Möller, freie Autorin, lebt und arbeitet in NRW. Sie schreibt für Kinder wie Erwachsene: historische wie fantastische Kurzgeschichten, Märchen, Kolumnen, Dinge aus dem Leben. Veröffentlichung von mehr als einhundert Geschichten in Deutschland, Österreich und der Schweiz.

Die Glaskugel

Erster Advent 2018

Anna und Lena, die Zwillinge, standen in ihrer neuen Wohnung ihrer jetzt gemeinsamen Erwachsenen-Zeit.

Nach dem Tod der Mutter Sonja zogen beide mit 18 aus dem Elternhaus in der früheren Arbeitersiedlung der großen Stadt Nürnberg aus. Anna absolvierte eine Ausbildung als Bürokauffrau in einem großen Betrieb und fand mit zwei etwa gleichaltrigen Mädchen eine schöne geräumige Altbauwohnung in der Innenstadt zur Wohngemeinschaft. Lena ergriff die Gelegenheit, auf eigenen Füßen zu stehen, und fand einen Studienplatz im Schwarzwald.

Die Zwillinge gingen getrennte Wege, aber der Kontakt war trotzdem immer sehr eng. Inzwischen zehn Jahre älter hatten sie eigene Freundeskreise, aber die Sehnsucht nach der anderen wurde immer größer. So kam es, wie es kommen musste: Sie wollten wieder zusammen sein. Sie fingen wieder von vorne an. In München fanden beide jeweils einen neuen Arbeitsplatz, im Umland auch eine schöne bezahlbare Wohnung.

Heute schmückten sie das erste Mal gemeinsam ihre Wohnung adventlich. Lena nahm damals bei der Haushaltsauflösung die Weihnachtsschmuckkiste mit und sie waren nun sehr gespannt, was alles zum Vorschein kommen würde.

Ein Aufschrei von beiden: Die wunderschöne Glaskugel, die sie jahrelang im Treppenhaus immer wieder fanden, lag in einem durchsichtigen Karton vor ihnen. Beim Einpacken hatte Anna sie aber nicht gesehen. Die Erinnerungen kamen schlagartig: Die Mama hatte das letzte Mal die Kiste gepackt. Jetzt wussten sie gar nicht, bei welchen Ereignissen sie zuerst anfangen sollten.

Weißt du noch? Wie war das damals?

Der erste Adventssonntag 1996
Mutter Sonja schmückte die Wohnstube und das ganze Haus mit vorweihnachtlicher Dekoration – mit Engelchen, Mistelzweigen, glitzernden Sternchen, Lichterketten und vielem mehr. Anna und Lena halfen aufgeregt mit. Waren das doch die Vorboten von Weihnachten.

Vier Wochen dauerte es noch bis dahin. Die Mädels, Zwillinge, sechs Jahre alt, zappelten vor Ungeduld. Die vier langen Wochen Wartezeit verbrachten sie damit, alles, was die Mutter an Weihnachtsdekoration im Haus verteilt hatte, zu bestaunen.

Diese Glitzersterne hatten sie noch nie gesehen. Ein kleiner Weihnachtsmann baumelte mit seiner Kutsche an einer goldenen Schnur. Unter der Treppe, wie in einer Höhle, entdeckten sie die Weihnachtskrippe. Der Stern über dem Stall strahlte hell und das Jesus-Kind schlief friedlich in der Krippe, die mit Stroh und einem einfachen weißen Tuch ausgelegt war.

Die Mädchen kamen aus dem Staunen nicht heraus. Das war noch schöner als im letzten Jahr. Sie liefen durchs Haus, überall fanden sie neue Dinge.

Im oberen Stockwerk, in einer Ecke an der Treppe, entdeckten sie eine große durchsichtige Kugel aus ganz dünnem schimmerndem Glas wie mit Schnee bestäubt. Innen sah man etwas Blaues, es drehte sich langsam, kleine Wimpel flatterten, und auf einmal erklang eine leise Melodie. Kam die Musik aus der Kugel?

Lena, die Jüngere der Zwillinge, sagte: „Ja, das ist Engelsmusik, die ist da drin."

Anna, die Ältere, was sie auch immer betonte, stellte richtig: „Nein, da drin kann keine Musik sein, das müsste man doch sehen."

Sie setzten sich auf den Fußboden und betrachteten diese Wunderkugel ganz genau. Das Blaue entpuppte sich als kleiner Engel im himmelblauen Hemdchen. An einem kleinen goldenen Zweig hingen blaue und goldene Wimpel, die flatterten, als zöge ein Lufthauch durch die Kugel. Die geheimnisvolle Musik hörten sie immer noch. Glöckchen, Flöten, auch Kinderstimmen – oder waren es Engel? – ertönten leise. Die Augen der Mädchen wurden immer größer. So etwas hatten sie noch nie gesehen. Hatte Mama diese Kugel gekauft? Sie rannten die Treppe hinunter, um sie zu fragen.

„Nein, von einer Glaskugel weiß ich nichts", meinte Mama. Ja, kleine Kugeln, silbern, golden, rot, weiß und blau, hatte sie im ganzen Haus verteilt, mit echten Tannengirlanden, damit es auch gut roch. Aber eine Glaskugel? Nein, da täuschten sie sich.

„Aber Mama, wir haben sie doch gesehen, wir haben auch die leise Musik gehört. Das musst du doch wissen, du hast doch alles geschmückt!"

Die Mädchen zogen ihre Mutter an der Hand die Treppe hinauf und an die Ecke des Geländers. „Hier, da ist sie – da war ... sie."

Wer war inzwischen hier oben gewesen und hatte sie weggenommen? Anna und Lena waren entsetzt. Das konnte doch nicht sein. Wer machte denn so etwas?

Mutter versuchte, die beiden zu trösten. „Bestimmt habt ihr in eurer Vorfreude auf Weihnachten etwas gesehen, was nicht da ist. Träume und Wünsche seht ihr da." Die Mädchen zweifelten sehr, sie hatten diese Kugel doch gesehen und auch die Musik gehört, sie war da. Es nützte nichts, sie war nicht mehr da.

Die Tage vergingen, doch die Glaskugel blieb verschwunden. Die Zwillinge waren sehr traurig, die restliche Dekoration im Haus konnte sie nicht darüber hinwegtäuschen.

Der zweite Adventssonntag 1996
Der zweite Adventssonntag kam. Am Morgen stiegen die Mädchen wie jeden Tag die Treppe hinauf. Vorsichtig schauen sie um die Ecke. Da – es glitzerte und leuchtete – und sie hörten die Musik. Die Musik, auf die sie jeden Tag gewartet hatten. Glücklich nahmen sich beide an den Händen und setzten sich ganz andächtig vor die geheimnisvolle Kugel. Die Freude dauerte aber nicht lange. Am nächsten Morgen war sie wieder verschwunden.

Der dritte und vierte Adventssonntag 1996
Aber am dritten und vierten Adventssonntag war sie immer wieder da. Nur die Mutter sah sie nicht. „Es ist keine Kugel da, ihr denkt euch das nur aus, weil ihr es euch so sehr wünscht. Es ist eine Wunschkugel." Dabei blieb sie.

Heiligabend 1996
Der Heilige Abend begann mit fröhlichem und hektischem Umtrieb. Geschenke wurden eingepackt, der Weihnachtsbaum festlich

geschmückt. Lichterketten wurden angebracht, es leuchtete und glitzerte in der guten Stube in allen Ecken, an jedem Fenster. Selbst die Katze bekam leuchtende Augen und saß ganz ehrfürchtig vor dem geheimnisvollen Baum.

Anna und Lena überlegten, was sie noch alles zur Verschönerung beitragen könnten. Die Glaskugel! Warum sollte sie da oben in der Ecke hängen, hier im Wohnzimmer würde sie doch wunderbar zur Geltung kommen und alle können sie sehen.

Die Mädchen rannten die Treppe hinauf. Tatsächlich, sie hing da und schimmerte und glänzte. Ganz vorsichtig nahmen sie sie ab und trugen sie hinunter in das festliche Weihnachtszimmer.

Die Mutter staunte nicht schlecht, als sie die Kugel sah. „Wie kann das sein, dass ich sie nie gesehen habe", fragte sie. Ehrfürchtig betrachtete sie dieses Wunderwerk. Der kleine Engel im hellblauen Kleidchen drehte seine Runde, sang mit vielen Engelsstimmen *Vom Himmel hoch da komm ich her*, die blauen und goldenen Wimpel flatterten leicht, Glöckchen, Flöten, es war eine himmlische Musik.

Mama staunte und wunderte sich. Woher kam diese Kugel? Hatten die Mädchen sie besorgt, um ihnen allen eine Freude zu bereiten? Oder hatte auch sie diesen Wunschtraum, die Kugel solle echt sein?

Das alles wiederholte sich Jahr für Jahr. Die Mädchen, inzwischen immer älter, staunten jedes Jahr von Neuem. Niemals fanden sie die Lösung dieses wundersamen Rätsels.

Advent 2018
Jetzt im Advent 2018 lag diese herrliche Glaskugel vor ihnen. Da wussten sie: Das war Mama. Das war ein Gruß von ihr. Ihre Mama hatte sie nicht vergessen. Am Boden der Kugel fanden sie auch die kleine Öffnung, in die sie eine Batterie einlegen konnten. Der Gruß von Mama war ihr schönstes Weihnachtsgeschenk.

Margot Gruber, Mitbegründerin „Roßtaler Schreibkreis Wortkunst".

Der lebendige Schneemann

Es ist ein herrlicher Dezembertag, es hat schon viel geschneit, Fredi ist begeistert. Mit seinem Trettraktor bemüht er sich, einen Schneehaufen zu machen. Er hat ja eine tolle Schaufel hinten dran und vorne einen Frontlader, ebenfalls mit einer Schaufel. Leider kommt er wegen des tiefen Schnees nicht gut voran. So schiebt er mit der Schaufel des Frontladers einiges zu Seite. Es ist ziemlich anstrengend, so viel Gewicht des Schnees beiseitezuschaffen.

„Pfff, hmm", überlegt er, „der Schnee ist so schwer, der geht bestimmt ganz gut zum Schneemann bauen." Er lässt den Traktor stehen, sodann stapft er zum großen Baum vor dem Haus hinaus.

Dort beginnt er, eine riesige Kugel zu drehen. Eine zweite, etwas kleinere kommt darauf und eine dritte für den Kopf. Doch sind die beiden anderen Kugeln schon so groß, dass Fredi den Kopf nicht mehr hochreichen kann.

„Hm, was könnte da gehen, damit ich diese Höhe erreiche", fragt Fredi sich. Er holt seinen Traktor. Weil das Treten immer noch zu schwierig ist, schiebt er ihn mit der Hand, bis dieser ganz nahe bei den beiden Kugeln steht.

Nun probiert er noch einmal, den Kopf hochzureichen. Mit der dritten Kugel in der Hand stellt er sich schleppend auf den Traktorsitz und stemmt sie, so gut er nur kann, in die Höhe. Endlich hat er es geschafft, der Kopf sitzt fest auf dem Rumpf.

Gleich macht er ihm auch noch ein Paar Hände. Ganz vorsichtig, aber doch fest drückt er sie, an den Körper des Schneemanns. Zur Stütze steckt er ihm in eine Hand eine lange Rute, in die andere ein kleines Stöckchen mit einer roten Masche. Aus der Garage des Vaters holt er einen alten, grünen Topf, der wird die Kopfbedeckung des Schneemanns, und sein roter Schal um den Hals muss hinhalten, damit der eisige Mann nicht friert.

Fredi grübelt nachdenklich, da fällt ihm ein, dass vor dem Backofen Kohlestücke für die Augen und den Mund zu finden sind. Weil er an der Tür des Kellers vorbeikommt, huscht er gleich auch noch die Treppe hinunter und schnappt sich eine große Möhre. Die ist perfekt für die Nase, sodass der Schneemann gut riechen kann. Er bemüht sich, die Augen festzudrücken, und auch der Mund wird ordentlich gemacht, weil der Schneemann auch noch schön lächeln soll. Zum Anstecken der Nase muss er sich wieder auf den Traktor stellen und weit strecken, damit er sie fest andrücken kann.

Als die Karotte gut sitzt, fängt der Schneemann plötzlich an, sich zu bewegen. Fredi erschrickt, der Traktor wir auch lebendig und stöhnt. „He, Fredi, mach dich etwas leichter, du bist so schwer!"

Infolgedessen fällt der erschütterte Junge rücklings vom Traktor in den Schnee. *Rumms, puff* geht es. Alle viere von sich gestreckt, muss sich der Bub erst mal fangen. Er hebt den Kopf ein wenig und bevor er sich so richtig besinnen kann, fangen der Schneemann und der Traktor zu lachen an.

Der Schneemann bietet ihm seine Hilfe an und zieht ihn hoch. „Komm her, ich helfe dir."

Der Traktor lacht noch immer. „Mann, o Mann, das war jetzt vielleicht ein Sturz! Zum Glück liegt so viel Schnee, du hättest dir weiß Gott was zuziehen können."

Fredi ist komplett verwirrt, er kann es nicht glauben, was er da mit seinen eigenen Augen sieht. Der Traktor und der Schneemann sprechen mit mir. Er klopft sich noch einmal auf den Kopf, um zu versuchen, ihn zurecht zu schütteln. Es bleibt aber dabei, der Schneemann und der Traktor sind lebendig und sie sprechen sogar mit ihm. „Wie...wieso", stottert Fredi. „Ich meine, wa...warum bewegt ihr euch?"

Der Schneemann gibt ihm nur zur Antwort, während er den verdatterten Buben hochhebt: „Oh, das ist großes Schneemann-Geheimnis, das kann ich dir leider nicht sagen. Übrigens, ich heiße Ben!"

„Aber warum kann der Traktor auch sprechen?" Fredi spitzt dabei ungläubig die Ohren.

„Ich weiß es nicht", stellt dieser unschuldig klar.

„Ich weiß es schon, der Traktor hat einfach zu nahe bei mir gestanden, das ist alles", klärt sie der weiße Eisgeselle auf. „Hast du auch einen Namen?" Der große Weiße dreht sich dabei in Richtung Traktor.

„Aber sicher doch, ich heiße Max. Fredi spielt jeden Tag mit mir!"
Fredi kratzt sich an den Haaren und redet überlegend vor sich hin. „So, und was mach ich jetzt mit euch zweien." Der Schneemann weiß jedoch auf Anhieb, was er gerne tun möchte. „Oh, ich möchte gerne mit euch Schlitten fahren!" Fredi kontert: „Das geht doch nicht, der Schlitten ist doch viel zu klein für dich!"

Max hält auch entgegen: „Ihr könnt doch nicht Schlitten fahren, ich will auch mit, doch mit meinen Rädern komme ich nicht durch den tiefen Schnee!"

Ben überlegt kurz. Plötzlich hat Max Kufen unter den Rädern und einen Antrieb wie ein Schneemobil. Eine Kette läuft über Zahnräder, getrieben von einem PS starken Motor, und seine Schaufel, die hinten angebaut ist, ist auf einmal so groß, dass Fredi und Ben genug Platz haben.

„Wisst ihr", erklärt der Schneemann den beiden, „ich kann mit der Kugel unten dran nicht sehr gut laufen, deshalb geht es so bestimmt besser!"

Fredi und Max sind begeistert. Max dreht sich um und lässt Ben auf seine Schaufel rutschen, auch Fredi setzt sich darauf. Schon kann es losgehen. Maxi fährt mit voller Kraft zum Abhang neben dem Haus.

„Glaubst du, wir können das wagen", stellt sich der Traktor an die Kante des Abhangs, während er die Frage an Ben richtet.

Fredi stimmt auch sofort zu. „Klar wagen wir das jetzt, das wird super. Worauf warten wir noch?"

Max lässt sich nach vorne kippen und schon beginnt er, zu rutschen. Weil die Strecke nicht ganz eben ist, wird daraus ein wilder Ritt, was den dreien aber total viel Spaß bereiten. Unten angekommen, beschließen sie, es gleich noch mal zu wagen.

„Wau, total der Wahnsinn!", ruft Maxi.

Fredi stimmt ihm begeistert zu. „Ja genau, das versuchen wir gleich noch mal!"

„Genau, ich möchte auch noch mal", ist Ben überzeugt.

Max dreht sich um und mit voller Kraft fährt er nun mit den beiden den Hang wieder hinauf. „Na, dann bring ich euch noch mal nach oben!"

„Das geht ja super", stellt Fredi fest, dabei sieht er Ben an.

„Was guckst du so, ich kann nichts dafür. Du hast eben einen echt starken Traktor", will Ben seine Unschuld beteuern.

Fredi beruhigt ihn: „Nein, ich will dich nicht beschuldigen, mir gefällt es einfach."

„Dann ist es doch gut", ist Ben gleich wieder beruhigt.

Max ist oben angekommen. „He, hört auf da hinten, wir sind schon da!"

Ein nächstes Mal geht es mit einem *Hurra* den Hang hinunter und ein drittes und ein viertes Mal gleich nach. Doch bei dieser Fahrt läuft ihnen, gerade als Maxi über einen Schneehaufen fährt und er abhebt, ein erschrockenes Häschen über den Weg. Somit kann Max nicht bremsen, er verreißt sein Lenkrad und beginnt, zu schleudern. Fredi und Ben purzeln im hohen Bogen in den tiefen Schnee. Maxi kugelt noch einige Meter weiter und kommt, mit dem Antrieb nach oben, zum Liegen. Als sie sich wieder besinnen können, helfen Fredi und Ben, Max wieder auf die Kufen.

„Ui", stellt Fredi fest, „du bist ganz schön schwer."

Für Ben hingegen ist es kein Problem. „Na komm, das haben wir gleich!"

Max schüttelt sich den Schnee ab. „Wau, habt ihr den Hasen gesehen, den hätte ich fast gerammt!" Dann sieht er Fredi an und beginnt, zu lachen. „Hihihihi, hoho, du siehst aus wie Ben, ich glaube, du bist auch ein Schneemann!"

Fredi schüttelt sich lächelnd ab. „Ach Quatsch", kontert er entschlossen und schießt Maxi einen Schneeball entgegen. Daraus wird nun eine tolle Schneeballschlacht.

Leider vergeht dabei die Zeit wie im Flug, Fredi muss wieder heim. Er sieht auf die Uhr und stellt fest: „Es ist schon spät, ich muss noch einiges für morgen in der Schule lernen."

Max bring die beiden wieder vor das Haus. Ben bleibt vor dem Haus stehen, er verabschiedet sich für diesen Tag. „Ok, ich warte hier bis morgen auf euch!"

Fredi freut sich. „Sag bloß, wir können morgen auch wieder spielen?"

Ben gibt ihm eine feste Zusage. „Ja sicher doch, ich denke, morgen fällt uns auch ein Spiel ein! Oder hast du etwas dagegen", dreht er sich zu Max um.

Dieser ist natürlich voll dabei. „Geht klar, Ben, sowieso mache ich mit." Er freut sich sichtlich auf den nächsten Tag.

„Na dann, bis morgen", verabschiedet sich Fredi von Ben. Schließlich räumt er den Traktor über Nacht wieder in die Scheune. Dort wird dieser zu dem, was er immer war, ein Trettraktor. „Auch dir eine gute Nacht, Max!"

Als Fredi die Stube betritt, lobt seine Mutter den schönen Schneemann. „Einen tollen Kerl hast du da gebaut", meint sie lächelnd. Sie hat nichts mitbekommen und keine Ahnung davon, dass dieser lebendig wird.

Fredi gibt ihr recht: „Du sagst es, er ist wirklich ein toller Kerl!"

Vor dem Schlafengehen sieht Fredi noch mal aus dem Fenster. Dort steht ein Schneemann so wie ein jeder andere auch. Keiner außer ihm weiß um das Geheimnis von Ben.

Eva Prinz wurde 1968 geboren. Sie ist verheiratet und hat drei Kinder. Als abendliche Freizeitbeschäftigung lässt die Landwirtin ihrer Fantasie gern freien Lauf und bringt Geschichten zu Papier.

Sechs Kerzen

Weihnachten und Erinnerungen gehören zusammen wie Schreiben und Lesen. Manchen Menschen kommen Bilder ins Gedächtnis an einen Schützengraben, in dem sie im Krieg den Heiligen Abend verbracht haben. Oder es gab in den Kriegsjahren Weihnachtsfeiern in Bunkern und Notwohnungen. Dann die ersten selbst gebastelten Papiersterne in den Nachkriegsjahren. Es gibt aber auch ähnliche angenehme Erinnerungen, die uns unsere Eltern oder Großeltern weiter erzählen – wie zum Beispiel diese: Mein Vater erzählte mir die Geschichte vom selbst gemachten Weihnachtsbaum.

Sein Vater, also mein Großvater, hatte damals nicht genügend Geld, um einen Weihnachtsbaum zu kaufen. Aber sein kleiner Bub, mein Vater nämlich, sollte Weihnachten nicht ohne einen Christbaum verbringen. Tannenzweige waren damals noch erschwinglich und so nahm er einen nicht mehr verwendbaren Besenstiel zur Hand, bohrte Löcher mit seiner Handbohrmaschine, die noch mit einer Kurbel betrieben wurde, in den Besenstiel. Anschließend leimte er Tannenzweige in die Löcher. Damals, das möchte ich noch erwähnen, wurde der Leim noch vorher gekocht und kam nicht – so wie heute – einfach verwendungsgerecht aus der Tube. Der Besenstiel wurde in einen vorbereiteten Holzklotz gesteckt, der mit einigen angebrachten Lattenstücken zu einer stabilen Konstruktion verhalf. Das waren noch Zeiten damals, die man sich heute gar nicht vorstellen kann. Jedenfalls gab es für meinen Vater kein Weihnachten ohne Christbaum!

Im Fernsehen habe ich neulich eine Dokumentation von der Insel Mainau gesehen, die im Bodensee liegt. Die Familie Bernadotte, die dort residiert, feiert das Fest der Santa Lucia. Das hat etwas mit ihrer verwandtschaftlichen Verbindung zu Schweden zu tun, wo dies einen weihnachtlichen Brauch darstellt. Ein weiß gekleidetes, hübsches junges Mädchen trägt eine Krone auf seinem Haupt, ähnlich unserem Adventskranz, aber mit fünf brennenden Kerzen darauf. Ja

– ich habe genau aufgepasst – es waren wirklich fünf Kerzen! Nun, vor einigen Jahren konnte ich – altes Lästermaul – es nicht unterlassen, kurz vor dem ersten Advent zu stänkern, warum eigentlich nicht sechs Kerzen auf unserem Adventsgesteck Platz finden würden. Dies hat sich meine Gattin irgendwann nicht mehr anhören wollen, und eines Tages hatten wir ein Adventsgesteck mit wahrlich sechs Kerzen auf unserem Tisch stehen. Wenn wir Besuch bekamen, war das immer lustig, die Leute zu beobachten, wie sie die Kerzen nachzählten. Die anschließend aufkommende Frage, warum eigentlich sechs anstatt vier Kerzen auf dem Gesteck zu finden waren, war natürlich plausibel zu beantworten, denn mir waren folgende Erklärungen eingefallen:

1. Sechs Kerzen sind doch wesentlich heller als nur vier!
2. Man könne schon zwei Wochen vor dem ersten Advent eine Kerze anzünden!
3. Sechs Kerzen geben letztendlich viel mehr Wärme ab in der kalten Jahreszeit!
4. Man könnte drei Packungen zu je vier Kerzen günstiger kaufen und die würden dann ja auch zwei Jahre halten!
5. Und außerdem dürfte man das Wohnzimmer viel öfter tapezieren!

Doch meistens schüttelten unsere Gäste manchmal höflich, manchmal entgeistert den Kopf, weil sie meine guten Gründe einfach nicht nachvollziehen konnten. Und weshalb die Lucia-Darstellerinnen fünf Kerzen auf ihrer Krone tragen, konnte ich bis heute nicht herausfinden. Jetzt hat sich allerdings wieder die alte Sitte mit den vier Kerzen bei uns eingefunden.

Heinz Ludwig Wüst, geb. 1950 in Speyer, wohnt in Gleisweiler an der Weinstraße. Sein Lebensweg als selbstständiger Handwerker im heiztechnischen Bereich war seit seiner frühen Jugend begleitet von Gedichten in Pfälzer Mundart. Seine Bücher wie „... ach du liewes Lewe" erschienen 2015. Gedichte und Geschichten in Hochdeutsch und Mundart spiegeln in heiterer, besinnlichen und ironischer Darbietung Alltagsereignisse wider. Zum Jahresbeginn 2017 veröffentlichte er ein weiteres Werk „glaabscht dann des?" Zwischenzeitlich ist sein Buch „bass blooß uff" erschienen. www.henry.dipago.de.

Jahreswende

Es weihnachtet in großen Schritten und der Weihnachtsmann ist unterwegs mit seinem Schlitten. Kräftige Rentiere ziehen seinen schweren Schlitten mit dem vielen Gepäck. Schaut nur, was er hat alles versteckt! Es schweben viele Güter im Raum ...

Ach, ihr wundert euch, dass ihr sie nicht seht? Die schönsten Weihnachtsgeschenke hält doch schließlich der liebe Gott für euch bereit!

„Denn er tut große Dinge, die nicht zu erforschen und Wunder, die nicht zu zählen sind" (Hiob 9,10). Um nur einige Beispiele zu nennen: Genesung, Gesundheit, Mut, Freude und Glück – dank Vertrauen, Glaube, Liebe und Zuversicht. Da kommt man aus dem Staunen doch gar nicht mehr heraus ...

Auch schwierige und anstrengende Jahre neigen sich irgendwann dem Ende zu. Schaut nicht stets zurück, denkt nicht zu viel nach. Blickt einfach nach vorne! Lasst euch nicht entmutigen. Denkt einfach nur an die altbewährte Weisheit: „Wenn du denkst, es geht nicht mehr, kommt von irgendwo ein Lichtlein her ..."

Auch und gerade das Weihnachtslicht stärke euch. Der helle Stern am Himmel, der einst über der Stadt Davids erstrahlte, weise euch den rechten Weg.

Zum Aufbruch in das neue Jahr vergesst nicht: „Das Glück eures Lebens hängt einfach nur ab von der Beschaffenheit eurer Gedanken" (Kaiser Marc Aurel). Seid einfach lebensfrohe Menschen – froh und dankbar, dass ihr euer Leben habt. Es gibt kein größeres Wunder und Geschenk.

Drum: Arbeitet nicht gegeneinander, streitet euch nicht. Seid achtsam. Wirkt von Herzen gütig und friedvoll miteinander an dem Wunderwerk Leben und Lebendigkeit. Tretet gefühlvoll, aufgeschlossen und mutig miteinander in Beziehung und wachst an den Herausforderungen des Lebens. Genießt aber auch eure kostbare Lebenszeit! Erfreut euch zum Beispiel immer wieder neu an den magischen Momenten, welche die Natur bietet (z. B. in der Wintersonne glitzernder Schnee auf den Tannenspitzen bewundern, den rötlich schimmernden Abendhimmel genießen oder in dunklen Nächten den Sternenhimmel betrachten). Und haltet ab und zu mal ein bisschen inne. Denn „ein kurzer Augenblick der Seelenruhe ist [vielleicht] besser als alles, was ihr erstreben mögt" (Sprichwort aus Persien). Befreit euch vom Stress des Alltags und genießt entspannt die „Heiligen Tage".

P.S.: Was ich mir wünsche? Einfach nur mit euch zusammen zu sein ...

Juliane Barth, Jahrgang 1982, lebt im Südwesten Deutschlands. Schreibt seit jeher sehr gerne, unter anderem Lyrik, Kurzgeschichten, Sachtexte und Essays. Widmet sich bevorzugt gesellschaftskritischen Themen. Veröffentlichungen in Anthologien: www.sacrydecs.de.to.

Martina Meier (Hrsg.)

Wünsch dich ins kleine Wunder-Weihnachtsland

Erzählungen, Märchen und Gedichte zur
Advents- und Weihnachtszeit
von Kindern für Kinder geschrieben

Das allerschönste Weihnachtsgeschenk

Gebannt stand ich am Fenster und beobachtete das Geschehen, wie immer mehr Schnee vom Himmel fiel und die Landschaft wie eine weiße Decke umhüllte. Draußen war wenig Betrieb und die Autos fuhren nur noch alle zehn Minuten über die meistbefahrene Straße in Berlin. Der Schnee war so hoch, dass man selbst zu Fuß kaum noch vorankam.

Würde es der Weihnachtsmann schaffen? Würde er in dem weißen Gewimmel mein Haus überhaupt finden? Seufzend wandte ich mich ab und ging zu meiner Mutter, die auf der Couch lag und schlief. Ich kuschelte mich an sie und sie öffnete die Augen einen Schlitz weit.

„Denkst du, der Weihnachtsmann findet unser Haus?", fragte ich besorgt.

„Mhm", murmelte meine Mutter nur verschlafen.

„Aber die Autos kommen nicht einmal mehr gut durch", widersprach ich.

Meine Mutter rappelte sich auf. „Ben. Der Weihnachtsmann fliegt mit seinem Schlitten und den Rentieren. Natürlich kommt er!", tröstete sie mich und nahm mich in den Arm. „Und jetzt ruh dich noch etwas aus, damit wir heute Abend länger aufbleiben können", ermahnte sie mich.

Wenig später schliefen wir beide ein und wachten erst am späten Nachmittag wieder auf.

Das heißt, ich wachte erst am späten Nachmittag wieder auf. Meine Mutter stand bereits in der Küche und bereitete das Abendessen vor, während sie ein schönes Weihnachtslied vor sich hin summte. Ich gähnte und sah wieder aus dem Fenster. Der Schnee war nun noch höher und der Himmel weißer als je zuvor.

„Wie viel Uhr ist es?", fragte ich und meine Mutter, die nicht bemerkt hatte, dass ich schon wach war, zuckte erschrocken zusammen. „Halb sechs", antwortete sie betrübt.

„Was ist denn los?", rief ich besorgt.

„Ben, es kann sein, dass dein Papa heute nicht mit uns feiern kann. Er sagt, die Schneedecke sei so dick, dass seine Mitarbeiter alle stecken geblieben sind. Er wartet, bis der Streudienst kommt. Aber der hat eben viel zu tun", erklärte sie niedergeschlagen. „Was? Nein! Papa muss mitfeiern", schluchzte ich.

„Es tut ihm so leid Ben", sagte meine Mutter, doch ich rannte traurig und zugleich wütend in mein Zimmer. Weihnachten war doch ein Fest mit der ganzen Familie! Blöder, blöder Schnee! Obwohl Papa noch keinen ganzen Tag weg war, hatte ich schon Sehnsucht nach ihm, ich sehnte mich bereits jetzt nach einem Weihnachtsfest mit ihm. Vielleicht schaffte er es ja doch noch.

Die Stunden vergingen, bis es schließlich Abend war und es dunkel wurde. Von meinem Vater immer noch keine Spur ... Doch als ich an die vielen Geschenke dachte, die mich erwarteten, besserte sich meine Laune schlagartig und ein Lächeln huschte mir über mein Gesicht. Wieder starrte ich aus dem Fenster. Weit und breit nur weißer Schnee.

Doch was war das? Etwas Dunkles zeichnete sich am Himmel ab, etwas riesig Großes ... und auch sechs etwas kleinere Punkte wurden immer deutlicher. Und wenn man noch genauer hinsah, etwas Kleines mit einer roten Nase.

„DER WEIHNACHTSMANN!", kreischte ich übermütig und sprintete in die Küche.

Verdutzt drehte sich meine Mutter zu mir um.

„Der Weihnachtsmann ist mit meinen Geschenken da!", freute ich mich und hampelte aufgeregt herum. Meine Mutter lächelte. Dann setzten wir uns zusammen neben den Weihnachtsbaum, den wir heute Morgen geschmückt hatten. Ohne Papa.

Doch plötzlich breitete sich wieder ein trauriges Gefühl in mir aus. Ich fühlte mich von ihm alleingelassen. Er konnte nichts dafür, klar, aber trotzdem war ich enttäuscht. Dennoch freute ich mich, wenigstens mit meiner Mutter feiern zu können.

Plötzlich klopfte es an der Tür.

„Hohoho, hier steht der Weihnachtsmann vor der Tür, Geschenke, groß und klein, und nun komm ich zu dir ins Heim! Darf ich rein?", reimte er.

Ich sprang begeistert auf und öffnete blitzschnell die Tür. Ein kräftiger, rot gekleideter alter Mann, mit einem langen weißen Bart und einer kleinen Brille stand lächelnd an der Tür und hielt einen großen Sack mit Geschenken in der Hand. „Hier sind deine Geschenke, die du dir gewünscht hast, aber wer fehlt denn da? Der Papa?!", fragte er kopfschüttelnd und trat beiseite. Hinter ihm kam ... mein Vater zum Vorschein! Verschmitzt lächelte er. „Der nette Weihnachtsmann hat mich mit dem Schlitten mitgenommen", erklärte er und der Weihnachtsmann lachte laut.

„Nichts geht über gute Taten an Weihnachten!", rief er.

Ich grinste schief und all die Traurigkeit, die ich eben noch verspürt hatte, war fort. Jetzt spürte ich nur noch Vorfreude auf das folgende Fest. Mit der ganzen Familie.

„Ein fröhliches Fest, und hier noch der Rest", sagte der Weihnachtsmann und drückte meinem Vater die restlichen Geschenke in die Hand, „wünscht euch der Weihnachtsmann von nebenan!" Schon flitzte er erstaunlich schnell für sein Alter die Treppe herunter und als ich kurz darauf aus dem Fenster sah, flog er mit seinen Rentieren in den verschneiten, weißen Himmel davon.

Ihr fragt euch, wieso er die Geschenke als *Rest* bezeichnet hat? Weil das schönste Geschenk Weihnachten mit der ganzen Familie war! Denn manchmal sind die besten Geschenke die, die nichts kosten.

Lena Harge: *12 Jahre aus Überroth.*

Ausbildung zum Weihnachtsmann

Ein kleiner Junge wollte unbedingt Weihnachtsmann werden. Sein Vater aber meinte: „Du musst einen anständigen Beruf erlernen."

Nach einiger Zeit fragte der Junge, er hieß Tim, wann endlich Weihnachten ist.

„Übermorgen", antwortete der Vater grimmig.

Als er das gesagt hatte, erschien im Garten ein leuchtendes Tor. Tim dachte nicht lange nach und sprang hindurch ins Nichts. Als er auf dem Boden landete, fragte er sich, wo er wohl war.

Plötzlich hörte er eine Stimme hinter sich: „Du bist im Weihnachtsland, du musst Weihnachtsmann werden."

„Oh ja, das mache ich sehr gern! Was muss ich denn dafür tun?"

Die Stimme antwortete: „Du musst auf dem Schlitten fliegen können, bei voller Fahrt vom Schlitten abspringen und anschließend wieder sicher landen können."

„Oh, okay", stotterte Tim, „ich machs ..." Erst jetzt bemerkte Tim, dass die Stimme dem Weihnachtsmann gehörte. Vorsichtig erfragte er, warum dieser nicht mehr Weihnachtsmann sein wollte.

„Ich bin zu alt, ich kann zwar noch Geschenke einpacken, aber um Weihnachtsmann zu sein, reicht es einfach nicht mehr. Morgen ist deine Prüfung, also ruh dich lieber aus. Ach ja, und mein Name ist Karl."

„Ich heiße Tim".

„Na dann, bis morgen Tim!"

„Ja, bis morgen, Karl."

„Der nette Wichtel Kasku zeigt dir, wo du schlafen kannst. Wenn du Weihnachtsmann bist, bekommst du natürlich ein riesiges Haus!"

Am nächsten Tag stand Tim früh auf. Zum Frühstück gab es die leckersten Lebkuchen. Als er satt war, versammelten sich alle Teilnehmer am Weihnachtsplatz. Dort sollte die Prüfung stattfinden.

Der Platz war sehr festlich geschmückt, die Rentiere standen schon angespannt am Schlitten. Als der Weihnachtsmann ankam, jubelten alle. Nun war Tim an der Reihe, der Weihnachtsmann bat Tim, auf dem Schlitten Platz zu nehmen.

Sowie Tim die Zügel in die Hand nahm, ging es los: Sie flogen direkt einen schnellen Looping und im Anschluss eine scharfe Kurve. Direkt dort sollte er abspringen. Wie ein Pfeil schoss Tim vom Schlitten in Richtung Erde. Der Schlitten flog einen schnellen Looping. Tim sah bereits den schneebedeckten Boden deutlich vor sich, als die Rentiere ihn in letzter Sekunde auffingen und er wieder sicher im Schlitten saß. Dann landeten sie auf dem Platz.

Karl kam zu ihm und meinte: „Gut, morgen erfährst du, ob du es geschafft hast und Weihnachtsmann wirst."

Als Tim zu seiner Hütte zurückkehrte, merkte er erst, wie aufgeregt er war. Er konnte die ganze Nacht nicht schlafen. Am nächsten Morgen bekam er zum Frühstück keinen Happen herunter. Als er wieder zu seiner Hütte zurückkam, lag ein Brief auf seinem Bett. Er öffnete ihn, darin stand:

Lieber Tim, du bist der neue Weihnachtsmann! Morgen ist dein erster Arbeitstag!

„Juchhu!", rief Tim laut aus. Er war überglücklich.

Ein Jahr später war Tim der beste Weihnachtsmann, den die Welt je gesehen hatte. Es gab viel zu tun, denn es war bereits wieder kurz vor Weihnachten. Er machte einen Flug zu seinem alten Haus und sein Vater erblickte ihn. Der rief ihm zu: „Du hast den besten Beruf der ganzen Welt!"

Luisa Clara von Zglinicki, 8 Jahre. Klasse 3d der Grundschule im Hasengrund. Spielt Klavier und Gitarre. Ist kreativ und malt gerne.
Raphael Popp, 9 Jahre. Klasse 3d der Grundschule im Hasengrund. Liest sehr gern.

Das Abenteuer mit Max

Es war einmal ein kleiner Junge. Der Junge hieß Max. Er liebte den Winter. Der Junge hatte sich an Weihnachten tief und fest gewünscht, dass er eines Tages mal in ein kleines Winter-Wunderland kommen würde. Der kleine Junge war so besessen davon, ins Wunderland zu kommen, dass er beschloss, den Weihnachtsmann zu besuchen, um ihn zu fragen, ob er wisse, wo das kleine Winter-Wunderland liegt. Er beschloss, heute loszuziehen. Er sagte seiner Mutter Bescheid, zog vier Jacken an und wanderte los. Nach vier Stunden war er immer noch nicht da. Nach sechs Stunden war er immer noch nicht da. Nach zwölf Stunden war er endlich da! Er sah eine winzige Hütte und beschloss, hineinzugehen. Von innen war es ein riesiges Zuckergeschenkelabor. Max, der Junge, wollte sofort alle Süßigkeiten probieren, aber da stand plötzlich vor ihm der große beliebte Weihnachtsmann.

„Was machst du denn hier? Du hast hier doch gar nichts zu suchen. Und wie bist du überhaupt hierhergekommen?"

Der kleine Junge antwortete: „Ich bin hierhergereist, um dich etwas zu fragen!"

„Raus mit der Frage! Wie lautet sie?", fragte der Weihnachtsmann.

„Weißt du, wo das kleine Winter-Wunderland liegt? Ich träume schon seit Jahren davon. Es sieht in meinen Träumen so schön aus! Da steht alles voller Geschenke und Süßigkeiten", sagte der Junge.

Der Weihnachtsmann antwortete: „Mein lieber Junge, du wirst nur dahinkommen, wenn du stets dein Bestes gibst! Ich werde dir aber nicht helfen können, denn ich muss weiter Geschenke packen."

Der kleine Junge war sich sicher: „Ich, Max Müller, werde es schaffen!"

Er baute sich heimlich in der Nacht ein kleines Regenbogenflugzeug, wo nur eine Person hineinpasste. In der nächsten Nacht zischte der kleine Junge mit dem Regenbogenflugzeug ab. Er sah von ganz weit oben den gesamten Nordpol und hoffte, das kleine Winter-Wunderland bald zu erreichen.

„Von hier oben sieht alles so wunderschön aus!"

Nach fünf Tagen kam der Junge endlich an. „Das kleine Winter-Wunderland sieht noch schöner aus als in meinen Träumen", dachte Max. Er beschloss, dass, wenn er wieder zu Hause war, seine Mutter zu fragen, ob sie ins kleine Winter-Wunderland umziehen könnten. Aber er wusste nicht, wie, denn er musste erst fünf Tage und zwölf Stunden zurückfliegen.

Der kleine Junge flog zunächst fünf Tage lang zum Weihnachtsmann zurück. Als er endlich ankam, hatte er total vergessen, dass Heiligabend war. „Oh nein, was habe ich nur getan? Ich wollte doch eigentlich nur ins kleine Winter-Wunderland und nun verpasse ich Heiligabend. Ich verpasse all die leckeren Kekse und den leckeren Truthahn, den wir immer essen", dachte sich Max und bemerkte dann sogar noch, dass der Weihnachtsmann weg war.

Der Weihnachtsmann war Geschenke verteilen. Der Junge guckte sich heimlich in der Hütte des Weihnachtsmanns um und versuchte erneut, die Süßigkeiten zu probieren, aber dann fiel ihm noch etwas Wichtiges ein. Er musste noch sein Flugzeug tanken, sonst kam er nämlich nicht mehr zurück nach Hause.

Nachdem er schnell getankt hatte, flog er zwölf Stunden zurück nach Hause. Zum Glück war er genau rechtzeitig da. „Das war ein schönes Abenteuer", dachte er sich, als er in Ruhe mit der Familie den Truthahn aß und dann einschlief. Er träumte von seiner Reise.

Am nächsten Morgen überlegte er, noch einmal zum kleinen Winter-Wunderland zu reisen. Er nahm sein Regenbogenflugzeug, stieg ein und flog wieder fünf Tage und zwölf Stunden. Dann kam er im Winter-Wunderland an.

Oh nein, was war mit dem Winter-Wunderland passiert? Der ganze Schnee war geschmolzen, sodass nur noch Pfützen zu sehen waren. Der Junge wurde traurig und wollte gerade anfangen, zu weinen, als er ein Mädchen sah. Es versuchte die ganze Zeit, das kleine Winter-Wunderland wieder aufzubauen. Aber nichts funktionierte. Das Mädchen gab aber nicht auf. Der Junge flog vorsichtig und ganz leise hinab. Als er am Boden war, stieg er aus, um das Mädchen zu beobachten. Das Mädchen aber bemerkte ihn und erschrak so doll, dass es schnell wegrannte.

Nach einem Tag zeigte sich das kleine Mädchen wieder. Diesmal traute es sich sogar, den Jungen zu fragen, wie er heißt. Natürlich antwortete Max sofort: „Max Müller."

Das Mädchen sagte: „Ich heiße Maria Peter."

Die beiden gingen zusammen zum Weihnachtsmann, um ihm zu sagen, dass das Winter-Wunderland geschmolzen sei.

Der Weihnachtsmann war geschockt, kam sofort zu ihnen und sie versuchten gemeinsam, es wieder aufzubauen. Nach langer langer Zeit schafften sie es tatsächlich. Alle waren fröhlich und der Weihnachtsmann konnte wieder in Ruhe Geschenke packen.

Max flog zu sich nach Hause. Seine Mutter fragte neugierig: „Und? Hast du das Winter-Wunderland gefunden?"

„Ja, das war richtig schön! Im Winter-Wunderland gab es sogar noch ein kleines Mädchen, was am zweiten Tag versuchte, das zerstörte Winter-Wunderland aufzubauen und ..."

Die Mutter unterbrach ihn und rannte in die Küche, aber Max wusste nicht, weswegen. „Oh nein, das Essen brennt an!", rief sie.

Max lachte, ging in sein Zimmer und legte sich auf sein Bett. Er schlief ein. Tief und fest. Und träumte von seiner Reise. Er lächelte im Traum vor Freude.

Katja Roth: Ich bin 8 Jahre alt. Ich habe teilgenommen, weil ich es liebe, Geschichten zu erfinden. Ich erzähle fast jeden Abend meinem kleinen Bruder eine Geschichte.

Der Lehrling
des Weihnachtsmanns

Leise rieselte der Schnee vom Himmel. Kleine Eiskristalle flogen um George herum und versuchten, durch seine dicke Winterjacke, den flauschigen Schal und die wärmende Pudelmütze zu dringen. Plötzlich wechselte sich der Traum, nun saß George vor einem Weihnachtsbaum ohne Geschenke. Nirgendwo lag Schnee. Draußen war es kalt. Bitterkalt, aber die weiße Puderzuckerlandschaft blieb aus. Keine Eiszapfen. Kein Schnee. Keine Geschenke. Dann tauchte dort der dicke Junge mit der komischen Kleidung auf. Simon. Er kam von draußen ans Fenster ganz dicht heran. Er lächelte und hielt ein riesiges Geschenk hoch.

Schweißgebadet fuhr George hoch. Alles bestens. Schnell packte er die Schultasche. Dann machte er sich fertig und zog sich die Jacke, die Mütze und den Schal an. Er stieß die Tür auf. Nebel hüllte ihn ein. Nebel und eisige Kälte. Eigentlich hätte er sich freuen sollen. Das tat er sonst immer, wenn der letzte Schultag vor den Ferien war. Bei der Bushaltestelle hielt er an und zog die Maske aus der Tasche. Da kam auch schon der Bus herangerauscht. Mit einem Zischen gingen die Türen auf und alle drängten sich in den warmen Bus.

Nun hatte die Pause begonnen. George hatte sich mit seinen Freunden auf einer Bank im Schulhof niedergelassen. Sie plauderten miteinander, als Simon, der dicke Junge, über den Schulhof gelaufen kam. Unter den Arm geklemmt, trug er sein Vokabelheft. Eine Bank weiter setzte er sich hin und schlug das Heft auf. Ohne richtig nachzudenken, vielleicht um sich vor seinen Freunden schön zu machen, stellte er sich vor den Jungen hin und mobbte ihn: „Na, haste über das Fressen das Vokabellernen vergessen, Fleischbällchen?" Gelächter brach unter seinen Freunden aus. Simon senkte traurig den Blick in sein Vokabelheft.

„Na, wird dir jetzt von deinem Gewicht die Stimme weggedrückt hm?" Ohne auf die Antwort zu warten, schoss seine Faust vor.

Wo kam denn dieser Hass her? Volle Kanne schlug seine Faust in Simons Gesicht, Simon flog das Vokabelheft über den Boden und er überschlug sich. Erst hielt er sich erschrocken die heftig blutende Nase, dann kamen dem Jungen die Tränen.

George schluckte. Wieso bloß hatte er Simon geschlagen? Ein Lehrer kam angerannt. Er schnaubte, sie sollten mit ins Sekretariat kommen. George und Simon folgten dem Lehrer. Simon bekam ein Pflaster aufgeklebt und George wurde zur Direktorin gebracht.

George machte sich auf eine ordentliche Standpauke gefasst, aber nicht passierte, als er die Tür hinter sich schloss. Professorin Miranda bedeutete ihm, sich zusetzen. Angespannt nahm er vor ihr Platz. Sie sah ihn durchdringend an und fragte: „Wieso hast du ihn geschlagen?"

George antwortete zögernd: „Ich hatte so eine Wut. Irgendwie hat es mich sauer gemacht, dass er nicht reagiert hat."

„Hab ich es mir gedacht. Ich sehe, dass du im Grunde ein gutes Herz hast. Du wärst genau der Richtige", entgegnete sie.

Langsam sagte George: „Wofür?"

„Du wärst genau der Richtige für den Job des Weihnachtsmanns."

„Was? Sie glauben doch nicht ernsthaft an den Weihnachtsmann?"

Leise sagte Professorin Miranda zu sich selbst: „Er hat den Glauben verloren." George fragte sie, ob sie sich wohlfühle. Da stieß sie hervor: „Ich beweise es dir! Ich nehme dich mit ins Wunder-Weihnachtsland!" Kaum hatte sie das gesagt, wuchsen ihr Hinterbeine und Fell und ehe sich George versah, stand ein richtiges Rentier mit Glöckchengeschirr vor ihm.

„Spring auf!", blökte die verwandelte Professorin Miranda.

Georg machte einen Schritt auf das Tier zu. Dann noch einen und dann zog er sich am Geschirr hoch. Kaum saß er auf dem kuscheligen Rücken, drehte sich alles und die beiden standen auf einer weiten Landschaft. An Tannen, die aus dem Schnee ragten, hingen Dutzende Christbaumkugeln, in deren unzähligen Farben sich die Gesichter von Rentieren, Elfen und das Gesicht von George spiegelten.

George hatte noch nie Elfen gesehen. Eigentlich hatte er sie sich ein wenig anders vorgestellt. Sie waren nur ein bisschen kleiner als Menschen und hatten nur kleine spitze Ohren. Auch die ulkigen

Kostüme gefielen ihm. Dafür war es sehr aufregend, so viele Rentiere auf einmal zu sehen.

Hinter allem ragte ein mächtiger Eispalast auf, der mutig der Wintersonne trotzte und in ihrem Licht glänzte. In der Ferne verlief eine Schiene für den Polarexpress. Georges Rentier achtete nicht darauf. Es lief direkt auf den Eispalast zu. Vor zwei mächtigen Toren blieb es stehen und George sprang ab.

„Jetzt musst du alleine weiter", sagte das Rentier und trabte davon. George setzte seinen Mund-Nasen-Schutz auf, man konnte ja nie vorsichtig genug sein, und öffnete einen Torflügel. Staunend trat er in eine funkelnde kühle Halle ganz aus Eis. Am Ende der Halle stand ein riesiger Thron und auf ihm saß der Weihnachtsmann höchstpersönlich.

Der alte Mann auf dem Thron hatte einen langen weißen Bart, einen weiten roten Mantel mit goldenen Knöpfen und eine rote Zipfelmütze mit einem weißen Bommel daran. George kam näher und verbeugte sich. Das war sehr erstaunlich, denn vor einer halben Stunde hatte er noch gedacht, es gäbe den Weihnachtsmann gar nicht.

Aber jetzt sagte der Weihnachtsmann zu ihm: „Du willst also mein Lehrling und zukünftiger Weihnachtsmann werden?"

„Nein", antwortete George.

Der Weihnachtsmann sagte: „Aber dann würde ich dich vielleicht von der *Unartigen Liste* streichen."

George überlegte.

Der Weihnachtsmann fügte hinzu: „Außerdem müsstest du es nur dieses Jahr machen und es ist ganz einfach: Wenn der Bildschirm im Cockpit grün anzeigt, musst du drücken, dann war es artig. Und wenn es rot leuchtet, darfst du nichts machen."

Da fragte Georg: „Das war es?"

„Ja", entgegnete der Weihnachtsmann. Erst später sollte George erfahren, dass es noch etwas gab, was ihm der Weihnachtsmann jetzt aber verschwieg. Da willigte George ein.

Es war der letzte Tag vor Weihnachten. Professorin Miranda hatte ihm alles beigebracht, was er wissen musste. Nun stand er vor dem riesigen Schlitten. Der war fünfmal so groß wie ein Jumbojet. In ihn mussten ja auch Millionen Geschenke rein. Hinten waren zwei Düsen befestigt und mehrere Hundert Rentiere waren vorne angebunden. Ihre Glöckchen klingelten, wenn sie sich bewegten. George war ganz aufgeregt. Er machte den Job des Weihnachtsmanns! Er setzte sich ins Cockpit, neben ihm saß Miranda in Menschengestalt. Er schaltete den Unsichtbarkeitsmodus ein und die Rentiere sausten los über die verschneite Startbahn und erhoben sich in die Lüfte.

Nach Dutzenden Kilometern in Lichtgeschwindigkeit kam das erste Haus. Der Bildschirm leuchtete grün auf und Georges Hand sauste auf den Knopf. Ein Klicken war zu hören und ein Geschenk plumpste durch den Schornstein des Hauses. Viele weitere Geschenke flogen durch die Schornsteine der Häuser. Es ging erstaunlich schnell, allen ihre Geschenke zu geben.

Schließlich waren sie bei den fünf letzten Häusern, es war Mitternacht. Da schrie Miranda: „Der Osterhase kommt!"

Gerade noch rechtzeitig riss George den Schlitten herum und sie konnten einem anderen Flugzeug ausweichen. Der Osterhase kam auf sie zugesaust und sie mussten ein Looping fliegen.

Miranda schrie: „Schalte die Turbodüsen an!"

Hektisch wanderte Georges Blick über die Knöpfe. Er fand den passenden und drückte ihn. Sie sausten davon – weit weg vom Osterhasen. Das war anscheinend der Rivale.

Doch dann tat sich das nächste Problem auf. Bei der hohen Geschwindigkeit war ein Geschenk in den Fluss gefallen. Simons! Nun stand er vor der Wahl: Sollte er Simon sein Geschenk geben oder nicht? Er seufzte innerlich und ließ das Geschenk in Simons Haus fallen. Und da passierte etwas Magisches. Kleine Schneeflocken fielen vom Himmel. Es schneite!

Leonard Brunner: Ich bin am 27.10.2008 geboren. Ich wohne mit meiner Familie zwischen Hamburg und Bremen in dem kleinen Ort Heidenau, meine Leidenschaft ist das Schreiben und Lesen von Büchern.

Weihnachtsbäume in Gefahr

Es war in der zweiten Adventswoche. Ich war zusammen mit meinen Freunden Noah und Yasmin auf dem Weg zu dem Tannenwald. Wir wollten uns die Tannenbäume schon anschauen. Damit wir später schon genau wissen würden, welchen wir wollten. Yasmins Wangen waren knallrot. Es war sehr kalt. Doch Noah schien nicht zu frieren. Er hatte eine dicke Jacke an und lächelte zufrieden. Jetzt lag nur noch ein Hügel vor uns.

Noah rannte voraus. Auf dem Hügel blieb er stehen, blickte auf die andere Seite und rief: „Yasmin, Tanja, kommt schnell her!" Als ich neben Noah angekommen war, glaubte ich meinen Augen kaum. Alle Tannenbäume waren gefällt. Kein einziger war noch ganz.

„Vielleicht hat der Gemeindepräsident das ja entschieden", meinte Yasmin unsicher, „und wenn das so ist, hatte er sicher einen guten Grund dafür."

Also rief ich den Gemeindepräsidenten an. Doch dieser glaubte mir kein Wort. Er dachte, es wäre ein Weihnachtsstreich.

„Es ist doch verboten, einfach alle Bäume zu fällen", sagte Noah. Wir entschlossen und, die Polizei anzurufen. Nachdem Noah angerufen hatte, sagte er: „Die Polizei hat Adventsferien."

Also machten wir uns selbst auf die Suche. Wenig später entdeckte ich dicke Reifenspuren. Ich rief nach Noah und Yasmin und zeigte ihnen meinen Fund.

„Super", meinte Yasmin strahlend, „jetzt müssen wir nur den Reifenspuren folgen."

Wir verabschiedeten uns und trafen uns am nächsten Nachmittag wieder bei den Spuren. Wir hatten alle unsere Velos mitgenommen und fuhren den Spuren entlang. Innerlich hoffte ich, dass die Strecke nicht zu lang war, sonst würden wir uns noch verfahren. Die Spuren führten immer tiefer in den Wald hinein. Hier gab es auch keine Tannen mehr.

Yasmin, die immer ein Stück vorausgefahren war, schrie plötzlich: „Tanja, Noah, schaut euch das an!"

Ich holte auf und sah den riesigen Lastwagen, dem wir offensichtlich gefolgt waren. Die Tannen hatte er aufgeladen. Der Lastwagen war vor einem kleinen Waldhaus parkiert.

„Und was machen wir jetzt?", fragte ich unsicher.

„Wir schauen uns um", meinte Noah bestimmt. Noah wollte gerade den Schutz der Bäume verlassen, als Yasmin ihn plötzlich an der Schulter packte und zu uns zurückzerrte.

„Da kommt jemand", warnte sie uns.

Wir waren mucksmäuschenstill und dann hörte ich tatsächlich eine Männerstimme reden. Kurz darauf trat ein kleiner Mann mit einem Telefon in der Hand aus der Waldhütte. Er trug schwarze Stiefel einen dicken Mantel und eine braune Mütze.

„Ja, ich fahre in ein paar Minuten weiter", antwortete er ins Telefon.

Ganz leise konnte ich eine andere Stimme aus dem Telefon hören. Doch ich verstand nicht, was sie sagte. Als sich der Mann auf einen der Stühle setzte, die vor der Waldhütte standen, fiel ihm etwas aus der Manteltasche. Er hob es vom Schnee auf und wollte den Reißverschluss der Tasche öffnen, doch dieser klemmte. Als ich besser hinblickte, erkannte ich, dass es ein Autoschlüssel war.

„Das ist der Autoschlüssel", erklärte ich aufgeregt.

Noah und Yasmin nickten. Seufzend legte der Mann seinen Schlüssel auf einen kleinen Tisch. Das war unsere Chance.

„Yasmin", sagte ich, „ruf deinen Bruder Robin an.

Yasmin nickte und holte ihr Handy aus ihrer Tasche. Kurz darauf legte sie wieder auf und sagte: „Er kommt."

Zu dritt schmiedeten wir einen Plan, wie wir an die Autoschlüssel kommen konnten. Robin war Yasmins älterer Bruder und das Beste an ihm war: Er besaß einen Führerschein.

Nach einigen Minuten kam Robin mit dem Fahrrad an. „Da bin ich", sagte er, „wie lautet der Plan?"

Nachdem wir ihm alles erklärt hatten, schlich ich hinter die Hütte. Ich wischte ein wenig Schnee vom Boden und griff nach einem Stein, der darunter lag. Damit zielte ich auf ein kleines Fenster der alten Hütte. Es gab ein lautes Klirren. Da hörte ich auch schon, wie der Mann in meine Richtung stampfte. Ich hoffte sehr, dass er den

Schlüssel liegen gelassen hatte. Als der Mann mich erblickte, schrie er: „Du kleine Göre!"

Sofort rannte ich ums Haus davon. Der Mann konnte mir nur mit Mühe hinterherlaufen. Seine Stiefel sanken nämlich viel tiefer in den Schnee als meine. Als ich wieder vor der Hütte stand, sah ich, dass Robin und Noah schon im Lastwagen saßen. Yasmin, die gerade einstieg, schrie: „Wir haben die Fahrräder aufgeladen und den Schlüssel haben wir auch. Steig ein!"

Ich rannte zum Lastwagen. Als ich einsteigen wollte, packte mich jemand am Bein. Ich drehte mich um und sah den Mann. Ich schrie auf. Ich wehrte mich, bis der Mann mich endlich losließ. Bevor er mich wieder packen konnte, nahm Yasmin mich am Arm und zog mich in den Lastwagen.

Wir fuhren alle zurück ins Dorf und waren froh, dass niemandem etwas passiert war. Yasmin hatte die Idee, dass wir die Tannenbäume im Dorf verteilen könnten.

Und das taten wir auch. Als der Gemeindepräsident das sah, glaubte er uns und schenkte uns einen Weihnachtspokal. „Ihr habt unsere Weihnachten gerettet", sagte er.

Es gab ein wunderschönes Weihnachten. Meine Freunde und ich werden dieses Weihnachtsabenteuer nie vergessen.

Selina Findik, 12 Jahre, aus Selzach in der Schweiz.

Stella
und die Schneekugel

Heute war der 23. Dezember – ein Sonntag. Wie jeden Tag im Dezember war ich gespannt, was heute in meinem Adventskalender sein würde. Als ich in das Säckchen, auf dem groß *23* stand, hineingriff, holte ich eine Schneekugel heraus. Sie war wunderschön: In ihr befanden sich ein Weihnachtsmann, der in seinem von Rentieren gezogenen Schlitten saß und einen dicken Sack dabei hatte, viele Weihnachtswichtel, die Geschenke einpackten, und Engel, die alles von oben betrachteten. Meine Mutter wusste einfach immer, was ich mir wünschte! Ich schüttelte die Kugel und viele kleine weiße Schneeflocken wirbelten wild herum, sodass es aussah wie ein Schneesturm.

Ich lief mit der Kugel in der Hand zurück in mein Zimmer und stellte diese auf meinen Nachtisch.

Plötzlich rief meine Mutter Sandra mir zu: „Stella, komm bitte zum Frühstück."

Also ging ich wieder in die Küche, die Schneekugel ließ ich in meinem Zimmer. Am Frühstückstisch saßen schon meine Eltern und meine neunjährige Schwester. Sie war zwei Jahre jünger als ich.

Ich nahm mir ein duftendes Brötchen und legte eine Scheibe Salami darauf. Während ich aß, wurden meine Gedanken an die Schneekugel immer stärker, sie schienen mich regelrecht zu überwältigen. Schließlich konnte ich es nicht mehr aushalten: Ich sprang von meinem Stuhl auf und rannte, so schnell ich konnte, in mein Zimmer. Sobald ich die Schneekugel sah, war alles wieder normal und ich war verwundert, was in mich gefahren war.

„Stella, ist alles in Ordnung? Warum bist du eben so schnell weggerannt?", fragte mich Sandra.

Ich wusste einfach nicht, was ich antworten sollte. „Ich wünschte, ich wäre auch ein Weihnachtswichtel, so wie die in der Schneekugel, dann hätte ich solche Probleme wie das hier nicht", murmelte ich vor mich hin und spürte, wie mir auf einmal ganz schwindelig wurde. Ich schrumpfte, ohne etwas dagegen tun zu können, bis ich nur noch zwei Zentimeter groß war, dann wurde ich in die Schneekugel hineingezogen. Ich verlor für einen Moment das Bewusstsein. Dann war alles wieder normal, anscheinend war es nur eine Vorstellung gewesen. Das dachte ich zumindest, bis ich mich umschaute: Ich sah die kleinen Weihnachtswichtel überall herumwuseln, allerdings stand ich nur ein paar Zentimeter von ihnen entfernt. Ich war tatsächlich in der Schneekugel gefangen! Nun schienen auch die Wichtel mich bemerkt zu haben, denn einer von ihnen rannte auf mich zu, er sah dabei sehr entsetzt aus, aber bestimmt nicht so entsetzt wie ich.

„Oh nein, warum hast du dich bloß in die Kugel gewünscht? Jetzt haben wir echt große Schwierigkeiten!", fluchte der Wichtel, was lustig klang, weil er eine sehr hohe Stimme hatte.

„Wie bin ich hierhergekommen und warum haben wir große Schwierigkeiten?", fragte ich.

„Du bist hier, weil du es dir gewünscht hast!", erklärte der Wichtel. Dann erzählte er mir, dass die Wichtel jedes Jahr dafür sorgen würden, dass Weihnachten schön wird.

Allerdings gab es einen Wichtel, der anders war als die anderen: die Wichtel-Hexe. Sie hasste Weihnachten und wollte allen das Fest ruinieren.

„Deshalb hast du dich von der Schneekugel auch so magisch angezogen gefühlt. Das war die Macht der Wichtel-Hexe. Und wenn du nicht in einer Stunde wieder in deiner Welt bist, musst du für immer hierbleiben und die Wichtel-Hexe wird deinen Platz in der Menschenwelt einnehmen. Sie wird allen Weihnachten verderben und keiner wird dieses Fest mehr feiern!"

Also fragte ich völlig verängstigt: „Und wie komme ich hier wieder heraus? Meine Eltern machen sich riesige Sorgen, wenn ich in einer Stunde nicht wieder da bin!"

„Immer mit der Ruhe", sagte der Wichtel gelassen. „Hier vergeht die Zeit anders als bei euch: Wenn in dieser Welt eine Stunde vergeht, vergeht bei euch Menschen nur eine Minute."

Das beruhigte mich etwas.

„Wir müssen dich zum Wunschbrunnen zu bringen", fuhr der Wichtel fort. „Dort musst du hineinrufen, was der Mensch, der dir am wichtigsten ist, sich am meisten wünscht. Dann bist du wieder zu Hause. Für viele Menschen ist das allerdings eine schwierige Frage. Außerdem befindet sich der Wunschbrunnen direkt hinter dem Gefängnis der Wichtel-Hexe."

Auch ich musste zugeben, dass ich zunächst über den größten Wunsch meiner Mutter nachdenken musste, während der Wichtel mir rot-grüne Wichtelkleidung besorgte, damit ich nicht so auffiel. Der Weg erschien mir lang und anstrengend. Obwohl wir uns nur in der Schneekugel bewegten, hatte ich das Gefühl, dass schon viel Zeit vergangen war, und befürchtete, dass ich es nicht rechtzeitig zurück schaffen würde.

Doch obwohl wir uns langsam und leise am Gefängnis der Hexe entlang schlichen, bemerkte diese uns schnell.

„Lauf zum Brunnen, sofort", rief der Wichtel mir panisch zu.

Das tat ich auch. Dabei dachte ich immer noch angestrengt über den Wunsch meiner Mutter nach. Doch die Wichtel-Hexe bog die Gitterstäbe, die vor ihrem Fenster waren, auseinander und kletterte hindurch. Anscheinend wurde sie durch ihre Wut stärker. Nun rannte sie mir hinterher, gleich würde sie mich einholen! Ich wusste noch immer nicht ganz genau, was ich in den Brunnen rufen sollte. Da erreichte ich in allerletzter Sekunde den Wunschbrunnen und schrie, was sich mein liebster Mensch, meine Mutter, wünschte: „Mit ihrer Familie Weihnachten auf ihrer Lieblingsinsel verbringen!"

Ich sah noch, wie eine Hand nach mir griff, dann wurde mir schwindelig. Sekunden später stand ich wieder in meinem Zimmer und hielt die Schneekugel in der Hand.

In dieser Nacht träumte ich von Heiligabend: Ich öffnete gerade die Tür zum Wohnzimmer, wo immer die Geschenke lagen, und erschrak: Ich sah, wie eine Gestalt dabei war, unsere Geschenke zu klauen: die Wichtel-Hexe!

Caroline Klingebiel: Ich bin fast zwölf Jahre alt und schreibe gerne Geschichten und Gedichte. Außerdem lese ich gerne Bücher (vor allem Fantasy). Deshalb stammt auch meine Kurzgeschichte aus diesem Bereich. Weitere Hobbys von mir sind Malen, Zeichen, Klavier spielen und Tennis spielen. Ich wohne in Hannover und gehe in die 7. Klasse. Mein Lieblingsfach ist Latein.

Ein Geschenk mit fünf Buchstaben

Rrrummms! Erschrocken wachte ich auf. Was war das? Und ... dann hörte ich ihn noch, bevor ich ihn sah.

„Pssst", machte er, „hab keine Angst. Ich bins."

„Aha, und wer bist du?", fragte ich.

„Ich bin jemand, der Hunger und keinen Schlafplatz hat", meinte er schlagfertig und grinste mich an.

Zumindest dachte ich das. In der Dunkelheit war es schwer zu erkennen. „Du bist verrückt! Du bist hier eingebrochen! Du, du ..." Erst jetzt realisierte ich ganz, was hier gerade passiert war, als sich der Junge auf mich stürzte und mir den Mund zuhielt. Es war nicht gerade grob, aber sanft konnte man das auch nicht nennen.

„Sei still", flüsterte er, „oder willst du das ganze Haus aufwecken?" Wütend schlug ich seine Hand weg. „Was willst du?", knurrte ich.

Erst antwortete er nicht, dann seufzte der Junge und stand auf. „Du weißt nicht, wie es ist auf der Straße zu leben." Langsam ging er zum Fenster, doch noch bevor er es erreichte, sprang ich auf und schloss es.

„Weißt du, es zieht", lächelte ich und er umarmte mich vor Freude.

„Ich darf bleiben?", vergewisserte er sich.

„Unter einer Bedingung", stellte ich klar. „Wie heißt du?"

Traurig senkte der Junge den Kopf. „Dann muss ich wohl wieder gehen", murmelte er enttäuscht.

„Okay, du musst mir deinen Namen nicht sagen, wenn du nicht willst. Wirklich", versprach ich.

„Ich würde ja gern", gestand der Junge, „aber ich habe keinen Namen."

Er tat mir echt leid. Ein Mensch ohne Namen war doch wie Weihnachten ohne Geschenke! Plötzlich bekam ich einen Einfall. Einen genialen Einfall!

„Ashley! Wach auf!", brüllte mir jemand ins Ohr. „Es ist der erste Weihnachtstag! Jetzt gibts Geschenke!" Es war mein jüngerer Bruder, der jetzt in meinem Zimmer auf und ab lief, während ich mir verschlafen die Augen rieb. „Mama, Mama", schrie er auf einmal, „in Ashleys Zimmer ist ein Junge!"

Ja, Tommi hatte meinen nächtlichen Besucher entdeckt und schlug jetzt Alarm. Mama kam angerannt und wollte wissen, was los sei.

„Ehm", stammelte ich, „das ist einer meiner Freunde. Ihr wisst schon. Ich habe ihn zu uns eingeladen. Noch gestern habe ich davon erzählt."

„Wirklich?", fragte mein Vater, der dazugekommen war.

„Ja", log ich und flitzte die Treppe herunter. „Kommt! Jetzt gehts ans Geschenkeauspacken!"

Alle nacheinander kamen sie zum Weihnachtsbaum. Tommi, Mama und Papa. Nur der Junge fehlte. „Wartet!", sagte ich zu meiner Familie. „Wenn er nicht runterkommt, komme ich eben wieder hoch", dachte ich mir und schnappte mir den kleinen Papierschnipsel, den ich in der Nacht unter den Baum gelegt hatte.

Oben angekommen, fand ich den Jungen auf meinem Bett sitzend vor. Als er mich sah, lächelte er und ich setzte mich zu ihm. Erst jetzt kam ich dazu, ihn genauer zu betrachten. Er war groß und hatte kräftige Wangenknochen. Dunkle, zottelige Haare fielen ihm ins Gesicht und seine eisblauen Augen funkelten schelmisch.

„Hier", murmelte ich, „dein Weihnachtsgeschenk." Ich reichte ihm den Zettel.

„David", las er laut vor und das erste Mal sah ich einen Jungen weinen. „Du schenkst mir einen Namen?"

„Nein", erwiderte ich, „nicht *einen* Namen, sondern *deinen* Namen."

Dominika Hovancová, 12 Jahre, aus Sondershausen.

Der Weihnachtsengel

Es ist Weihnachten. Die Straßen werden mit Lichterketten und Adventskränzen geschmückt, während ein riesiger Weihnachtsbaum in der Mitte des kleinen Dorfes die Blicke der Bewohner auf sich zieht. Die Kinder freuen sich schon auf die vielen Geschenke, die sie heute Abend bekommen werden.

Missmutig sitzt Emil vor seinem Zimmerfenster und sieht zu, wie die Leute vor dem großen Tannenbaum auf dem Marktplatz fröhlich Lieder singen. Emil ist kein besonders nettes Kind. Er war nie besonders artig und war gemein zu den anderen. Jedes Jahr ärgerte er sich darüber, dass er keine Geschenke unter dem Weihnachtsbaum im Wohnzimmer entdecken konnte.

Doch dieses Jahr ist er der festen Überzeugung, dass er heute Abend, wenn er ins Wohnzimmer kommt, viele Geschenke vorfinden wird. Immerhin hatte er seiner Mutter dieses Jahr oft beim Aufräumen und Putzen geholfen. Das dürfte doch wenigstens für eine Ritterburg oder einen großen Kuschelbären reichen. Emil wartet die Stunden ab, während er weiterhin aus dem Fenster starrt.

Schließlich ist es so weit.

Der köstliche Duft von leckerem Braten erfüllt die Luft. Aufgeregt und fest entschlossen rennt Emil die Treppe hinunter und sieht, dass etwas unter dem Weihnachtsbaum liegt – ein einziges, klitzekleines Geschenk.

Etwas enttäuscht geht er auf das kleine Paket zu. Es ist in einfaches rotes Geschenkpapier eingewickelt und mit einer schlichten gelben Schleife zugebunden. Emil öffnet das Päckchen und plötzlich fliegt eine weiß-graue, durchsichtige Gestalt auf die Zimmerdecke zu. Er erschreckt sich so sehr, dass er hinfällt.

Die Gestalt sieht aus wie ein Geist ... wie ein Engel! Der Engel trägt ein langes Kleid und hat langes, zerzaustes, blondes Haar.

Langsam fliegt er zu Emil und setzt sich neben ihn auf den rotgrün gestreiften Teppich.

„Was schaust du so erschrocken drein?", fragt der Engel.

„Ich bin nur noch nie jemandem wie dir begegnet ...", stammelt Emil.

„Die anderen Engel haben mir viel von dir erzählt. Sie meinen, du seist nicht besonders brav."

„Bin ich auch nicht! Aber warum sollte ich auch brav sein? Ich bekomme doch sowieso nie Geschenke."

„Das kannst du aber ändern", sagt der Engel weise.

„Wie denn?", fragt Emil erstaunt, als ob er diesen Satz noch nie in seinem Leben gehört hätte.

„Sieh dir die anderen Kinder an", sagt der Engel, während er zum Fenster fliegt, „wie lustig und froh sie miteinander spielen und singen und toben!"

„Ich werde nie so sein", sagt Emil betrübt.

„Warum denkst du so?", fragt der Engel überrascht.

„Hmm ... Das weiß ich selbst nicht so genau ... Ich bin es eben gewohnt, so zu sein. Ich weiß aber nicht, wie ich es ändern kann."

„Dann komm mit. Ich helfe dir dabei."

Und noch bevor Emil etwas sagen kann, zieht der Engel ihn in den Flur, durch die Tür nach draußen und zum riesigen Weihnachtsbaum, wo die anderen Kinder gemeinsam spielen.

„Magst du dich nicht dazu gesellen?", fragt der Engel, nachdem Emil eine Weile dagestanden hat, ohne etwas zu sagen.

„Ja, ich ... Ich denke schon", antwortet Emil nach einiger Zeit.

„Na, dann. Worauf wartest du?" Der Engel gibt Emil einen kleinen Schubs, sodass der Junge von einem Schneeball getroffen wird, den ein anderes Kind geworfen hat.

Schon nach kurzer Zeit ist Emil so sehr in die Schneeballschlacht vertieft, dass er die Geschenke und das ganze Weihnachtsfest vergisst, aber dafür eine ganze Menge Spaß hat.

Es fühlte sich an, als wären viele Stunden vergangen, als Emil heimkommt. Er friert auch gar nicht mehr, weil ihm durch die Schneeballschlacht sehr warm geworden ist.

Vor der Haustür wartet der Engel schon auf ihn. „Hattest du Spaß?", fragt er.

„Eine ganze Menge!", antwortet Emil völlig außer Atem. „Ich weiß jetzt, dass es an Weihnachten nicht nur um die Geschenke geht, sondern darum, Zeit mit seiner Familie und seinen Freunden zu verbringen und mit ihnen Spaß zu haben! Und immer frech zu sein, ist auch anstrengend."

„Nun, ich denke, du hast etwas aus diesem Abend gelernt", sagt der Engel schließlich. „Meine Arbeit ist getan und es gibt ein weiteres Kind auf dieser Welt, das den wahren Sinn des Weihnachtsfestes erkannt hat."

Emil begleitet den Engel ins Wohnzimmer und merkt, dass dieser auch ein Freund von ihm geworden ist. „Danke", sagt Emil.

„Sehr gerne." Der Engel nickt ihm zur Verabschiedung zu und verschwindet blitzschnell wieder in der kleinen Box, welche kurz darauf wie vorher aussieht.

Emil öffnet das Geschenk erneut – und zieht einen Anhänger mit einem Engel daran hervor. Der Engel am Anhänger sieht genauso aus wie der, der Emil so viel Freude gemacht hat.

„Emil!", ertönt plötzlich die Stimme seiner Mutter aus der Küche. „Das Essen ist fertig!"

„Schau mal, was ich zu Weihnachten bekommen habe, Mutter!", ruft er, während er in die Küche gerannt kommt.

Wenig später sitzen alle am Esstisch und beten.

Als das Essen beginnt, wirkt alles plötzlich viel harmonischer und gemütlicher. Emil fühlt sich sehr wohl. Er ist von denen umgeben, die er am meisten liebt – und das reicht ihm.

Alyssa Sophie Kvade: Ich bin 10 Jahre jung und komme aus dem schönen Paderborner Land. Ich lese und schreibe wahnsinnig gerne und interessiere mich auch sehr für die englische Sprache. Ich habe angefangen, Keyboard zu spielen. Ebenso singe ich sehr gerne – meistens für mich.

Wer ist Weihnachten?

In einem weit entfernten Land namens Kinoki, das bestimmt noch kein Mensch je gesehen und betreten hat, lebte ein kleines Braunbärmädchen, das hieß Bruni. Bruni war eine aufgeregte und witzige kleine Bärin, die immer alles erforschen wollte.

Eines Tages sagte ihre Mama zu ihr: „Bruni, mein Mädchen, dein Papa und ich wollen das ferne Menschenland besuchen gehen!" Bruni strahlte vor Freude. „Darf ich mit? Oh, ich bin ja so aufgeregt, bitte sag, Mama, darf ich mit?"

Ihre Mama schaute Bruni mit großen Augen an und schüttelte langsam den Kopf. „Bruni, du bist erst zwei, noch viel zu klein, um ins Menschenland zu reisen. Da gibt es so viele Gefahren und die Menschen sind nicht immer nett zu uns."

„Aber, Mama, ... bitte!", schniefte das kleine Bärenmädchen. Doch Brunis Mama blieb bei ihrer Entscheidung.

Ein paar Tage später war es so weit. Mamabär und Papabär verabschiedeten sich von ihrer kleinen Bruni. Doch Bruni dachte gar nicht daran, die beiden ohne sich gehen zu lassen. Ihr müsst wissen, in Kinoki können sich die Bären in Stoffbären verwandeln. Dies tat auch Bruni und schlich sich dann heimlich in Mamabärs Tasche. Zum Glück bemerkte Mamabär dies nicht.

Dann ging es los. Sie wanderten lange, sehr lange. Bruni schaute heimlich aus ihrem Versteck heraus und dachte sich: „Alles weiß, so wunderschön! Wie sich das wohl anfühlt? Und ob das Weiße hier Schnee ist? Das wär so toll! Aber ich kann es ja leider nicht berühren, sonst bemerken mich meine Eltern, schade." Dann schlief die kleine Bärin ein.

Als sie wieder aufwachte, war ihr es ganz kalt. „Wo ... wo bin ich denn?" Bruni schaute sich verdutzt um. Sie lag im Schnee und weit und breit kein Papabär und kein Mamabär in Sicht.

„...Weihnachten! Wann ist Weihnachten? Bald?"

Bruni schaute sich um und sah ein kleines Mädchen und seine

Familie, wie sie auf Bruni zukamen. Bruni verwandelte sich schnell in einen Stoffbären. „Mama, schau mal! Ein Stoffteddy liegt hier, darf ich den mitnehmen? Dem ist es bestimmt ganz kalt!", sagte das Mädchen aufgeregt zu seiner Mama.

„Ja, mein Schatz, nimm ihn nur mit, Mia."

„Oh danke, Mama!", jubelte Mia und hob Bruni auf. „Das ist das beste Weihnachtsgeschenk!"

Bruni fragte sich immer wieder, was oder wer Weihnachten wohl war.

„Haaaaatschi", machte Bruni.

Mia schaute sich verdutzt um. „Was war das denn?", fragte sie sich.

„Pssssst ...", machte Bruni. „Das war ich. Ich bin Bruni aus Kinoki, ein fernes Bärenland." Inzwischen waren sie bei Mia zu Hause angekommen. Schön warm war es hier und es roch so gut nach etwas, das Bruni nicht einordnen konnte.

„Hallo, Bruni, ich bin Mia Langenfels und wohne hier, Birkenstraße 7 in Steinbach. Ich bringe dich jetzt in mein Zimmer, dort musst du mir dann alles ganz genau erklären."

Gesagt, getan.

Mia trug Bruni in ihrem Rucksack nach oben in ihr Kinderzimmer. Sie legte ihn auf ihr großes Bett. „Dann erzähl mal", sagte Mia fröhlich.

„Wir Bären aus Kinoki können uns in Stoffbären verwandeln, damit wir von den Menschen nicht gejagt werden und uns alles ganz genau ansehen können. Jeder aus Kinoki hat eine eigene superduper Eigenschaft. Ich zum Beispiel möchte immer alles erforschen und ausprobieren."

„Und warum bist du mitten auf unserem Spazierweg gelegen?", wollte Mia wissen.

„Na ja ...", murmelte Bruni etwas verlegen. „Meine Eltern wollten das ferne und gefährliche Menschenland besuchen und ich wollte mit, durfte aber nicht. Also bin ich in Mamabärs Tasche geschlüpft, muss aber irgendwie rausgefallen sein. Und dann hast du mich ja zum Glück gefunden", erzählte Bruni.

Mia hörte der Bärin gespannt zu und unterbrach sie kein einziges Mal. „Und ich hab dich dann gefunden", wiederholte Mia schließlich.

Sie plauderten noch ein bisschen weiter, erzählten sich ihr Alter, Bruni war zwei, Mia sechs Jahre alt. Nach einer Weile fragte Mia Bruni, ob sie denn Hunger habe.

„Und wie!", bestätigte Bruni schnell.

„Wir haben Weihnachtskekse und leckere Marzipankugeln da, die bring ich dir", meinte Mia.

Und das Bärenmädchen fragte sich erneut, wer, wann oder was Weihnachten denn sei. Als Mia wieder nach oben in ihr Zimmer kam, fasste Bruni sich ein Herz und traute sich, zu fragen: „Mia, wann ist Weihnachten?"

„Morgen!", jubelte Mia. „Und da gibt es Geschenke und leckere Plätzchen und vieles mehr!", berichtete Mia freudestrahlend.

Doch Bruni verstand das nicht. Warum gab es wegen Weihnachten bloß so viele tolle Sachen?

In dieser Nacht schlief Bruni tief und fest in Mias kuscheligem und warmem Bett. Sie wachte erst von lauten Rufen auf. „Heute ist Weihnachten! Heute ist Weihnachten!", hörte sie eine Mädchenstimme rufen. Klar, sie war ja bei Mia – und auch klar, heute musste Weihnachten kommen.

Einige Zeit später, als Mia und Bruni schon viel zusammen gespielt hatten, sagte Mia: „Bruni, hör mir gut zu. Meine Mama, mein Papa, mein großer Bruder Aaron und ich gehen nachher in die Kirche. Du bleibst solange einfach in meinem Zimmer, okay?"

„Jaaa", antwortete Bruni. Doch sie dachte nicht daran, in Mias Zimmer zu bleiben.

Als Familie Langenfels in die Kirche gegangen war, schlich sich die junge Bärin heimlich aus Mias Zimmer. Es roch so köstlich nach diesem einen Ding – wie gestern, als sie hier angekommen war. „Ob es wohl wegen Weihnachten so gut riecht?", fragte Bruni sich. Überall in dem großen Haus roch es so und überall war es wunderschön dekoriert. Aber was hatte ein Tannenbaum mitten im Haus zu suchen, an dem runde Bälle hingen? Waren Bälle nicht zum Spielen da? „Ich fass das ballartige Ding lieber nicht an", murmelte das Bärenkind vor sich hin. Bruni beschloss, Mia später zu fragen, was die runden Dinger waren.

Auf einmal hörte Bruni ein seltsames Geräusch und versteckte sich schnell hinter dem Tannenbaum. Doch sie musste wieder niesen und ... zu spät, Mias Mama hatte sie entdeckt.

„Wer bist du denn?"

„Ich bin Bruni, eine Bärin", antwortete sie. „Darf ich dich was fragen?"

„Klar!", sagte Mias Mama.

„Was oder wer ist Weihnachten?"

„Weihnachten ist ein tolles Fest, das jedes Jahr im Dezember gefeiert wird. Dort feiert man nämlich Jesus Geburt!"

„Ah, okay", antwortete Bruni.

„Möchtest du mitfeiern?", fragte Mias Mama. „Und nach Weihnachten bringen wir dich nach Kinoki zurück."

„So gern! Frohe Weihnachten!"

Marie-Lena Hofmann, 15 Jahre, aus Mietingen in Deutschland.

Weihnachten im Rollstuhl

Es war einmal ein Mädchen, es hieß Luisa. Sie hatte mit fünf Jahren einen Unfall gehabt und konnte seitdem nicht mehr laufen. Deswegen musste Luisa im Rollstuhl sitzen. Sie hasste es, nicht laufen zu können. Außerdem hatte sie eine große Schwester, die Lisa hieß. Ihr kleiner Bruder Kalle hatte nur Computer und Fußball im Kopf. Ihre Eltern waren allerdings sehr bemüht um ihre Kinder.

Als Luisa gerade Hausaufgaben machte, rief ihre Mutter vom Wohnzimmer aus: „Luisa! Ich habe eine super Nachricht."

Luisa kam aus dem Kinderzimmer zu ihrer Mutter gedüst. „Was ist das denn für eine super Nachricht?", wollte sie wissen.

„Du kriegst einen neuen Rollstuhl", antwortete ihre Mutter feierlich.

„Nein!", rief Luisa. „Das geht nicht! Wenn ich schon nicht laufen kann, dann möchte ich wenigstens in diesem Rollstuhl bleiben."

„Doch", unterbrach ihre Mutter sie. „Du brauchst den neuen Rollstuhl, er kann auch über Schnee fahren. Es ist das Beste für dich. Es ist Winter, wie willst sonst über den Schnee kommen?" Sie klang so energisch, dass Luisa nichts einwenden konnte. So war es beschlossen.

Am 23. Dezember, also kurz vor Weihnachten, bekam sie den neuen Rollstuhl. Als sie nach Hause kam, wurde sie von ihrer Schwester lautstark begrüßt. „Na, Luisa, wie ist der neue Rollstuhl?"

„Blöd!", schnauzte Luisa.

„Na ja, ich werde heute auf dich aufpassen", meinte Lisa. „Gehe am besten erst mal in dein Zimmer und packe deine Geschenke ein."

Luisa verzog sich, ohne zu murren. Sie packte gerade das erste Geschenk ein, als sie eine Stimme hörte.

„Hallo!"

Luisa zuckte zusammen. „Wer ist da?"

„Ich bin Rolli, dein neuer Rollstuhl", antwortete die Stimme.

Da sah es Luisa, ihr Rolli sprach. „Hallo Rolli", stammelte sie. „Tagchen, nicht wundern, aber ich bin ein Zauberrollstuhl. Du kannst mir Fragen stellen, die ich dir beantworte, oder ich sehe, wer Hilfe braucht, dann müssen wir dahin und helfen", plapperte Rolli drauflos. „Zum Beispiel haben wir jetzt unseren ersten Fall. Der Weihnachtsmann braucht dringend unsere Hilfe. Du musst dich nur an mir festhalten, dann geht's los. Schließe deine Augen und wir sind da."

Luisa folgte der Anweisung und schloss ihre Augen. Als sie ihre Augen wieder aufmachte, sah sie vor sich – zu ihrer großen Überraschung – tatsächlich den Weihnachtsmann.

„Hallo, Luisa, ich habe schon gehofft, dass du mit Rolli kommst", freute sich der Weihnachtsmann. Er hustete laut. „Luisa, ich brauche dringend deine Hilfe! Ich habe so eine schlimme Erkältung, dass ich den Kindern ihre Geschenke nicht bringen kann. Außerdem hat sich ein Rentier den Fuß verknackst. Ich habe ein neues Rentier, das bei einer Proberunde dem Rentier vor sich in den Po gelaufen ist. Das hat sich so erschreckt, dass es gegen einen Stern lief und sich dabei den Fuß verknackste. Und dann haben sich auch noch ein paar Wichtel bei mir angesteckt, die jetzt krank in ihren Wichtelbetten liegen. Die übrigen Wichtel kommen nun nicht mehr hinterher mit dem Geschenkebauen und Einpacken."

Luisa wollte so gerne helfen, aber es ging nicht. „Es wird langsam Nacht, meine Eltern machen sich Sorgen", meinte sie.

Da lachte der Weihnachtsmann hustend. „Deine Eltern werden nichts mitkriegen, morgen früh wirst du spätestens zurück sein, wenn du uns helfen möchtest. Im Weihnachtsland verläuft die Zeit viel langsamer als auf der Erde."

„Natürlich will ich helfen", rief Luisa. „Und ich habe auch schon einen Plan."

Rolli zauberte sich Arme und half beim Bauen der Geschenke und dem Einpacken und Luisa lieh sich von den Rentieren Sternenstaub, sodass sie fliegen konnte und den Rollstuhl erst einmal nicht brauchte. Sie pflegte die Wichtel, die Rentiere und den Weihnachtsmann, damit sie bis Weihnachten wieder gesund waren. Die Winterfeen luden mit ihren Zauberstäben die Geschenke auf den Weihnachtsschlitten. Um ein Uhr nachts zum 24. Dezember waren sie mit allem fertig. Die Rentiere, der Weihnachtsmann und die

Wichtel waren wieder gesund. Die Geschenke waren fertig und auf dem Weihnachtsschlitten verstaut. Luisa und Rolli verabschiedeten sich vom ganzen Weihnachtsland und Luisa schloss ihre Augen. Spät am nächsten Tag wachte sie aus einem tiefen Schlaf auf. Sie fragte sich, ob sie das Ganze nur geträumt hatte. Da sah sie in ihrer Hand ein kleines Döschen. Daran war ein Zettel befestigt, auf dem stand:

Für Luisa und Rolli, Sternenstaub, damit ihr uns immer besuchen könnt.

Da war ihr klar, dass sie nicht geträumt hatte, und sie freute sich, dass sie immer ins Weihnachtsland kommen konnte, um ihre neuen Freunde zu besuchen. Als sie von ihrer Mutter in den Rollstuhl gesetzt wurde, fiel ihr entsetzt ein, dass sie ihre Geschenke ja noch gar nicht eingepackt hatte.

Rolli flüsterte: „Mach' mal die Schublade auf!"

Sie öffnete sie und sah, dass alle Geschenke eingepackt worden waren. Das mussten die Wichtel gewesen sein.

Rolli lächelte und sagte: „Nun nimm' die Geschenke, dann fahren wir ins Wohnzimmer! Da kannst du sie unter den Tannenbaum legen. Gleich ist Heiligabend."

Und das taten sie dann auch. Die ganze Familie sang fröhliche Weihnachtslieder und Luisa dachte, dass es doch eigentlich ganz schön war, so einen Freund zu haben, und es nicht so schlimm war, im Rollstuhl zu sitzen.

Mia Golawski: Ich bin 10 Jahre alt und gehe seit ein paar Tagen auf ein Gymnasium. Ich habe eine kleine Schwester, sie ist sechs Jahre alt. Mit meinen Eltern und meiner Schwester wohne ich in einem kleinen Örtchen am Meer. Ich habe einen Gendefekt, der sich 14 Monate nach meiner Geburt bemerkbar gemacht hat. Seitdem sitze ich in einem Rollstuhl und kann nicht mehr stehen und laufen. Es ist manchmal etwas blöd, hat aber auch Vorteile. Mit meiner Geschichte möchte ich Mut machen, es ist zwar nicht alles immer einfach, aber wenn man die Situation akzeptiert, ist es überhaupt nicht schlimm. Ich schreibe gerne und viele Geschichten.

Advent, Advent ...

Lissy wohnte mit ihren Eltern in der Stadt. Das zehnjährige Mädchen hatte einen Hund namens Schoko. Schoko war ein kleiner, aber süßer Papillon. „Juhu, morgen ist der erste Advent!", jubelte Lissy. Sie freute sich schon sehr auf Weihnachten.

Ihr Vater fragte: „Lissy, ich geh jetzt mit Schoko raus. Möchtest du mitkommen?"

„Na klar!", antwortete sie schnell. „Ich komme gleich, muss mich nur noch anziehen."

Als Lissy und ihr Vater mit Schoko zurückkamen, war es schon sehr spät. Das Mädchen musste direkt ins Bett gehen.

Am nächsten Morgen, als sie aufwachte, schoss ihr ein Gedanke durch den Kopf. Sie musste unbedingt nach unten gehen und das erste Säckchen öffnen. Lissy suchte die Nummer 1, öffnete den Beutel und zog etwas heraus. Es war... ein Zauberwürfel.

„Jaaaa!" Sie stieß einen Freudenschrei aus. Den hatte sie sich schon lange gewünscht. Danach suchte sie Schoko. Doch wo war er? „Schoko, wo bist du?", rief Lissy verzweifelt.

Schnell lief die Zehnjährige nach oben in das Schlafzimmer, wo ihre Eltern im Bett lagen. „Mama, Papa, Schoko ist weg!", rief sie außer Atem.

Ihre Mutter gähnte ausgiebig. „Uaaaa!"

„Mama, er ist verschwunden!", wiederholte das Mädchen.

Lissys Vater richtete sich auf: „Okay, wir suchen Schoko."

Da hatte Lissy eine Idee: „Wir sind jetzt Detektive und haben einen neuen Fall, nämlich Schoko suchen und auch finden."

„Von mir aus", sagte ihre Mutter. Auch Lissys Vater war einverstanden.

„Los, steht schon auf! Wir müssen an die Arbeit", forderte Lissy ihre Eltern auf.

Danach schmiedete sie einen Plan. Er lautete:
1. Schoko überall suchen.

2. Ihn mit Leckerchen locken.

3. Warten.

Viel mehr war ihr nicht eingefallen. Damit ging das Mädchen nach oben, wo ihre Eltern jetzt fertig angezogen standen. „Also als Detektive brauchen wir auch Geheimnamen", erklärte sie. „Ich heiße Lotte und wie heißt ihr?"

Die Mutter musste nicht lange überlegen: „Mein Name lautet Michelle!"

Lissys, äh ... Lottes Vater tat sich schwer. Er konnte sich nicht entscheiden. Lotte versuchte, ihrem Vater zu helfen: „Wie wäre es mit Julian oder ..." Sie wurde unterbrochen.

Der Vater hatte sich entschieden: „Nein, ich heiße Jeff."

„Gut, dass das jetzt geklärt ist", meinte Michelle.

Lotte stellte ihren Plan vor. „Ich werde mit Michelle Schoko suchen. Du, Jeff, nimmst dir Leckerchen und verstreust sie. Danach treffen wir uns wieder hier", verteilte das Mädchen die Aufgaben.

Jeff trottete nach unten zu der Futterkiste von Schoko. Lotte und Michelle teilten sich auf. Die Mutter suchte im Haus. Die Zehnjährige nahm sich den Garten vor. Was nicht gerade leicht war, denn er war riesig. Sie guckte in den Büschen, im Gartenhaus, unterm Trampolin und in der Garage, doch sie fand nichts außer altem Krempel.

Bei ihrer Mutter sah es auch nicht besser aus. Im Haus war keine einzige Spur. Langsam versammelten sich die drei. Es war schon 11 Uhr. Michelle guckte auf ihre Armbanduhr. „Oh nein, schon so spät. Vor lauter Detektiv spielen und suchen haben wir vergessen, zu frühstücken. Man, habe ich einen Hunger!", sagte sie.

Die Detektive deckten den Tisch und saßen nach ein paar Minuten auf dem Stuhl und aßen.

„Was sollen wir jetzt tun?", schmatzte Lotte.

„Wir essen jetzt erst mal vernünftig. Übrigens: Mit vollem Mund spricht man nicht", belehrte die Mutter.

„Wir könnten eine Vermisstenanzeige machen", schlug Jeff vor.

„Oh ja!", stimmte Lotte zu. „Lasst uns nach dem Frühstück", betonte sie, „einen Aushang machen." Das Mädchen hatte einen neuen Plan: „Papa, du druckst ein Foto von Schoko aus. Ich schreibe die Anzeige und Mama druckt sie 30 Mal aus."

Alle erledigten ihre Aufgaben. Nach zehn Minuten waren die Vermisstenanzeigen fertig.

„Jetzt teilen wir uns auf. Jeder nimmt sich zehn Blätter und geht damit seine Straße entlang. Immer in zehn Metern Abstand einen Zettel an die Wand pinnen", schickte sie die Eltern los. Sie selbst machte sich auch auf den Weg.

Als sie fertig waren, sammelten sich die drei wieder im Haus. „Und jetzt müssen wir abwarten", sagte Lotte.

Es dauerte und dauerte und dauerte und dauerte und dauerte. Doch dann klingelte das Telefon. Michelle nahm den Hörer ab: „Hallo, Michelle ... ich meine Marion Wender hier. Wer ist da?"

„Hallo, mein Name ist Lenny Hocker. Ich wollte wegen des Hundes Bescheid sagen. Vielleicht habe ich ihn gesehen", sagte ein Junge am anderen Ende.

Lotte, die mitgehört hatte, fragte aufgeregt: „Wo? Wo hast du Schoko, also den Hund, gesehen?"

„Das war im Park. Ich habe den Zettel gesehen und dann den Hund entdeckt", antwortete Lenny.

Die Mutter sagte: „Danke!", und legte auf.

„Wir müssen unbedingt in den Park!", platzte es aus Lotte heraus. Die drei machten sich mit dem Fahrrad auf in den Park. Jeff und Michelle kamen der Zehnjährigen kaum hinterher.

„Warte doch mal Lotte!", rief Jeff angestrengt. „Wir kommen nicht so schnell voran wie du." Als sie da waren, stiegen sie ab, stellten die Fahrräder hin und suchten Schoko.

Michelle fragte sich: „Wie soll unser Schoko denn in den Park gekommen sein? Wie kann er überhaupt weg sein? Und wer hat Schoko ins Bett gebracht?"

„Ich war dran", antwortete Jeff ein bisschen ängstlich.

„Hast du die Leine angelegt und hast du die Hundeklappe verschlossen?", fragte die Mutter aufgeregt.

„Ich glaube nicht", sagte er schuldbewusst.

„Oh, nein!", sagte Lotte – die Hände auf den Kopf schlagend. „Dann kann er sonst wo sein und wir finden ihn nie."

„Lass den Kopf nicht hängen!", forderte Michelle das Mädchen auf.

Der Vater entschuldigte sich: „Es tut mir soo leid. Ich wollte das doch nicht. Lissy, bitte verzeih mir!"

„Nicht so schlimm", sagte sie mit einer sanften Stimme, doch man merkte, dass sie eigentlich sehr verzweifelt war.

„Wir geben nicht auf!", mischte sich die Mutter ein.

Jeff sagte: „Hand drauf." Alle Hände patschten auf die von Jeff.

„Kommt, wir gehen nach Hause! Es ist Abend, sonst verpassen wir noch die Fernsehshow", sagte Jeff.

„Du immer mit deinem Fernsehen", bemerkte Michelle. Die drei fuhren nach Hause, ohne eine Spur von Schoko gefunden zu haben. Sie guckten das Programm und gingen dann ins Bett.

Am nächsten Morgen stand Lissy schon früh auf. Sie öffnete ihren Adventskalender, doch freuen konnte sie sich nicht. Das Mädchen vermisste seinen Hund sehr. Lottes Augen fingen an zu tränen. Die Zehnjährige lief wieder in ihr Zimmer, krabbelte in das Bett und vergrub ihren Kopf in das Kopfkissen.

Die Mutter klopfte an die Tür: „Klopf, klopf. Darf ich reinkommen, Lissy?", fragte sie.

Lissy antwortete nicht, sie fand es unangenehm, vor anderen zu weinen. Doch sie gab sich einen Ruck, denn es war ja ihre Mutter. „Ja", sagte sie etwas leise.

Ihre Mutter kam herein und stellte sich an ihr Bett: „Lissy, weinst du? Was ist los? Bist du traurig wegen Schoko?"

„Ja", antwortete das Mädchen.

Michelle, die eigentlich Marion hieß, meinte: „Ich versuche alles, um Schoko zu finden. Aber das ist nicht so leicht. Sei bitte nicht enttäuscht, wenn wir es nicht schaffen."

„Mama, und was machen wir jetzt?", sagte Lissy betrübt.

Die Mutter antwortete: „Anziehen, frühstücken und dann sehen wir weiter."

Auch Jakob, der Vater von Lissy, war schon fertig. Er deckte bereits den Tisch. Als die Zehnjährige runterkam, fragte er neugierig: „Was war denn heute in deinem Adventskalender?"

„Ein Schokoweihnachtsmann", antwortete sie mit Freude wegen der Nachfrage.

„Singen wir doch ein Weihnachtslied. Wie wäre es mit *We wish you a Merry Christmas*?", schlug Jakob vor.

Alle sangen das Lied im Chor. Marion freute sich, dass Lissy beim Singen Freude hatte und nicht an Schoko dachte, doch das änderte sich schnell. Sie aßen Frühstück. Die Mutter sagte besorgt: „Ach, Lissy, iss doch bitte was!"

„Ich habe keinen Hunger", meinte das Mädchen.

Der Vater schlug vor: „Lasst uns doch zur Polizei gehen. Die können uns bestimmt helfen."

„Gute Idee!", stimmte Lissys Mutter zu, in der Hoffnung, die Zehnjährige ein klein wenig aufheitern zu können, doch das klappte nicht.

„Von mir aus", stöhnte sie nur.

Der Vater sagte: „Aber diesmal fahren wir mit dem Auto!"

„Papa, das ist Umweltverschmutzung."

„Warum muss ich, genau ich immer nachgeben? Das ist unfair!", sagte er wieder ganz in seinem Temperament.

„So ist das nun mal", meinte Marion.

Sie fuhren also mit dem Fahrrad zur Polizei. Dort war nicht allzu viel los. Die drei betraten das Gebäude. „Hallo!", sagte ein Polizist und ging weiter.

Lotte bemerkte: „Schön sieht es hier nicht aus." Da hatte sie recht.

„Hallo, entschuldigen Sie, dass Sie so lange warten mussten. Jetzt bin ich für sie da. Mein Name ist Frau Spichtel. Was wollen Sie?", fragte eine Polizistin.

„Wir wollen eine Anzeige erstatten", versuchte der Vater, zu erklären.

Die Polizistin meinte: „Kommt, wir gehen in mein Arbeitszimmer." Damit winkte sie ihnen zu, um ihnen dann zu sagen: „Hier entlang."

Ihr Zimmer war nicht sehr groß, aber gemütlich. Die Frau deutete auf zwei Stühle und einen Sessel.

„Darf ich auf den Sessel?", fragte Lotte ein bisschen schüchtern.

Die Polizistin meinte nur: „Na klar, warum nicht?"

Das Mädchen setzte sich. Der Sessel war sehr weich, er federte.

„Juhu!", kreischte sie, als sie einmal in die Höhe hüpfte und dann wieder im Sessel landete.

„Lissy oder auch Lotte. Was soll das?", sagte die Mutter streng. Jetzt war die Zehnjährige mucksmäuschenstill.

„Wie gesagt, wir wollen eine Anzeige erstatten. Unser Hund ist weg. Wir haben ihn schon überall gesucht. Er ist verschwunden", berichtete Jakob weiter.

„Ok, bitte füllen Sie dieses Formular aus", erklärte Frau Spichtel ihm.

Der Vater hielt bald darauf der Dame den Zettel unter die Nase: „Hier, bitteschön!"

„Auf Wiedersehen!", verabschiedete sich die Polizistin.

Die Familie sagte im Chor: „Tschüss!"

Nun gingen sie – oder besser gesagt – fuhren sie mit dem Fahrrad nach Hause. Dort angekommen, fiel Lotte etwas ein „Oh nein, ich muss doch noch Geschenke basteln. Hoffentlich kriegt Schoko mein Geschenk." Sie schrieb sich eine Liste mit Sachen, die sie verschenken wollte.

Eine Woche lang passierte nichts. Lissy hatte schon fast alle Geschenke fertig. Bei dem Geschenk für Schoko hatte sie sich besonders angestrengt.

Es war der Morgen des 2. Advent. Das Mädchen öffnete wie jeden Tag ihren Adventskalender. Darin waren Handschuhe. „Öde, könnten die sich nichts Besseres ausdenken?", sagte die Zehnjährige ein wenig enttäuscht. Sie wartete noch immer auf die Rückmeldung der Polizei. Ihr Blick fiel auf den Kalender, dort stand für den 9. Dezember, der heute war, ein Arzttermin drauf – und das nicht für ihre Mutter, sondern für sie.

„Sag bloß, ich muss zum Arzt!" Mit diesen Worten sprach sie nicht ihre Mutter an, denn die lag immer noch im Bett, doch das war jetzt völlig egal. Lissy stürmte nach oben, riss die Tür auf und schrie: „Könntet ihr mir nicht vorher Bescheid sagen, wenn ich zum Arzt muss?"

„Das habe ich total vergessen", versuchte Jeff, sich herauszureden.

Sie gingen um halb zehn zum Arzt. Da begrüßte sie eine junge Frau: „Hallo, wie heißt du denn?"

Lissy antwortete: „Lissy Wender."

„Was ist das denn? Du stehst gar nicht im Computer", wunderte sich die Frau.

Sie fragte ihre Kollegin, doch die sagte: „Das muss ein Missverständnis sein. Sie können nach Hause."

„Jaaa!", entrutschte es Lissy.

Noch eine Woche verging. Es war der 16. Dezember. Die Familie hatte schon längst gefrühstückt. Kein Wunder um ein Uhr. Das Telefon klingelte. Der Vater nahm den Hörer ab und schaltete den Lautsprecher ein: „Hallo, meine Name ist Jeff Wender. Wer ist da?"

„Jeff kenne ich nicht, ich kenne nur einen Jakob. Hier spricht dein Nachbar. Ich wollte euch etwas mitteilen. Wie ihr ja wisst, sind meine Frau und ich in der Nacht vom 30.11. auf den 1.12. in den Urlaub gefahren. Dabei ist uns nicht aufgefallen, dass wir euren lieben Schoko mitgenommen haben. Er liegt gerade ganz gesund in der Ecke unseres Hotelzimmers", sagte der nette Nachbar.

„Wirklich, Schoko ist bei euch?", platzte es vor Freude aus Lissy heraus.

Der Mann sagte: „Ja, Schoko ist bei uns." Jeff legte auf.

„Das ist ja super!", trompetete Lissy.

Die Mutter sagte: „Lissy, vergiss nicht, wo unsere Nachbarn in Urlaub sind. Wir können doch nicht einfach nach Spanien fahren."

„Warum nicht?", fragte das Mädchen.

„Genau, warum nicht?", wiederholte der Vater die Frage von Lotte.

So einfach, wie die zwei es sich wünschten, konnte man Marion aber nicht überreden. Die Zehnjährige machte nun das unwiderstehlichste Gesicht, das sie machen konnte. Die Mutter musste zwar wegschauen, aber das half nicht. „Och bitte", versuchten sie es die ganze Zeit.

Marion setzte an, zu reden, alle waren gespannt. „Na gut", sagte sie langsam.

„Jaaaaaaaaa!", schrie Lotte, so laut sie konnte.

„Aber erst morgen", verkündete Lissys Mutter.

Am nächsten Morgen öffnete Lissy das 17. Säckchen, es war ein schönes Bild von Schoko. „Toll!", staunte sie.

„Komm, Lissy, wir wollen fahren!", rief ihre Mutter ihr zu.

Die Zehnjährige steckte das Foto ein und sagte: „Komme ja schon." Sie saßen im Auto und hörten Musik.

Endlich waren sie da. Sie stiegen aus. Jetzt standen die drei vor dem Hotel, das der Nachbar ihnen am Telefon beschrieben hatte. Am Empfang saß ein älterer Herr. Er begrüßte die Familie höflich: „Hallo, was kann ich für Sie tun?"

„Sie sprechen Deutsch?", wunderte sich Marion.

„Ja", antwortete der Mann.

Jakob sagte: „Wir suchen Herrn und Frau Tannengrün."

„In Zimmer 23. Die Treppe hoch und dann links", erklärte der Mann.

Sie folgten der Wegbeschreibung und kamen an die Tür des Zimmers 23 und klopften an.

Frau Tannengrün öffnete die Tür: „Hallo, da seid ihr ja schon. Kommt doch rein." Das Hotelzimmer sah sehr hübsch aus.

„Schoko, da bist du ja!" Lissy lief zu Schoko und umarmte ihn fest. Der Hund freute sich ebenfalls. Er sprang an dem Mädchen hoch und schleckte ihr einmal quer durchs Gesicht. „Ich habe dich ja so vermisst", sagte Lissy zu Schoko.

Was war das für eine Freude! Lissy wunderte sich schon ein bisschen, wie Schoko nach Spanien gekommen war. Das hatte Herr Tannengrün zwar am Telefon erklärt, trotzdem fand sie es merkwürdig. Aber jetzt war das nicht wichtig. Sie freute sich einfach.

Die drei übernachteten für eine Nacht im Hotel. Am nächsten Tag fuhren sie wieder nach Hause. Sie schmückten das ganze Haus. Das Besondere war aber, dass es schneite. Der ganze Garten war voller Schnee. Am 23. 12. sah alles wunderschön aus. Alles war bereit für Weihnachten. Auch einen Tannenbaum hatten sie.

Endlich war es so weit. Am Abend des 24. Dezembers war Heiligabend. Das Schöne war, dass die ganze Familie, auch Oma und Opa, zusammen war. So feierten sie den ganzen Abend. Und Schoko war immer dabei.

Carla Lotta Joest: Letztes Jahr habe ich für meine Eltern zu Weihnachten diese Geschichte geschrieben.

Der kranke Wichtel

Es war einmal eine Wichtelfamilie. Sie wohnten in einem kleinen Pilzhaus. Doch eines Tages wurde Wichtelpapa Zimt sehr krank. Die zwei Wichtelkinder Marzipan und Zucker machten sich große Sorgen, also beschlossen sie, lieber Mama Sternanis Bescheid zu sagen.

Sternanis ging voller Sorge zu Wichtelpapa Zimt. Der sagte aber nur: „Geht zur Tante Haselnuss, sie wird euch ein Kraut geben, das mich heilen kann."

„Natürlich. Ich nehme die Kinder mit. Wir sind bald wieder zurück." Mama Wichtel packte nur noch schnell ein paar Sachen, wie Essen und Trinken in einen großen Korb, dann rief sie: „Zucker, Marzipan!"

„Ja", antworteten die beiden.

Mama sagte: „Wir müssen schnell zu Tante Haselnuss und ein Kraut besorgen, zieht euch bitte warm an."

Die Wichtelkinder zogen ihre dicksten Jacken an, dann gingen sie Richtung Weihnachtswald, denn dort wohnte Tante Haselnuss. Auf dem Weg zur Tante fanden sie einen kleinen weißen Hasen. Der saß verzweifelt im Schnee und weinte.

„Hey, mein Kleiner, was ist denn los?", fragte Mama vorsichtig. Wichtel können nämlich mit allen Tieren auf der ganzen Welt reden.

Der kleine weiße Hase antwortete: „Mein Bau ist zugeschneit. Ich komme nicht mehr rein."

„Oh, das ist doof!"

„Mama, darf ich etwas versuchen?", fragte Zucker.

„Okay! Aber bitte sei vorsichtig!"

Zucker nahm einen Stock und befestigte ein Stück Metall daran. Alle guckten im gespannt zu. „Das ist eine Schaufel", sagte er, „damit kann man den Schnee einfach wegschaufeln."

„Super Idee!", sagten alle begeistert.

Dann nahm der Hase, der nun nicht mehr weinte, die Schaufel und fing an zu graben. „Danke!", schrie er noch einmal, während Mama, Zucker und Marzipan schon weitergingen. Kurze Zeit später hatten alle drei Wichtel riesigen Hunger. Also machten sie ein kleines Picknick im Schnee. Auf einmal spürte Marzipan ein leichtes Kribbeln auf seinem Arm. Es waren Tausende Ameisen, die wohl auch essen wollten. Wichtelmama Sternanis gab ihnen ein paar Brot Krümel. Und ja, für Ameisen ist das viel. Als sie fertig mit dem Essen waren, machten sich alle wieder auf den Weg zu Tante Haselnuss.

Endlich angekommen an Tantes Haus, klingelten sie erst einmal. Als sie die Tür aufmachte, redeten alle durcheinander.

„Nur die Ruhe, meine Lieben, was führt euch denn überhaupt zu mir?"

Mama Wichtel erzählte der Tante alles.

„Oje, das ist nicht gut, gar nicht gut!", sagte Tante Haselnuss besorgt.

„Er sagte auch noch etwas von einem Heilkraut."

„Ach ja, aber ich weiß nicht, ob ich noch etwas davon habe. Am besten, ich schau gleich nach." Tante Haselnuss ging an einen sehr alten Schrank. „Ihr hab Glück, ich habe noch ein letztes Glas gefunden!" Tante Haselnuss kochte daraus einen Grünen Tee. „Ihr müsst ihn jede Stunde damit füttern, dann würd er ganz schnell wieder gesund."

Als Sternanis, Zucker und Marzipan zurück zu Hause waren, fütterten sie Papa Zimt jede Stunde mit dem Tee, bis er wieder kerngesund war. Und so konnte er doch dem Weihnachtsmann beim Einpacken der Geschenke helfen und mit seiner Familie Weihnachten feiern.

Aylin Yildirim: Ich bin 10 Jahre alt und wohne Meckesheim in Deutschland.

Reimmunkels Weihnachten

Reimmunkel war ein besonderer Kobold. Er hatte blaues herausstechendes Haar, eine rote Hose und ein grünes Leibchen. Außerdem trug er immer eine gelbe Mütze. Reimmunkel war ein lustiger Kerl und immer gut aufgelegt. Der Kobold lebte auf einer kleinen Insel in Irland, rund herum der Atlantik. Sein Leben war fast perfekt, nur ein einziges Problem begleitete ihn: Er war alleine. Und deswegen musste Reimmunkel Weihnachten fast immer alleine feiern. Wie dieses Jahr ...

Reimmunkel stapfte trübselig in den Wald, um einen Christbaum in seiner Größe zu holen. „Warum muss ich denn bloß Weihnachten alleine feiern?", murmelte er. Seine Mutter und sein Vater kamen nur alle drei bis fünf Jahre zu Weihnachten nach Hause, weil sie mit ihrem Schiff die sieben Weltmeere befuhren und er bisher noch nicht mitfahren durfte. Und dieses Jahr würden seine Eltern sicher auch nicht kommen, weil Reimmunkel keine Postkarte von ihnen erhalten hatte und schon der 20. Dezember war. Also wieder ein Weihnachten alleine für Reimmunkel.

„Wenn ich nur endlich mit Mama und Papa mitfahren dürfte! Das wäre schön." Aber das waren nur Tagträumereien. Diesen lange nachzugehen, war reiner Irrsinn. Reimmunkel musste der Realität ins Auge sehen. Mühsam sägte er einen schönen kleinen Tannenbaum mit hellgrünen Zweigen ab. Der Baum fiel in den Schnee, wie ein Baum so umfällt. Also ganz normal, nur weihnachtlich war, dass er dabei goldenen Glitzer versprühte.

Reimmunkel staunte: „Was war das denn?" Auf einmal flüsterte eine weiche Stimme:

„Weihnachtszeit bringt Wunder,
freue dich, denn du bist nicht allein, in dieser besonderen Zeit!
Freude wird strömen, Tränen werden fallen,
sei gesegnet, denn nach manchem Wunder kommt das nächste.
Oder zwei in einem."

Hatte Reimmunkel das wirklich gehört? Oder erlaubte sich jemand einen üblen Scherz mit ihm? Aber außer den Tieren war doch niemand auf seiner kleinen Insel. Er musste sich die Botschaft eingebildet haben. Reimmunkel war sprachlos und grübelte weiter. „Hat vielleicht ein Engel zu mir gesprochen und was meinte der Engel dann mit dem sonderbaren Gedicht?" Er konnte sich keinen Reim darauf machen und dachte schulterzuckend: „Ich lass es einfach auf mich zukommen." Sich in dieser Situation den Kopf zu zerbrechen, war sozusagen Irrsinn. Das würde ihn nur in den Wahnsinn treiben. Gerade als Reimmunkel den Schlitten mit dem Christbaum heimwärts ziehen wollte, hoppelte ein Schneehase über die verschneite Wiese. Ein liebes Kerlchen. Das konnte nur Gutes verheißen. Reimmunkel zog an der Stelle mit dem Schneehasen vorbei und musste schmunzeln. Er mochte Hasen. Sie waren liebe Tiere. Reimmunkel wollte schon immer einen Hasen besitzen. Warum erfüllte er sich diesen Traum eigentlich nicht?

Da hatte der kleine Kobold eine Idee. Er würde eine Wunschliste schreiben, wenn er mit dem Christbaum bei seinem Haus angekommen war, ihn aufgestellt und geschmückt hatte.

Auf seinem Nachhauseweg begann es, heftig zu schneien. Und es kam Reimmunkel irgendwie so vor, als würden die Schneeflocken das Wort *Purfunkel* in den Himmel schreiben.

„Ist das wieder ein Tagtraum?", dachte er sich verwundert. „Aber wie kann man denn so was verhindern? Egal. Ich gehe jetzt einfach ins Haus."

Reimmunkels Haus war sehr klein, aus Stein und an eine Erderhöhung gebaut. Aber für ihn war die Größe super. Er zog seinen Schlüssel aus der Tasche und sperrte die Haustüre auf. Sorgfältig stellte Reimmunkel den Baum in den Christbaumständer und schmückte ihn danach reichlich. Eine Kugel war blau, eine gelb, eine grün, eine rot und eine lila. Lametta hängte er auch auf den Baum. So zufrieden war Reimmunkel noch nie gewesen und legte sich aufs Sofa. In Gedanken ging er noch einmal alles durch. Lebkuchen hatte er gebacken, den Baum hatte er geschmückt, aber seine Wunschliste hatte er vergessen! Die musste Reimmunkel unbedingt noch schreiben, bevor er einschlief. Schnell schrieb er seine drei Koboldwünsche auf einen Zettel:

Reimmunkels Weihnachtswünsche
1. Dass meine Eltern mich mit auf ihr Schiff nehmen
   und wir gemeinsam die sieben Weltmeere befahren,
2. einen Hasen und
3. eine neue gelbe Mütze.

Reimmunkel steckte seinen Wunschzettel in ein Kuvert und klebte ihn für das Christkind an sein Fenster. Danach stellte er den Wecker auf den 24. Dezember um 8 Uhr. Weihnachten konnte kommen!

24. Dezember

Am Morgen des 24. Dezembers, kurz bevor sein Wecker läutete, wurde Reimmunkel durch ein lautes Tuten geweckt. Da ertönte das Tuten gleich noch einmal. Das war doch nicht möglich! Er kannte es ganz genau. Es war das Schiffshorn seiner Eltern!

Reimmunkel war jetzt gerade richtig betroffen von der Erkenntnis, dass er da gerade das Schiffshorn seiner Eltern gehört hatte. Als er dies richtig eingeordnet hatte, wurde ihm klar, dass seine Eltern zu Weihnachten nach Hause gekommen waren. Reimmunkel stürmte aus dem Haus und sah, wie sein Vater gerade den Anker auswarf und seine Mutter ihm aus dem Bullauge zuwinkte. Am Heck des Schiffes wehte eine Fahne auf der *Hallo Reimmunkel* stand. Das war unglaublich. Seine Eltern waren also doch gekommen! Dieser Moment war unbeschreiblich. Jetzt kletterten seine Eltern von Bord. Doch was war das? Ein kleiner Schatten huschte ihnen hinterher. Mit blauem Haar, einer grünen Hose und einem roten Leibchen. Es war ein kleiner Kobold!

„Was ist das denn heute für ein Tag?" Der Wecker riss Reimmunkel aus seinen Gedanken. Er läutete durch die Hauswände durch wie eine Sirene. Schnell lief er in sein Haus und schaltete den Wecker aus. Dann begrüßte er freudestrahlend seine Eltern und den Kobold, den er nicht kannte. Sein Name war Purfunkel. Reimmunkel stutzte, hatte er nicht vor ein paar Tagen den Namen Purfunkel in den Schneeflocken gelesen?

Heiligabend

Es war acht Uhr abends und Heiligabend stand vor der Tür. Ein schöner Tag mit Purfunkel war vorüber. Die beiden lustigen Kobolde waren Schlitten gefahren, hatten einen Schneemann gebaut und vieles mehr. Reimmunkel war an diesem Tag überglücklich, aber auch nachdenklich. Denn nach dem Weihnachtsfest würden seine Eltern und Purfunkel bald wieder abreisen.

Jetzt, da der Heiligabend da war, durften sie das Weihnachtszimmer betreten – und es sah prächtig aus! Es lagen einige Geschenke rund um den erleuchteten Christbaum. Das Christkind hatte ganze Arbeit geleistet.

Als das letzte Geschenk ausgepackt war, fing Reimmunkel an zu weinen.

„Warum weinst du?" Tröstend nahmen ihn seine Eltern in die Arme.

„Diese Geschenke sind mir nicht wichtig. Ich freue mich, dass ihr heute hier seid. Doch bald schon ist alles vorbei und ihr seid wieder weit fort", schluchzte Reimmunkel.

„Das stimmt nicht ganz", lächelte Purfunkel, zeigte auf den Christbaum und zwinkerte den Eltern zu. Um den obersten Zweig war ein Band gewickelt. Darauf stand:

Ich bleibe bei dir! Dein Purfunkel

Reimmunkel verstand das alles nicht. Der kleine Kobold hatte das Band nicht gesehen in der großen weihnachtlichen Aufregung.

„Wir haben Purfunkel aus dem Meer gerettet. Sein Schiff war in Seenot geraten, wir haben ihn aufgenommen und nun bleibt er hier bei dir!", berichteten seine Eltern.

Das bedeutete Reimmunkel in diesem Moment des Heiligabends am meisten und sein Herz hüpfte vor Freude. Er würde nicht mehr alleine sein und Purfunkel würde ihn auf seinem weiteren Weg begleiten! Reimmunkel fiel Purfunkel überglücklich in die Arme. Gemeinsam feierten sie noch lange weiter.

Bevor seine Eltern wieder abfuhren, versprachen sie Reimmunkel, dass sie nächstes Weihnachten wiederkommen und die beiden kleinen Kobolde mit auf ihr Schiff nehmen würden.

Reimmunkel hatte also doch nicht geträumt und sich verhört! Der verzückte Kobold erinnerte sich an den Goldstaub und die weiche Stimme, die er vor Tagen vernommen hatte und ihm von Weihnachtswundern zuflüsterte.

Wunder geschehen also doch!

Jakob W., 11 Jahre, aus Salzburg, Österreich.

Wilmas erstes Weihnachtsfest

Wilma Waschbär gähnt und kuschelt sich enger in ihre kleine Schlafkuhle. Mit einer Pfote tapst sie nach ihrem kleinen Bilderbuch. *Ein Weihnachtsfest im Walde* steht auf dem Umschlag. Wilma reibt sich die Augen und legt das Buch vor sich auf den Boden. Sie hat es schon unzählige Male aufgeschlagen und sich beim Betrachten der Zeichnungen mit einem wohligen Gefühl im Bauch in die Bilder geträumt. Mit einem leisen Lächeln betrachtet sie jetzt die Zeichnung auf dem Titelblatt, auf dem sich Weihnachtswichtel und kuschelig angezogene Feen an den Händen halten und um einen Tannenbaum tanzen, auf dem Lichter glühen. Das Buch hat einmal ein Menschenkind vergessen und Wilma war hingehuscht und hatte es mitgenommen. Jetzt träumt sie sich – wie so oft, vor allem seit draußen der pudrige Schnee gefallen war –, in das Bild und tanzt in ihrer Fantasie lachend mit den kleinen Wesen um den Baum, bis Felix, das Eichhörnchen hereinschneit.

Er hockt sich zu ihr und betrachtet, auch wie schon so oft, ebenfalls das Bild. Er deutet darauf und murmelt: „Das muss irgendeine spezielle Menschensache sein."

Wilma nickt. „Das Buch hat ein Menschenmädchen verloren, ja. Das muss schön sein …" Sie seufzt nachdenklich. „Die Wichtel und Feen sehen aus, als hätten sie viel Spaß!"

Felix nickt. „Was meinst du", sagt er plötzlich, „wenn wir das einfach auch machen? Ein Weihnachtsfest feiern, genau wie die da?"

„Au ja!", ruft Wilma glücklich und drückt das Buch an sich. „Bloß wie?", fragt sie dann ratlos. „Ich habe nicht die leiseste Ahnung, wie das gehen soll."

„Vielleicht wissen das die Wichtel und Feen", schlägt Felix vor. „Und ich weiß, wo ich welche finde." Er springt auf. „Ich bin gleich wieder da!"

„Und ich?", murmelt Wilma, doch da ist Felix schon um den nächsten Baum verschwunden. „Ich geh so lange spazieren", beschließt sie dann. Wilma steht auf, legt das Buch vorsichtig auf den Boden und streift sich Schal und Mütze über. Als sie wenig später losstapft, kann sie nur daran denken, dass ihr großer Traum nun zum Greifen nahe ist! Vor lauter Träumen überhört sie beinahe ein sanftes Stimmchen, das verzweifelt ruft: „Hallo! Hallo? Kannst du mich hören?"

„Hallo?" Überrascht blickt Wilma sich um und nach genauerem Hinsehen kann sie direkt vor sich an einem niedrigen Tannenzweig eine kleine Fee entdecken! Staunend geht Wilma in die Hocke. „Alles okay? Brauchst du Hilfe?", fragt sie das kleine, dick eingemummelte Wesen vorsichtig.

„Ja, bitte!", antwortet die Fee, deutet auf ihren Mantelzipfel, der an dem Zweig hängen geblieben ist, und zappelt kläglich mit den Beinen.

Rasch löst Wilma den Mantel und die kleine Fee plumpst in ihre Pfote. „Wer bist du denn?"

„Laila. Ich kann im Winter nicht fliegen, und als ich hier entlanggekommen bin ..."

Die kleine Fee zuckt hilflos die Schultern und Wilma muss lachen. Laila fällt herzlich mit ein, bis sich die beiden die Lachtränen aus den Augenwinkeln wischen.

„Worüber hast du denn vorher nachgedacht?", fragt Laila plötzlich. „Du hast mich ja fast nicht gehört!"

Wilma lächelt verlegen und erzählt der kleinen Fee von ihrem Traum. „Komm mit, meine Höhle liegt nicht weit von hier, dann zeige ich es dir." Auf dem Rückweg sitzt Laila auf Wilmas Rücken, weil die kleine Fee im Schnee ja nicht fliegen kann.

Als sie eintreten, sitzt Felix schon geknickt in Wilmas Schlafkuhle. „Keine einzige Fee war mehr da", meint er traurig, als er sie entdeckt.

„Macht nichts!", ruft Wilma gut gelaunt. „Schau mal!" Sie deutet strahlend auf Laila, die nun von ihrem Rücken klettert, auf das Buch zuläuft und prüfend das Bild betrachtet. Felix bekommt riesige Augen.

„Wir ziehen im Winter immer zu dem kleinen Moosstein um. Am Wasserfall wird es im Winter zu kalt", erklärt sie. Dann dreht sie sich verschmitzt lächelnd um. „Und ich habe da eine Idee wegen Wilmas Traum. Wisst ihr, wir Feen und Wichtel feiern tatsächlich jedes

Jahr ein Weihnachtsfest. Und weil Wilma mich gerettet hat, und ihr beide nett zu sein scheint ... könnt ihr mitfeiern!"

Ein Jubelschrei steigt in Wilma hoch. „Danke!", ruft sie. „Danke, danke, danke!"

Und tatsächlich, eine Woche später stehen Wilma und Felix vor einem wunderschön geschmückten Weihnachtsbaum, umringt von lustigen kleinen Wichteln mit roten Mützchen und Feen.

„Frohe Weihnachten!", rufen sie fröhlich und reichen den beiden ein hübsch verpacktes Geschenk.

„Aber jetzt haben wir gar nichts für euch!", wirft Felix betroffen ein.

„Das ist egal. Weihnachten ist ein Fest, an dem man etwas für andere tut und Freude schenkt", antwortet Laila, setzte sich auf Wilmas Schulter und baumelt vergnügt mit den Beinen. Und in ihr Ohr, sodass nur Wilma es hören kann, meint sie noch: „Wenn man nur fest daran glaubt, kann jeder Traum wahr werden!"

In Wilma kriecht ein Lächeln hoch und mit ihm ein strahlendes, helles Glücksgefühl. Und als die anderen sie an den Händen fassen und sich mit ihr um den Weihnachtsbaum drehen, blubbert das Lachen aus ihr heraus und sie weiß: Das ist ein Moment, den sie nie vergessen wird.

Sarah Binder: Ich bin 13 Jahre alt und komme aus Wien. Mein großer Traum ist es, zu schreiben. Aber ich möchte weniger über mich schreiben, als etwas an euch weiterzugeben: Jeder Traum kann wahr werden, wenn man nur genug dafür tut. Gebt nie auf, versucht es wieder und wieder und lasst euch auf keinen Fall entmutigen! Von nichts und niemandem!

Mission Rentier

Lara und Lucas lauschten an der Tür. Kein Mucks. Alle schliefen. Nun war es Zeit, den Plan in die Tat umzusetzen. Die Kinder hatten sich fest vorgenommen, heute Nacht dem Weihnachtsmann ein Rentier abzuluchsen. Okay. Genau genommen hatte Lara Lucas dazu überredet. Aber wir wollen das ja nicht so eng sehen. Jedenfalls öffneten die Neunjährigen vorsichtig die Tür und schlichen sich auf Fußspitzen durch den Flur.

„Sei nicht so laut!", ermahnte Lara ihren Cousin.

„Selber!", maulte er zurück.

Gerade als er die hölzerne Treppe hinunterging, wandte das Mädchen sich nochmals Lucas zu: „Hast du auch an das Walkie-Talkie gedacht?"

„Klaro!" Der Bube hielt demonstrativ das Gerät in die Höhe. „Ich bin doch nicht blöd."

Die Kleine verkniff sich einen gemeinen Kommentar. Ehe man sich versehen konnte, jagte sie schon davon. Lucas kauerte sich im Wohnzimmer hinter den Tannenbaum und wartete.

Auf wen? Ist das nicht klar? Natürlich auf den Weihnachtsmann! Stunde um Stunde hockte er da.

Nichts geschah.

Lucas Augenlider wurden immer schwerer. Es fühlte sich an, als ob Gewichte daran hingen. Doch plötzlich hörte er schwere Schritte. Der Neunjährige schreckte auf. Er war eingeschlafen! Panisch preschte er aus seinem Versteck hervor. Lucas durfte den bärtigen Keks-Futterer nicht verpassen. Der Weihnachtsmann war schon da.

„Code Glocke! Er ist da! Over", flüsterte Lucas hysterisch in das Walkie-Talkie.

Seine Cousine sparte sich, ihm eine Antwort zu geben. Jetzt ging es um alles. Schließlich war sie nicht aus Freude am Spiel in den von Spinnen bewohnten Dachboden gekrabbelt. Also öffnete sie das Fenster. Ein kalter Wind peitschte ihr entgegen. Ohne sich viele

Gedanken zu machen, kletterte sie auf das Fensterbrett. Laras Herz pochte auf doppelter Frequenz. Sie hangelte sich der Regenrinne hoch. Krampfhaft versuchte Lara, auszublenden, was wäre, wenn sie zehn Meter in die Tiefe stürzen würde. Keuchend kam sie auf dem Dach an. Auf einmal wurden ihre Augen so groß wie Untertassen. Oben auf dem Dach stand ein roter Schlitten, an dem vorne prächtige Rentiere gespannt waren.

Ihr wisst alle, wem das Gefährt gehört, oder?

Lara hastete weiter nach oben. Das Ziel war so nah. Aber sie kam zu spät. Der Weihnachtsmann startete den magischen Schlitten und verschwand sogleich im Sternenhimmel. Sein Gelächter war unüberhörbar. Es klang fast so, als ob der Weihnachtsmann sich über die Abenteurerin lustig machen würde.

Auf einmal tauchte auch Lucas am Fenster auf und brüllte seiner Cousine zu: „Der bärtige Kerl ist weg. Ich bin durch das ganze Haus gehetzt, doch er war nirgends." Vor Aufregung sprang der Junge von einem Bein auf das andere. „Warst du erfolgreich?"

Keine Antwort.

Plötzlich wurde Lara nach all der Aufregung wieder ihre Höhenangst bewusst. Lucas gelang es trotz großer Bemühungen nicht, das Mädchen vom Dach runterzubekommen. Zwangsläufig mussten

also die Eltern eingeweiht werden. So kam es dazu, dass die frierende Neunjährige um drei Uhr morgens im Schlafanzug von der Feuerwehr vom Hausdach gepflückt wurde. Wie erwartet waren die Erwachsenen von dieser Show nur mäßig begeistert. Trotzdem schlenderte die ganze Familie am Morgen um zehn Uhr ins Wohnzimmer, um Päckchen zu öffnen. Die Kinder staunten nicht schlecht, als sie ihre Überraschung auspackten. Der Weihnachtsmann hatte den beiden je ein Plüschrentier mitgebracht. Bei dem Geschenk lag sogar ein Zettel. Lara las vor: „So einfach lass' ich mich nicht reinlegen, meine Lieben. Ho, ho, ho. Frohe Weihnachten!"

Felicitas Postweiler: Ich bin 14 Jahre alt und lebe in Karlsruhe, der zweitgrößten Stadt in Baden-Württemberg (Deutschland).

Ein Weihnachtshund
für Maia

Es war ein verschneiter Abend im Advent. Alle saßen daheim im warmen Haus. Nur ein gelb gekleideter Mann stapfte einsam durch den kniehohen Schnee. Er war Postbote und hatte vergessen, die Sommerreifen seines Autos auszutauschen. Darum musste er zu Fuß gehen. Ihm war eiskalt. Er rannte, so gut das ging, und stand nach einiger Zeit vor einer armseligen Hütte unter zwei Tannen. Wer kam auf die Idee, hier zu wohnen? Na ja, das war nicht sein Problem. Er musste nur das Paket vor die Türe stellen – und genau das tat er auch.

Maia war ein kleines, dünnes Mädchen mit schwarzen Haaren und großen, braunen Augen. Sie lebte in dieser Hütte, aber das sollte niemand wissen. Deshalb wartete sie auch, bis der Briefträger verschwunden war, ehe sie die Tür öffnete und die Schachtel nahm. Zuerst las sie den Brief. In der Handschrift ihres Vaters stand dort:

Liebe Maia!
Es tut mir so leid, aber ich kann zu Weihnachten nicht kommen.
Mein Chef will nicht, dass ich mir freinehme. Du weißt, wie we-
nig ich verdiene, aber es ist besser als gar nichts. Ich kann es mir
nicht leisten, diesen Job zu verlieren. Du musst dieses Jahr ohne
mich feiern. Ich darf erst zu Silvester heim. Dein Geschenk habe
ich dir geschickt. Ich hab dich lieb.
Papa

An einigen Stellen sah es aus, als wären Tränen auf das Papier gefallen, aber vielleicht war das auch nur der Schnee gewesen. Maia selbst weinte nicht, sie weinte nie, aber am liebsten hätte sie es getan. Schon seit Oktober hatte sie sich auf Weihnachten gefreut. Nicht wegen der Geschenke, des Baums oder der Kekse, sondern einfach, weil ihr Vater ihr versprochen hatte, zum Feiern zu kommen. Er arbeitete mehrere Hundert Kilometer von hier entfernt und durfte beinahe nie kommen. Maia hatte schon die Tage gezählt und das Haus geschmückt: In einem kleinen Topf stand ein junger Nadelbaum, den sie im Wald ausgegraben hatte, mit einer einzelnen Kugel an einem Ast, überall hingen alte Weihnachtsgirlanden und sie hatte alles geputzt. Und nun erfuhr sie, dass ihr Vater gar nicht kommen würde! Ihr stiegen doch einige Tränen in die Augen. Es war so ungerecht! Weihnachten würde für sie ausfallen, daran konnte das Paket nichts ändern.

In der Nacht konnte sie nicht gut schlafen, weil sie so enttäuscht war und außerdem ziemlich fror. Sie sah, dass das Feuer im Kamin ausgegangen war und wollte nachlegen, aber es war kein Holz mehr da. Vor der Hütte hatte sie welches gestapelt. Also nahm sie ihre Taschenlampe und ging hinaus. Hier im Wald war es nachts immer komplett dunkel. Sie hatte sich schon daran gewöhnt. Aber ... da war ein Geräusch. Es klang wie ein Winseln. Gab es hier vielleicht Wölfe?

Sie nahm das Brennholz und beeilte sich, zurück ins Haus zu kommen, aber plötzlich packte sie die Neugier. Sie tastete nach einer der Kerzen auf dem Adventskranz und zündete sie an. Damit ging sie in die Richtung, aus der das Jaulen kam. Es klang ängstlich.

Und dann sah sie einen kleinen, auf dem Boden kauernden Welpen mit goldenem Fell, der am ganzen Körper zitterte. Entzückt ging sie in die Knie und streichelte ihn. Er wich zurück. Maia redete beruhigend auf ihn ein und tatsächlich kam er ein Stück näher. „Bist du denn ganz allein hier im Wald?", fragte Maia mitleidig.

Der Hund sah so abgemagert aus, dass sie sich ganz sicher war, dass sich niemand mehr um ihn kümmerte. „Ich auch", sagte Maia. Der Welpe sah sie mit seinen großen Augen aufmerksam an. Dann schüttelte er sich etwas Schnee aus dem Fell. „Ist dir kalt?", fragte sie, obwohl sie wusste, dass diese Frage überflüssig war. Der arme Hund! Bestimmt hatte ihn irgendein Mensch ausgesetzt. Jetzt musste er im Winter überleben. „Möchtest du vielleicht mit zu mir kommen?", fragte sie. Der Welpe kuschelte sich bloß an sie, was sie als „Ja" deutete. Sie strich ihm über den Kopf.

„Ich nenne dich Honig", sagte sie. „Wegen deiner Farbe." Dann nahm sie ihn vorsichtig hoch und trug ihn in ihre Hütte.

Sie legte eine Winterjacke, die ihr zu klein war, in einen Korb. „Dein Bett", erklärte sie und setzte ihn hinein. Sie wusste nicht genau, was Hunde fraßen und tranken, holte aber alles, was infrage kam, und gab es ihm. Doch Honig war schon eingeschlafen.

Mit dem Hund war alles gleich viel schöner: Er begleitete sie beim Holzholen, sie ließ ihn mitessen und spielte mit ihm. Es war so schön, dass Maia gar nicht merkte, wie schnell die Tage vergingen.

Honig schleckte über Maias Gesicht. Sie gähnte, setzte sich auf und streichelte ihn. Doch irgendwie hatte sie ein merkwürdiges Gefühl ... Sie sah sich im Zimmer um und ihr Blick fiel auf den Kalender. Samstag, der 24. Dezember. Heute war Heiligabend! Maia sprang auf und zog sich an.

Am Abend las sie Honig die Weihnachtsgeschichte vor, sang ein Lied und öffnete das Paket. Darin waren einige Kekse, ein Wollpullover, ein Foto von ihrem Vater und ein Stift. Dass es wenig war, störte Maia überhaupt nicht. Schließlich war Honig schon das schönste Geschenk aller Zeiten gewesen.

Tanja Koller: Ich lebe mit meinen Eltern und meinen beiden jüngeren Brüdern in Niederösterreich. Sehr gerne schreibe ich, deshalb möchte ich einmal Autorin werden.

Große Pause
im Weihnachtswunderland

An einem kalten Adventsmorgen, als im Weihnachtswunderland sehr hoch Schnee liegt, hört man schon früh am Morgen laute Stimmen aus den Weihnachtswerkstätten. Kobolde, Wichtel und Feen arbeiten konzentriert an den Weihnachtsgeschenken. Aus der Backstube strömen viele verschiedene Düfte von Lebkuchen, Plätzchen, Torten, Berlinern und Muffins heraus, und der Weihnachtsmann trainiert schon mal die Rentiere für den Flug um die Welt.

Lissy, das Kind von ihm, hilft mal hier, mal da oder kauft Materialien, Zutaten und goldene Glöckchen ein.

Am Abend sitzt Lissy mit ihrem Vater beim Abendbrot. „Papa", sagt sie.

„Ja." Der Weihnachtsmann lächelt ihr zu.

„Die Feen, Kobolde und Wichtel brauchen dringend eine Pause. Sie arbeiten Tag und Nacht", meint Lissy.

Das Lächeln des Weihnachtsmanns verschwindet. „A...aber das geht doch nicht!", stottert er. „Gestern erst wurden eintausend neue Wunschzettel geliefert." Er seufzt.

„Eine kleine Pause wird schon nicht schaden!", sagt Lissy streng.

„Du hast ja recht", gibt der Weihnachtsmann zu. „Aber wer kümmert sich so lange um die Geschenke?" Ratlos guckt er Lissy an.

„Das mache ich!", verspricht diese. „Geh du am besten morgen mit allen Weihnachtshelfern auf den großen Rodelberg!"

„Okay. Ich schlage jetzt eine Versammlung an und verkünde die tolle Nachricht, während du ins Bett gehst." Fröhlich zieht der Weihnachtsmann seinen Mantel an.

Am nächsten Morgen geht der Weihnachtsmann mit vielen Schlitten zum großen Rodelberg. Lissy winkt ihm fröhlich hinterher. Die Wichtel, Kobolde und Elfen warten schon am Rodelberg. Alle freuen sich. Sogar ein Schlittenrennen veranstalten sie.

„Drei, zwei, eins ... los!", ruft der Weihnachtsmann.

Yippie! Alle haben Spaß.

Währenddessen ist Lissy dabei, etwas zu bauen …
Am Nachmittag kehren alle zurück. Lissy steht in der Mitte des Rennplatzes der Rentiere. Der Weihnachtsmann, die Wichtel, die Elfen und die Kobolde versammeln sich um sie. Lissy zieht das Tuch weg. Hervor kommt eine Geschenkemaschine.

„Juchu!" Alle freuen sich.

„Jetzt müssen wir keine Geschenke mehr basteln!", ruft eine kleine Elfe glücklich.

Am Abend gibt es ein großes Buffet. Alle sitzen beisammen und es ist sehr gemütlich. Der Weihnachtsmann lächelt Lissy zu. „Danke", sagt er. „Die große Pause war dringend nötig."

Luise Reip ist 10 Jahre alt und wohnt in Bochum. Schon mit sechs Jahren schrieb sie erste Geschichten und Gedichte. Außerdem liest sie viel und singt gerne. Wenn Luise groß ist, möchte sie Kindergärtnerin werden und in ihrer Freizeit weiter Geschichten schreiben.

Der Weg nach Hause

Meine Füße schmerzen. Nach langer Wanderung habe ich den Wald endlich hinter mir gelassen. Die hohen Fichten erheben sich hinter mir wie hohe Riesen, ihre Zweige niedergedrückt von der Last aus Schnee. Allerdings nicht feindlich oder gar böse, nein, sie wirken eher wie Freunde, die mir Schutz unter ihren Zweigen bieten. Sie öffnen ihre Arme und im Rauschen des Waldes höre ich ein Flüstern, als wollten sie sagen: „Komm herein und ruh dich in unserem Schatten aus, wir wachen über dich."

Und so fühlt es sich auch an. Als hätte man während eines Marsches durch den Wald immer ein Dach über dem Kopf, das einen vor unliebsamen Begegnungen beschützt.

Doch nun liegt der Wald hinter mir und ich stehe auf weiter Flur. Über den Feldern liegt eine dicke Schneedecke und die Laubbäume am Rande der Felder sind nackt und kahl, ohne Laub. Am Himmel ballen sich graue Wolken. Es sieht nach einem Schneesturm aus. Ein kalter Wind reißt mir die Haare aus dem Gesicht, um sie mir sogleich wieder in mein Gesicht zu peitschen.

Es dunkelt bereits. Dennoch scheinen die Farben gestochen scharf, obwohl über allem ein leichter Dunst liegt. Als hätte irgendein Gott das Land verzaubert. Ich habe noch nie zuvor etwas so Gegensätzliches gesehen. Die Farben sind kräftig und stark und doch trübt die Dämmerung meine Sicht. Der Wind ist eisig, das Land karg und unfreundlich und doch fühle ich mich geborgen und behütet. Als würde alles und jeder mich willkommen heißen. Ich setzte meinen Marsch über die Felder fort. Immer wieder bleibe ich in Schneewehen stecken und falle auf die Knie.

Unheimliche Stimmen jagen so schnell wie der Wind über die karge Landschaft und singen mir ein Lied vor. Es kommt mir vor, als hätte hier jeder Einzelne – jedes Blatt, jeder Baum, jeder Windstoß – eine Bedeutung und wüsste genau, warum er hier ist und was er tun soll.

Ich richte meinen Blick nach vorn auf den Horizont und bleibe stehen. Dort ganz hinten, dort steht ein Haus. Etwas verschwommen, aber die Fenster sind hell erleuchtet. Es steht allein auf weiter Flur und es sieht sehr einladend aus. Es steht allein, weit und breit ist kein anderes Haus zu sehen. Ich beschleunige meine Schritte und wandere immer weiter auf das Haus zu. Mit jedem Schritt kann ich es besser sehen und bald fehlen nur noch wenigen Hundert Schritte, dann stehe ich vor ihm.

Jetzt kann ich es gut sehen. Ein schmiedeeisernes Tor und eine Mauer umgeben das Haus und bilden das letzte Hindernis, bevor man den Vorhof betreten kann. Doch dahinter leuchten die Fenster einladend und freundlich.

Schließlich stehe ich vor den schmiedeeisernen Stäben, die mir den Weg versperren. Sie sind höher als ich, vielleicht doppelt so groß und ragen wie Lanzen in den dunklen Himmel. Die Tore sind fest verschlossen, doch als ich die Hand nach dem Torflügel ausstreckte, lässt er sich problemlos öffnen, als wäre er für alle offen. Als würde er sagen: „Komm nur herein und bleib hier. Jeder ist willkommen."

Ich schlüpfe durch das Tor und betrete den Vorhof. Zu beiden Seiten erheben sich Nebengebäude. Die Wände sind aus schönem Sandstein errichtet, ebenso wie das große Haupthaus. Der Vorhof ist gepflastert, aber keine Menschenseele ist zu sehen. Ich gehe vorsichtig weiter und stehe schließlich vor der großen Flügeltür. Sie ist grün angestrichen und eine Laterne erhellt die Stufen, welche zum Haus hinaufführen.

Ich strecke abermals die Hand aus und stoße mit den Fingerspitzen die Türen auf. Warmes Licht flutet aus den Türen nach draußen auf den dämmrigen Hof. Vorsichtig gehe ich einige Schritte nach vorn und trete schließlich ein. Sofort umhüllt mich die angenehme Wärme und ein wunderbarer Geruch steigt mir in die Nase.

Schnell gehe ich weiter hinein. Wie von Zauberhand schließt sich die Tür hinter meinem Rücken und sperrt die Kälte und den Schnee aus. Ich bücke mich und streife mir die schweren Fellstiefel von den Füßen. Stattdessen schlüpfe ich in Hausschuhe, die innen mit wohligem warmem Fell gefüttert sind.

Ich schäle mich aus meiner dicken gefütterten Jacke und hänge sie an den Haken. Ich wende mich von der Kleiderablage ab und laufe tiefer in das Haus hinein. Die Decken sind in einem freundlichen Gelbton gehalten und erfüllen den Raum mit einer wohligen Wärme. Die Wände sind holzgetäfelt und an der Decke hängen angelaufene Gaslaternen, die alles hell erleuchten. Auf dem Boden liegt ein ausgetretener Läufer, die gewebten Fasern fransen schon an den Seiten aus, aber aus irgendwelchen Gründen passte der alte ausgefranste Teppich perfekt in die gesamt Komposition – kein anderer könnte seinen Platz so gut ausfüllen wie er.

Durch einen Türrahmen betrete ich einen Raum, dessen Wände mit hohen Bücherregalen gesäumt sind. Überall liegen Bücherstapel auf dem Boden herum und in der Ecke steht ein hölzernes Klavier, auf dessen Stuhl Notenblätter liegen. Auch darum herum liegen Notenblätter verstreut. Und doch macht das Klavier den Eindruck, als wäre es sofort bereit, eine sanfte Melodie zu spielen, wenn man nur die richtigen Tasten drückte. Es ist, als würde die Ruhe eine muntere fröhliche und zugleich sanfte und freundliche Melodie spielen. Als würde wirklich jemand die Tasten des Klaviers herunterdrücken.

Ich durchquere vorsichtig den Raum, um nichts von seinem Platz zu verscheuchen, und gehe durch die gegenüberliegende Tür. Ich stehe in einem Flur mit runder Decke und weißen Wänden. Die Tonfliesen sind kalt, doch ich friere durch die Lammfellhausschuhe kein bisschen. Durch die Fenster dringt noch sanftes Dämmerlicht, aber die Dunkelheit verscheucht ein großer Kerzenleuchter auf dem einen Fensterbrett.

An beiden Enden des Flures ist eine große Eichenholztür mit eisernen Angeln und Türklinken. Ich entscheide mich für die linke Tür und drücke die Klinken herunter. Warmes Licht flutet aus dem Türspalt und ich stoße die Tür noch weiter auf. Ich betrete eine große Küche. Sie ist so groß, dass sie von der einen Seite des Hauses bis zur anderen reicht. Auf der linken Seite kann man von den Fenstern aus den dunklen Hof überblicken und von der anderen Seite aus kann man über die Felder in den Abend schauen.

Der Boden ist ebenfalls gefliest und die Decken weiß getüncht. An den holzgetäfelten Wänden hängen Hirschgeweihe und vereinzelt gerahmte Landkarten. Eine große Küchenzeile nimmt fast die komplette Wand ein und in der Mitte des Raumes steht ein langer dunkler Holztisch. Viele Stühle stehen um ihn herum, gepolstert mit roten, bequem aussehenden Kissen. Ein Kerzenleuchter brennt in der Mitte des Tisches.

Auf dem Herd steht ein dampfender Teekessel. Ein leises Pfeifen entweicht ihm. Ich laufe zu ihm herüber und nehme ihn von der Herdplatte. Aus einem Regal über mir greife ich mir eine Tasse aus bunt bemaltem Ton und gieße den Tee hinein. Er duftet herrlich nach frischen Kräutern, Orange und Holunderbeeren.

Aus einer Keksdose klaube ich mir einen mit Zucker verzierten Keks und verlasse mit ihm und dem Tee in der Hand die Küche.

Ich stoße die letzte Tür auf und finde mich im Herzstück des Hauses wieder. Der Boden ist mit hellem Fischgrätenparkett ausgestattet und überall liegen bunte Flickenteppiche. Im großen Kamin in der anderen Ecke des Raumes prasselt ein Feuer und vor dem Kamin steht ein großer grüner Ohrensessel. Auf dem Kaminvorleger schläft zusammengerollt eine Katze. Sie schnurrt leise, während sie durch das Land der Träume tollt.

Ein wunderschön geschmückter Weihnachtsbaum steht in der anderen Ecke des Zimmers, die Kerzen an den Zweigen brennen. Das Holz im Kamin knackt. Funken und Flammen tanzen miteinander. Es duftet nach Kiefernholz und Tannengrün.

Ich lasse mich auf dem Sessel nieder und strecke die Füße aus. Mein Blick ruht auf dem Tannenbaum. Ich versinke in seiner Schönheit und lasse meine Seele zur Ruhe kommen.

„Fröhliche Weihnachten", flüstere ich und schließe die Augen. Draußen über den Feldern geht der Mond auf.

Johanna Schüßler: 14 Jahre aus Hamburg in Deutschland. Ihre Hobbys: Schreiben, Lesen, Harfe spielen, Wandern, Paddeln.

Das Weihnachtsfest
der Herzen

Es war Dezember. In einem kleinen Dorf mitten in den Bergen lag kein Schnee. Dafür war es viel zu warm. Mit 15°C fühlte sich der Wind direkt frühlingshaft an. Dass schon in wenigen Tagen Weihnachten war, das konnte man kaum glauben.

In einem hell beleuchteten Klassenzimmer saßen ein paar Lehrerinnen und Lehrer einer Schule und planten ihre Weihnachtsfeier. Es sollte heute besprochen werden, wo und wie gefeiert werden würde. Doch irgendwie hatte keiner eine gute Idee. Jeder unterhielt sich mit seinem Sitznachbarn oder drückte am Handy herum. Jedenfalls waren alle so in ihre Gespräche vertieft, dass sie nicht bemerkten, dass ein kleines Mädchen neugierig durch das Fenster in das hell beleuchtete Klassenzimmer blickte. Es hatte Stimmen gehört, war diesen gefolgt und nun wollte es wissen, was da vor sich ging. Auf Zehenspitzen sah es die Lehrerinnen und Lehrer seiner Schule im Stuhlkreis sitzen.

Schnell begriff das Mädchen, dass die Lehrer ratlos waren, wie sie denn ihre Weihnachtsfeier gestalten sollten. Es hörte, wie die Lehrer über das viel zu warme Wetter schimpften, über die Klimakrise und darüber, dass man ja gar keinen Fisch mehr essen konnte, welcher sich selbst nur noch von Mikroplastik ernährt hatte. Andere wiederum beklagten sich, keine Zeit zu haben, um Geschenke einkaufen zu gehen, das Haus bis Weihnachten fertig geputzt zu haben, den anderen waren die Enkelkinder zu anstrengend, die Familie nur noch krank und ...

„Sollten wir nun nicht endlich zur Abstimmung kommen, wo wir dieses Jahr unsere Weihnachtsfeier machen?", fragte ein junger Lehrer mit lauter Stimme. Plötzlich wurde es ganz leise im Raum. „Während ihr euch alle gut unterhalten habt, habe ich die Zeit genützt, um Vorschläge an der Tafel zu sammeln. Wir brauchen nur noch abzustimmen. Dann ist Feierabend!" Er lächelte siegessicher.

Ein Gemurmel war zu hören.

„Können wir starten?", fragte der junge Mann nervös und präsentierte seine Vorschläge.

Das Mädchen, welches unbemerkt am Fenster stand, las verwundert:

Weihnachtsmann-Erlebnisführung in einer Höhle
Christkindrundflug
XXL Menü Santa Claus
Mitternachtsjause unterm Sternenhimmel (nahe den Engerl)
Rentierwettlauf auf den Hausberg
Nachtfischen im Engelskostüm
Action-Schlittenfahrt durch Nebel ...

„Egal, für was ihr euch entscheidet, wir können jedenfalls mit Glühwein hier in der Schule starten und dann ...", er lächelte, „ich bin schon so gespannt, was die Mehrheit von euch entscheidet!"
Was sollte das denn bitte sein? Die Augen des Mädchens wurden immer größer. Brauchten die Erwachsenen wirklich ein Bespaßungsprogramm als Weihnachtsfeier? Was war wohl in ihre Lehrerinnen und Lehrer gefahren? Vormittags, im Unterricht, wirkten sie eigentlich sehr besonnen und vernünftig.
„Können wir jetzt bitte zur Abstimmung kommen?", drängte der junge Mann nun.
Zögernd meldeten sich ein paar Lehrerinnen und Lehrer zu Wort. Einige meinten, sie hätten einen dringenden Termin und könnten sowieso nicht an der Weihnachtsfeier teilnehmen, ein Zahnarztbesuch wäre dazwischengekommen, die Schwiegermutter krank ...
Das Kind hatte genug gesehen und gehört und rannte wie der Blitz nach Hause. Außer Atem stürzte das Mädchen ins Wohnzimmer. „Mama, Mama!", rief es. „Ich muss dir was erzählen ..." Aufgeregt berichtete es, was es gesehen und gehört hatte.
Seine Mama hörte gut zu und sprach danach ganz geheimnisvoll: „Mein Schatz, ich habe eine Idee, wie wir den armen Lehrerinnen und Lehrern deiner Schule helfen können!"
Kurz darauf tippte sie etwas in die Klassen-Whatsapp-Gruppe und hatte im Nu viele kleine und große Helferlein organisiert.
Währenddessen saßen die Lehrerinnen und Lehrer noch immer im Klassenzimmer der 3b:

Einigen Lehrerinnen und Lehrer war das Lachen allerdings vergangen.

„Das kostet zu viel!", „Mein Schwager hat das auch schon gemacht, das war nicht so toll!", „Und was ist, wenn das Wetter nicht mitspielt? Bei dieser Klimakatastrophe weiß, man ja nie, wann das nächste Unwetter vor der Türe steht …!", riefen sie durcheinander. Andere saßen schweigend vor dem Handy und googelten nach Alternativen.

Aber eine wirklich gute Idee hatte keiner. Nach einer weiteren Stunde war man sich einig: Es würde dieses Jahr keine Weihnachtsfeier geben. Missmutig verließen die Lehrer das Schulgebäude. Sie ärgerten sich über die sinnlos versessene Zeit – sie hätten diese anders nutzen können.

In den darauffolgenden Tagen wurde mit Feuereifer gebacken, geschnipselt und geprobt. Eltern und Kinder hatten viel Spaß und sehnten den Tag der Aufführung herbei.

Vom Ausgang der Abstimmung hatten sie allerdings keine Ahnung. Sie wussten nur den Termin der Weihnachtsfeier, der groß an der Tafel gestanden war: *18. Dezember.*

Im Lehrerzimmer hingegen war die Stimmung nicht besonders erfreulich. Dass es dieses Jahr keine Weihnachtsfeier geben würde, das gefiel nicht allen. „Wir hatten doch jedes Jahr eine sehr nette Feier!", sagte die Religionslehrerin in der Pause. Sie ging in wenigen Tagen in Pension und konnte sich an keine Lehrerversammlung erinnern, in der es derartig unstimmig zugegangen war. Sie war ein bisschen traurig, dass es zu keiner Einigung gekommen war. Obwohl sie ganz heimlich still und leise auch froh war, dass keine Action-Weihnachtsfeier zustande gekommen war. Aber so ein nettes Beisammensein, ja, das hätte ihr schon gefallen.

Am späten Nachmittag des 18. Dezember machte sie sich daher auf den Weg in die Schule. Sie hatte eine schöne, dicke, rote Kerze gekauft und wollte sie ins Fenster der 3b stellen. Einfach so. Als Zeichen vielleicht, dass das Klassenzimmer nicht in völliger Dunkelheit sein musste, wo an diesem Abend ja auch eine fröhliche Stimmung herrschen könnte. Nicht, dass sie den Glühwein jetzt vermisst hätte (dieser schmeckte in den vergangenen Jahren auch meist nach Zahnpasta), nein, es war einfach schön, mit den Kolleginnen und Kollegen ein paar Stunden gemeinsam zu verbringen. Gerade die

Pausengespräche liebte sie ja so sehr. Sie steckte den Schlüssel ins Schloss und begann, sich zu wundern ... die Eingangstüre war doch gar nicht abgesperrt! Wie konnte das sein?

Plötzlich hörte sie ein Rascheln und ... hatte sie sich verhört? Oder war da eben ein Murmeln und Lachen zu hören? Ihr Herz begann, wie wild zu schlagen, und sie schlich auf Samtpfoten mutig Richtung Klassenzimmer 3b. Bewaffnet mit ihrer großen, roten Kerze fühlte sie sich sehr mutig. Sie öffnete vorsichtig die Klassenzimmertüre und ...

„Frö-hö-liche Weihnacht überall", schallte ihr entgegen. Die Kinder der 3b waren allesamt anwesend. In Festkleidung standen sie fröhlich im Kreis und musizierten und sangen. Das Klassenzimmer war weihnachtlich geschmückt und mithilfe der Eltern waren Stehtische aufgestellt worden. Darauf stand jeweils eine kleine Kerze, daneben lagen ein kleiner Strohstern und ein grüner Tannenzweig als Deko. Der Geruch von selbst gebackenen Keksen schlug der Religionslehrerin entgegen und sie erinnerte sich an ihre Kindheit. Sie hatte plötzlich das Gefühl, als wäre sie wieder ein kleines Kind. Das Gefühl, wie es war, auf das Christkind zu warten, machte sich in ihr breit. Sie genoss jeden Augenblick dieses Schauspiels und wusste gar nichts zu sagen, als die Kinder der Klasse sie im Chor begrüßten. Eigentlich war sie sehr schlagfertig und immer zu einem Scherz bereit, doch jetzt hatte es ihr im wahrsten Sinne des Wortes die Sprache verschlagen. Eine kleine Träne der Rührung tropfte unter ihrer Brille auf die Wange. So schön hatte sie sich ihren Abschied aus der Schule nicht vorgestellt. Oder war das alles gar ein Traum?

„Wo sind denn alle anderen Lehrerinnen und Lehrer?", fragte das kleine Mädchen ihre Religionslehrerin. „Ich dachte, heute gibt es hier eine Weihnachtsfeier?"

„Es gibt keine Weihnachtsfeier", fand die Lehrerin das Wort wieder, „wir konnten uns nicht einigen, was wir..."

Doch weiter kam sie nicht.

In Windeseile kontaktierten die anwesenden Eltern alle Lehrerinnen und Lehrer der Schule und eine halbe Stunde später war ein fröhliches Treiben im Klassenraum der 3b zu sehen.

Und das Schönste: Alle waren gekommen! Auch diejenigen, welche angeblich einen kurzfristigen Arzttermin hatten oder bei denen die Schwiegermutter krank war.

Ein warmes Gefühl breitete sich im Klassenraum aus. Die Kinder musizierten und sangen gemeinsam Weihnachtslieder mit den Lehrerinnen und Lehrern, es wurde die Weihnachtsgeschichte aus der Bibel vorgelesen und selbst gebackene Kekserl gegessen. Die Zeit verflog wie im Flug und als Abschlusshighlight hatten die Kinder noch je einen Teil eines Herzens für die Lehrerinnen und Lehrer vorgesehen. Jeder bekam ein halbes Herz, was nur auf eine andere Herzhälfte genau passte. Man musste seinen Partner suchen und ihm einen netten Weihnachtswunsch sagen. So kam man unwillkürlich ins Gespräch miteinander. Unglaublicherweise machten alle Lehrerinnen und Lehrer mit.

„Das war die schönste Weihnachtsfeier, die wir je hatten!", waren sich alle Lehrerinnen und Lehrer einig. Die Religionslehrerin war überglücklich über diesen schönen Abend und es wurde ihr versichert, dass sie nächstes Jahr wieder eingeladen werden würde.

Im Fenster stand die große, schöne, rote Kerze und leuchtete die ganze Nacht. Vor lauter Freude hatte man ganz vergessen, sie auszupusten.

Johanna Siller (geb. 2011): Schon mit fünf Jahren konnte sie schreiben und lesen. Bald darauf schrieb sie ihre ersten Texte. In der Freizeit liebt Johanna lesen, Geschichten schreiben, Geige und Flöte spielen, singen, reiten, Gokart fahren und sie kann sich für jede Sportart begeistern. Johanna träumt davon, eines Tages Autorin und Musicalsängerin zu werden.

Der verschollene Zeus

Ella schaute sich um. Die goldene Engelstruppe hatte Weihnachtsplätzchen gemacht, die gut dufteten. Immer, wenn ein Engel sich freute, schwebte er seidig durch die Luft – silbernes Kleidchen mit goldenen Sternchen. Alle gelben Engelslocken fielen den weiblichen Engeln über die Schultern und den männlichen wuchsen sie bis zum Nacken.

Die Weihnachtsbäume waren über und über mit Zuckerstangen, Sternen, glitzernden Engelsflügeln und leuchtenden Krippchen geschmückt. Alles schien gut zu laufen. *Das Weihnachtsglöckchen* wurde von Ellas Mutter den kleinen Engelchen erzählt, vorgelesen und gezeigt. Ellas Mutter war Rahel. Das Mädchen aus der Geschichte! Wer würde sich da nicht freuen!

Als Rahel aufgegangen war, dass es ihre Bestimmung war, ein Engel zu sein, war sie gestorben. Dann hatte sich in einen verstorbenen Soldaten zwischen 25 und 30 verliebt, sie selbst war 26 gewesen. Sie war Mitte 30 gewesen, als sie ein Kind bekam. Ella war jetzt zehn. Sie war von Anfang an ein Engel gewesen.

Der Oberengel und Erzengel Josef Elfenflügel war vor tausend Jahren einmal ein Kind gewesen, ein ganz gewöhnliches Kind. Als er fünf Jahre alt war, starb sein Vater. Seine Mutter war von Anfang an ein Engel gewesen. Als sein Vater starb, war Josef kein Halbengel mehr, sondern, wenn man es genau nahm, ein Dreiviertelengel. Und als er selbst mit siebzig Jahren im Bergbau starb, kam das letzte Engelsviertel dazu. Ein vollwertiger Engel. Man konnte sich als Engel aussuchen, ob man alterte und starb und in die nächste Welt überging oder hier im Himmel dauerhaft in Frieden lebte.

Elfenflügel war mit 85 Jahren zum Erzengel, also zum Oberengel, ernannt worden. Seitdem alterte er nicht mehr.

Der nächste Moment ging sehr schnell – babyblaue, silberne Blitze schossen über den Himmel. Ein Donnerschlag störte die Gespräche, die tanzenden Engel – die Feier.

„Ich habe euch immer gesagt: Dient mir treu! Eure Zukunft wird dann verschont", dröhnte eine tiefe Männerstimme.

Anscheinend war sie nicht unbekannt, denn Josef schrie: „Zeus! Vater aller Götter! Herr des Himmels! Vor zehn Jahren! Wo waren Sie?" Er verneigte sich. Man sah ihm an, dass er sich sehr viel Mühe gab. Zeus tauchte aus einer Nebelwolke auf und schaute Josef misstrauisch an.

Rahel wusste, dass Josef dies nicht ernst meinte. Eine zackige Falte saß auf dem Gesicht des Gottes. Er erhob seine Hand und schoss Lichter, Blitze, Hurrikane, Taifune, Windhosen, Donner und Niederschläge wie Regen und Schnee ab. Viele Engel wurden verletzt und starben sogar. Die, die als Menschen gestorben und Engel geworden waren, starben noch einmal. Die, die von Anfang an Engel gewesen waren und starben, blieben so, wie sie waren.

Als Ella verletzt wurde, stürzte sie zu Boden und schlief einfach ein. Es ging superschnell. Sofort war Ella ein vollwertiges Mitglied der Goldenen Engelstruppe. Sie wurde wiedergeboren.

Es hieß in den Gesetzen der Engel des Himmels, dass man, sobald man wiedergeboren wurde, drei Gegenstände bekam.

Ella bekam einen Säbel, ein Buch und ein Paket Stifte. Mit dem Säbel hielt sie Zeus in Schach, das Buch lieferte ihr Informationen über Zeus und mit den Stiften schrieb sie Anmerkungen dazu. Sie versteckte sich hinter einem Stein. Sie war traurig, anschauen zu müssen, wie alle, die eine Waffe erhoben, von Zeus vernichtet wurden.

Dann kam ein Zeichen des Himmels: ein Licht! Es war ein roter Lichtball. Er schoss auf Zeus zu, nahm ihn mit und verbannte ihn für alle Zeit auf den Mars. Von nun an hatte er noch einen Namen *Der verschollene Zeus*. Die Engel konnten glücklich weiterleben.

All das schrieb Ella Gruber in ihr Tagebuch am 24. Dezember 2020!!!!

Annabel Stenger, 10 Jahre, aus Kaarst in Deutschland: Ich verschlinge gerne Bücher und schreibe, seitdem ich 8 Jahre alt bin.

Auf der Suche nach dem Weihnachtsbaum

Es war Weihnachten geworden und Familie Hilsingen schmückte ihren Weihnachtsbaum. Jenny, das jüngste Mitglied der Familie, half dabei. Vorsichtig kraxelte sie auf ihren kleinen Tritt, um eine rote glänzende Kugel aufzuhängen. Stolz betrachtet sie das Wunderwerk, das sie und ihre Familie erschaffen hatten. Jenny hätte fast platzen können vor Aufregung und sie hätte das Wunderwerk noch weitere Stunden betrachten können, nur zu blöd, dass ihr Freund Felix gerade an der Türe klingelte.

„Hallo Jenny, willst du mit uns raus? Schlitten fahren?", fragte er.

„Gerne!" Jenny holte einen Schlitten aus ihrem Zimmer, sie zog sich warm an und flitzte raus.

Dort wartete Felix auf sie. „Na endlich, das hat ja gefühlt eine halbe Stunde gedauert", meckerte er.

„Jaja, lass uns jetzt einfach Schlitten fahren."

„Okay!" Felix machte eine Ausnahme und meckerte nicht mehr weiter.

Die beiden Freunde fuhren den Berg gemeinsam runter. Mit einem „Wow" kam Jenny wieder unten an. „Gleich noch mal", schrie Jenny. Immer wieder fuhren die beiden den Berg runter, bis Felix' Mutter eingriff und rief: „Wir gehen rein!"

Sie verabschiedeten sich und Jenny ging mit ihrer Familie nach Hause. Als sie reinkam, bemerkte Jenny, dass der Weihnachtsbaum weg war. „Oh neiiiiiiiiin!" Jenny drehte durch und rannte durch die ganze Wohnung.

Bis ihr Vater fragte: „Jenny, was ist denn los?"

Aufgeregt stotterte Jenny: „D...d... der Weihnachtsbaum ist weg!"

Jennys Vater rannte wie gestört ins Wohnzimmer. „Verdammte Hacke", brüllte er und sah zu dem nicht mehr existierenden Weihnachtsbaum, nur noch ein paar Spinnen krabbelten in der Ecke. Verzweifelt schaute Jennys Bruder Tobias zum Fenster hinaus. Wütend fragt er: „Was sollen wir denn jetzt tun?"

„Am besten rufen wir die Polizei", meinte Jennys Mutter Katrin. Sie griff zum Telefon und wählte die 110 – und tatsächlich, es ging jemand an den Apparat. Jenny saß schon sehr lange da, bis sie die Sirenen hörte. Sie schaute aus dem Fenster, da sah sie, wie die Polizei an ihrer Haustür anhielt. Aufgeregt wackelte sie auf ihrem Stuhl hin und her. Es klingelte. Jennys Mutter ging zur Haustür und ließ die Männer der Polizei rein. Jenny hörte eine raue Stimme, die sagte: „Hallo, Hauptkommissar Kaspar Meier. Dann lasst mal sehen."

Sie gingen ins Wohnzimmer. Er und seine Männer untersuchten das Zimmern nach Fingerabdrücken. Nach einer Weile machten sich die Polizisten auf den Weg nach Hause. Und Jenny ging ins Bett.

In der Nacht wachte sie auf und dachte an den Vorfall mit dem Weihnachtsbaum. „Ob die Polizei auch wirklich alles gründlich untersucht hat, ob der Täter wohl keine Spur hinterlassen hat?", überlegte sie. Jenny fasste einen Plan.

Am nächsten Morgen wachte sie schon um halb sechs auf. Sie schlich aus ihrem Zimmer und ging zur Garderobe. Sie nahm ihren Schal, Mantel, Mütze und ihre Handschuhe und ging raus. „Nur noch weg hier", dachte sie. Jenny rannte und rannte, bis sie an das Haus von Felix kam. Sie machte halt. Jenny schaute zum obersten Fenster, denn dort war das Zimmer von Felix. Sie nahm Steine vom Boden und warf sie hoch zum Fenster.

Felix hörte es und wachte auf. Verschlafen ging er zum Fenster und sah, dass Jenny dort stand. „Jenny, was fällt dir eigentlich ein? Es ist doch noch so früh!"

„Jaja, Schluss mit dem Gequatsche, unser Weihnachtsbaum wurde gestern Abend gestohlen", antwortete Jenny.

Felix machte ein verblüfftes Gesicht und fragte: „Ja, aber was hast du denn jetzt vor?"

„Das wirst du dann schon sehen, komm einfach runter!", rief sie.

„Okay. Aber wie?", überlegte Felix, doch auch Jenny hatte keinen Plan. „Ah, ich hab's", rief Felix. „Jenny, siehst du die Leiter dort?", fragte er.

„Ja, wieso?", erwiderte Jenny.

„Die nimmst du jetzt und stellst sie an mein Fenster."

„Und wie heißt das Zauberwort?", fragte Jenny mit einem Grinsen im Gesicht.

„Bitte", meinte Felix. Nun kletterte er aus seinem Fenster.

Jenny erklärte ihm alles. Die beiden Freunde rannten zu Jenny nach Hause und gingen ins Wohnzimmer.

„Okay, wie fangen wir an?", fragte Felix. „Habt ihr so was wie 'ne Lupe?"

„Ja", meinte Jenny. Sie schlichen in das Büro von Jennys Vater. „Hier irgendwo muss sie sein." Und tatsächlich sie fanden sie.

Zurück im Wohnzimmer untersuchten sie den Teppich. Doch da war nichts zu sehen. Nun untersuchten sie die Wände, dort war auch nicht zu sehen, bis auf einen kleinen Kaugummi.

„Was können wir mit dem anfangen?", fragte Felix. Sie legten den Kaugummi in eine kleine Tüte und untersuchten den Raum weiter.

Da hatte Jenny eine Idee. Sie nahm einen Pinsel aus ihrem Malkasten und Kreide. Die Kreide rieb sie zu Pulver und tunkte den Pinsel in das Kreidepulver. Nun strich sie mit dem Pinsel über alle Möbel und Wände. Aber das nützte ihr nicht viel, denn nirgends waren Fingerabdrücke. Betrübt schaute sie aus dem Fenster. Aber was war denn das? Dort war ein Stück von einem Tannenbaum.

„Schnell runter", rief sie und Felix rannte ihr hinterher.

Draußen angekommen, sah Jenny, dass das ein Stück von ihrem Baum war. Jenny guckte sich das Stück genau an und nahm es hoch. In der Zeit strich Felix das Kreidepulver auf die Wand und nach guten zwei Minuten fand er einen Fingerabdruck. Nun hatte Jenny eine Idee: Die beiden klebten Tesafilm auf den Abdruck und den Tesafilm auf ein schwarzes Papier.

„Coole Idee", meinte Felix beeindruckt.

„Danke", sagte Jenny. „Felix, wir müssen nach Hause, unsere Eltern wachen bald auf." Sie verabschiedeten sich und gingen.

Schnell schlüpfte Jenny ins Bett und tat so, als ob sie schliefe, da kamen ihre Eltern auch schon rein.

Mit einem: „Guten Morgen, Sternchen, hast du gut geschlafen", weckte sie ihre Mutter.

„Ja", antwortete Jenny, denn etwas anderes konnte sie auch gar nicht sagen.

Nach dem Frühstück ging sie sofort zu Felix. Beinah hätte sie die Fingerabdrücke vergessen. Ein paar Minuten später kam sie bei Felix an und klingelte. Felix wusste schon, was auf ihn zukam. Schnell zog er sich an und ging mit Jenny auf Verbrechersuche.

Sie hielten jeden Mann und jede Frau an, aber zu niemand passte der Fingerabdruck. Sie wollten gerade schon aufgeben, aber da sahen sie noch zwei Häuser, bei denen sie noch nicht waren. „Sollen wir dahin gehen?", fragte Felix.

„Na klaro!", antwortete Jenny.

Die beiden gingen zu den Häusern. Beim ersten Haus trafen sie eine Frau. Sie gab ihnen ihren Fingerabdruck, den die Kinder dringend benötigten. Aber er stimmte nicht mit ihrem gefundenen überein. Beim zweiten Haus machte niemand auf. Aber Jenny sah ein Stück von einem Tannenbaum in der Garage liegen. Jenny und Felix gingen ängstlich in den Garten. Doch dort war kein Tannenbaum. Traurig ging Felix zurück und forderte Jenny auf: „Jenny, komm! Es hat doch eh keinen Wert mehr."

Sie hörte aber nicht darauf. Sie suchte noch weiter, bis auch sie merkte, dass es keinen Sinn mehr machte. Traurig gingen die beiden nach Hause. Auf dem Weg dorthin kickte Jenny ein paar Tannenzapfen weg und grummelte vor sich her: „So ein doofes Weihnachten!" Verärgert kam sie zu Hause an. Als sie reinkam, sah sie, dass ihre Eltern am Telefon saßen. Sie fragte: „Was macht ihr?"

Ihr Bruder Tobias antwortete: „Sie suchen ein Geschäft, das noch Weihnachtsbäume hat."

Nun hatte Jennys Vater keine Lust mehr und fuhr mit dem Auto durch die ganze Stadt, aber nirgendwo fand er einen. Es war schon spät und morgen war Weihnachten. Jenny hatte Angst, dass sie kein Weihnachtsbaum haben würden. Am nächsten Morgen konnte Jenny nur beten, dass ihr Vater einen Weihnachtsbaum gefunden hatte. Als sie ins Wohnzimmer kam, war sie sehr traurig, denn sie sah weit und breit keinen Weihnachtsbaum.

Auch Tobias war sehr traurig. Aber da hatte er eine Idee: „Wie wäre es denn, wenn wir die Wohnzimmerpalme als Weihnachtsbaum nehmen."

„Gute Idee!", sagte Jenny und hatte schon begonnen, die Palme zu schmücken. Die Eltern fanden die Idee auch nicht schlecht und legten ein weißes Tuch um die Palme, so konnten sie fröhlich Weihnachten feiern, dank der Fantasie von Tobias.

Amelie Brugger: *Ich bin neun Jahre alt und wohne in Radolfzell-Böhringen. Hobbys: Geschichten schreiben, Reiten und Fußball.*

Englein Silberstern

Endlich war es so weit. Heute war der 24. Dezember. Hanna, Lena und Jonas waren sehr aufgeregt. Die drei Geschwister hatten auch heuer wieder vor, die Bäume im Wald mit Leckereien für die Tiere zu schmücken, damit sie ebenfalls eine Bescherung hatten. Dies machten sie jedes Jahr.

„Das ist jetzt schon eine Tradition", meinte Hanna, die mit ihren neun Jahren die Älteste war.

„Ja, vor allem, weil wir das immer mit Tanti und Onki machen", ergänzte Lena. Sie war sechs Jahre alt und eiferte gern ihrer Schwester nach.

„Tanti. Onki!", schrie der dreijährige Jonas.

„Nein, Jonas. Tanti und Onki kommen erst später", erklärte Hanna ihrem kleinen Bruder.

Kurz nach dem Mittagessen ging es los. Der Gummiwagen war gefüllt mit Äpfeln, Karotten, Nüssen, Vogelfutter ... und Jonas.

„Bin noch zu klein zum Gehen", erklärte er.

Das Schmücken machte allen Spaß und zur Belohnung gab es Tee und Kekse.

Plötzlich entdeckte Jonas ein helles Glitzern zwischen den Bäumen und verschwand. Hanna und Lena sahen den Schimmer auch und folgten ihrem kleinen Bruder bis zu einer Lichtung.

„Engel", flüsterte Jonas.

„Ja ... genau", meinte Hanna ironisch, „und du, Lena, hör auf, mir ständig auf die Schulter zu tippen."

„Aber, aber...", stotterte Lena.

„Was ist denn?", entgegnete ihr Hanna schon ein wenig genervt.

„Dreh dich doch einmal um!", erwiderte Lena.

Und dann sah sie es auch! Verblüfft fiel Hanna die Kinnlade hinunter. „Das ist das Schönste, was ich je gesehen habe!", rief sie überwältigt. Vor ihnen stand ein wahrhaftiger Engel. Seine blond gelockten Haare umrahmten das niedlich puppenhafte Gesicht und das zauberhafte Lächeln zog die drei Kinder sofort in seinen Bann. „Hallo, Hanna, Lena und Jonas! Mein Name ist Englein Silberstern und ich darf jedes Jahr den bravsten Kindern eine besondere Weihnachtsüberraschung bescheren. Wollt ihr mit mir die Himmelswerkstatt besuchen?", fragte das Engelchen.

„Ja!", schrien die drei wie aus einem Munde.

„Dann geht's jetzt los!", flüsterte Silberstern geheimnisvoll und blies eine Prise Engelsstaub in die Luft. Der Glitzer umhüllte die Kinder wie eine Weihnachtskugel und trug sie in den Himmel empor.

Im Himmel war es einfach ... himmlisch. Überall duftete es nach Keksen. Lenas Nase fand sofort den Weg in die Backstube. Dort gefiel ihr am besten eine Keksdose, die mit Lebkuchenmännchen und -frauen verziert war.

„Das ist eine besondere Dose", erklärte Englein Silberstern, „nimmt man ein Keks heraus, dann kommt sofort ein neuer nach."

Lenas Augen leuchteten verträumt. Doch viel Zeit blieb ihr dafür nicht, denn Jonas rannte schon in Richtung Spielzeugfabrik und – wie immer –, alle ihm hinterher.

Der kleine Bub kam aus dem Staunen nicht mehr heraus. Sofort verliebte er sich in einen blauen Lastwagen mit einem kleinen Engel auf dem Kühler. „Wünsche mir!", quietschte er.

„Ach du meine Güte. Wie schnell die Zeit vergeht. Wir müssen euch wieder nach Hause bringen", sagte das Engelchen.

„Ach, wie schade", seufzte Hanna.

Doch in diesem Moment schimmerte und glitzerte es und schon standen die drei Geschwister wieder auf der Lichtung.

„Hanna! Lena! Jonas!", schallte es durch den Wald.

„Ach du meine Güte! Tante und Onki suchen uns schon!", sagte Hanna in einem alarmierenden Ton.

Schnell liefen sie zurück und Lena erklärte: „Entschuldigung, dass wir so lange weg waren ..." Sie holte schon Luft, um weiterzureden, doch ihre Tante unterbrach sie: „Wie meinst du DAS? Ihr seid doch gerade erst losgelaufen und wir wollten wissen, wohin."

Die Geschwister warfen sich fragende Blicke zu. „Will Brummbrumm-Auto haben!", unterbrach der kleine Jonas das Schweigen und alle fingen an zu lachen.

Und doch blieb die Frage: Hatten sie das alles nur geträumt?

Nein. Am Abend bei der Bescherung war alles klar. Lena fand die wunderschöne Keksdose und sie probierte natürlich gleich aus, ob sie sich auch wirklich wieder füllte. „Hmmm. Lecker!", schmatzte sie geräuschvoll vor sich hin.

Jonas entdeckte seinen himmlischen Lastwagen und Hanna …?

Hanna sah einen kleinen glitzernden Engel am Baum hängen. Schaute man genauer hin, zwinkerte er ihr zu und lächelte – genau wie Englein Silberstern.

Hanna Walder: Ich bin 11 Jahre alt und wurde als Älteste von drei Kindern in Tirol geboren. Nachdem ich die Volksschule in meinem Heimatort absolviert habe, besuche ich momentan das Meinhardinum in Stams. Schon von klein auf interessierten mich Bücher und mein Traumberuf ist es, Kinderbuchautorin zu werden. 2019 hatte ich das Glück, in meiner Altersgruppe den 3. Platz beim Ingeborg Bachmann Junior-Preis zu bekommen.

Advent

Advent, Advent ein Lichtleich brennt.
Die Kinder starren aus dem Fenster,
zählen die Tage bis zum Weihnachtsabend.

Advent, Advent ein Lichtleich brennt.
Es rieselt Schnee,
der Bach gefriert, der Baum wird geschlegert und aufgestellt.

Advent, Advent ein Lichtleich brennt.
Die Kinder schreiben und überlegen.
Was wäre denn das beste Geschenk zu Weihnachten?
Warten auf den Weihnachtsmann und die Vorfreude steigt.

Advent, Advent ein Lichtleich brennt.
Es ist so weit, der letzte Tag des Wartens ist gekommen.
Ab in die Kirche und dann zum guten Festschmaus.
Der Baum, er glänzt in rosenrot,
mit Geschenken darunter ist er einfach famos.

Advent, Advent ein Lichtleich brennt.

Sandra Tomitz ist 12 Jahre alt.

Die Mäuse
feiern Weihnachten

„Morgen ist schon Weihnachten und wir haben fast nichts vorbereitet!", klagte Monika Maus.

„Du hast doch schon den Weihnachtskäse vorbereitet!", tröstete
Matthias Maus, der Mäusevater, sie.

„Ja, aber wo bekommen wir denn einen Weihnachtsbaum und
Schmuck her?", fragte Monika Maus verzweifelt.

„Warte mal, im Keller soll es einen Händler geben. Der verkauft
alles Mögliche. Ich gehe da mal runter!", ermunterte Matthias
Maus seine Frau.

„Wir kommen mit!", riefen die beiden Mäusezwillinge Maxi und
Mina Maus.

Die drei Mäuse machten sich auf den Weg in den Keller, um dort
den Händler aufzusuchen. Sie gingen an großen staubigen Kisten
vorbei. Dann leuchteten plötzlich zwei gelbe Augen in der Dunkelheit auf.

„Was habt ihr in meinem Keller verloren?", fragte die Gestalt und
trat hervor. Es war eine Ratte. Eine ziemlich hässliche. Ihre gelben

Augen leuchteten unheimlich. Die gelben Zähne grinsten sie frech an. Der eine Zahn hatte eine Ecke, wo ein Stück abgesplittert war. Das Fell war ungepflegt. Das eine Ohr sah aus, als hätte die Ratte es vor lauter Hunger angeknabbert, weil sie nur selten etwas zwischen die gelben Zähne bekam. Die Schnurrhaare sahen auch ungepflegt aus. Die süßen Mäuse waren nur an ihre eigenen niedlichen Gesichter gewöhnt. Es war ganz neu für sie, einen so selten hässlichen Vogel, Pardon, eine so selten hässliche Ratte zu sehen.

„B...b...b...b...bist du der Rattenhändler?", fragte Matthias Maus ängstlich.

„Ja, das bin ich!", antwortete die Ratte schnarrend. „Was wollt ihr hier?", fragte sie dann ungeduldig weiter.

„Wir brauchen etwas Weihnachtsschmuck", sagte Matthias Maus schüchtern. „Hast du das vielleicht?"

„Und ob ich das habe! Übriges heiße ich Ricky!", erwiderte die Ratte.

„Toll, dürfen wir den Schmuck haben?", fragte Matthias Maus.

„Ja, ihr dürft ihn haben, aber nur für einen Preis", sagte Ricky knapp.

„Was kostet der Schmuck denn?", wollte Matthias Maus wissen.

„Eine Packung Salami und Käse", antwortete Ricky.

Die Mäuse verließen den Keller. Sie begaben sich zum Kühlschrank, weil sie sich im Haus auskannten.

„Wie kommen wir nur an die Kühlschrankklinke?", fragte Maxi Maus.

„Dort liegt ein Seil!", rief Mina Maus.

Die Mäuse schnappten sich das Seil und banden es zu einem Lasso. Sie warfen es hoch zur Klinke. Sie zogen am Lasso und die Klinke wurde nach unten gezogen. Die Mäuse kletterten das Lasso hoch und schnappten sich die erwünschten Lebensmittel.

„Hier ist eine Packung Salami!", rief Maxi Maus.

„Und hier ist Käse", sagte Mina Maus.

„Gut, und jetzt schnell zu Ricky!", freute sich Matthias Maus.

Gerade als die Mäuse sich durchs Wohnzimmer zur Kellertreppe begaben, kam Björn, der Hausbesitzer, mit seinem Hund in den Raum. „He, da sind ja Mäuse! Bernhard, schnapp sie dir!", rief Björn wütend. Der verspielte Bernhardiner rannte auf die Mäuse zu. In seinen Augen konnte man deutlich sehen, was er wollte: Spielen!

Die Mäuse bekamen so einen Schrecken, dass sie alles fallen ließen und wegrannten. Björn sammelte die Salami und den Käse auf. Er wunderte sich, warum ein Lasso an der Türklinke hang.

„Was soll das heißen, ihr habt keine Salami und keinen Käse dabei?", fragte Ricky zornig.

„Wir hatten es fast zur Treppe geschafft, da kam der Hausbesitzer mit seinem Hund und wir bekamen einen Schrecken und ließen die Sachen fallen", sagten die Mäuse kleinlaut.

Ricky schlug die Hände über dem Kopf zusammen. „Tja, keine Leckereien, keinen Schmuck", sagte Ricky. Er verschwand in der Dunkelheit. Daher kam auch nicht ans Licht, welch ein Lump er in Wahrheit war, weil er überhaupt keinen Schmuck hatte.

Die Mäuse saßen in ihrem Mauseloch und waren ratlos.

Währenddessen schmückte Björn seinen Weihnachtsbaum. Als er fast fertig war, holte er eine alte Weihnachtskugel aus dem Schmuckkasten. Sie war zwar kleiner als alle anderen, aber schillerte umso mehr. Dann verfehlte er leider den Tannenzweig und die Kugel fiel auf den Boden und rollte ins Mauseloch.

Björn erschrak. „Gut, dass sie nicht kaputtging, aber wie soll ich sie denn jetzt wieder aus dem Mauseloch holen?", fragte er sich verzweifelt.

Die Mäuse hatten die Kugel gar nicht bemerkt, so traurig waren sie. Nur Klein Mick, das Mäusebaby, der die traurige Lage nicht verstand, schnappte sich die Kugel und fing an mit ihr zu spielen. „Agghy", gluckste er, weil die Kugel so ein lustiges Geräusch machte, wenn sie hin und her rollte.

Die Mäuse bemerkten das und drehten sich um. Mina Maus fragte ihren kleinen Bruder: „Womit spielst du denn da, Mick?"

„Mit aina Chugel!", antwortete Klein Mick. Er hatte gerade gelernt, zu sprechen.

„Das ist ja eine Weihnachtskugel!", sagte Maxi Maus erstaunt.

„Sie ist leider viel zu groß. Sie gehört wahrscheinlich den Menschen", sagte Monika Maus und kullerte die Kugel aus dem Loch heraus. Sie schenkte Klein Mick stattdessen einen Ball.

Der Hausbesitzer bemerkte, dass die Kugel wieder da war, und freute sich. „Da ist ja, die Kugel!", rief er fröhlich. Er dachte sich: „Das waren bestimmt die Mäuse! Ich werde ihnen auch ein Geschenk geben!" Er ging aus dem Zimmer und kam bald darauf mit einem winzigen dekorierten Weihnachtsbaum zurück. Er hängte noch eine Leuchtkette – die übrigens auch sehr winzig war – an den Baum. Zuletzt stellte er den Baum vor das Mäuseloch.

Die Mäuse bemerkten das und holten den Weihnachtsbaum rein. Sie stellten den Weihnachtsbaum in die Mitte ihres Mauselochs. Matthias Maus bewunderte den Baum. Er bemerkte kleine Glöckchen an den Tannenzweigen. „Das sind aber schöne kleine Glöckchen", freute er sich. Nun konnten die Mäuse am nächsten Tag doch noch ein schönes Weihnachtsfest feiern.

Björn, der Hausbesitzer, aber auch. Seine ganze Familie kam zum Weihnachtsfest und bestaunte, wie jedes Jahr, die kleine, schillernde Weihnachtskugel. Sie hing schon seit Generationen seiner Familie am Weihnachtsbaum.

Verschwieg er das Geschehnis mit der Kugel – oder erzählte er davon?

Boi David, 12 Jahre, aus Pattburg in Dänemark.

Krasse Weihnacht

Habt ihr euch jemals gefragt, wie die Geschenke unter den Baum kommen? Natürlich kommt ja der Weihnachtsmann. Aber warum sehen oder hören wir den Weihnachtsmann nicht? Genau das fragten sich die vier Freunde Arielle, die aber von jedem Ari genannt wurde, Walter, ziemlich intelligent und Brillenträger, Miriam, die immer zu eifersüchtig war, und Johannes, der sich selber Jo nannte. Sie wollten unbedingt den Weihnachtsmann sehen – und sie sollten etwas richtig Krasses entdecken.

„Wie ist der Plan?", fragte Ari also am Weihnachtstag an Walter gewandt.

„Ich weiß diesmal nicht wirklich etwas", erwiderte der und strich sich durch das braune, gelockte Haar.

„Wir könnten uns doch abends auf die Lauer legen", schlug Jo vor.

„Aber das tue ich nicht. Wir müssen dann doch ins Bett und ich bin nicht so ein Regelbrecher", sagte Miriam unruhig.

„Also, ich habe nichts dagegen", antwortete Ari.

„Ich mach auch mit", gab Walter von sich.

„Moment, wenn ihr alle mitmacht, seht ihr ja den Weihnachtsmann und ich nicht! Dann mache ich auch mit!", erkannte Miriam.

„Dann geht unser Plan klar?", fragte Jo.

„Ja!", riefen alle wie aus einem Munde.

Abends schlich sich also jeder aus seinem Haus, außer Miriam, denn sie trafen sich alle bei ihr. Dann kam der Moment. Sie machten sich darauf bereit. Gleich würden sie den Weihnachtsmann treffen. Aber irgendwie kam der Weihnachtsmann nicht. Die vier guckten noch einmal nach, ob die Geschenke schon da waren. Tatsächlich lagen Geschenke unter dem Baum.

Aber sie waren doch extra sehr früh zu Miriam gelaufen! Und als sie sich auf die Lauer gelegt hatten, waren da noch keine Geschenke. Wie konnte das sein?

Jetzt hatte Walter eine Idee. Er meinte, dass sie doch am Nordpol nachgucken könnten. Sie packten ein paar warme Sachen, hinterließen ihren Eltern eine Nachricht, dann liefen sie zum *Geheimlabor ???*. Das hieß so, weil niemand wusste, was dort vor sich ging. Von dort wurden gerne mal Erwachsene zum Nordpol geschickt, um ihn zu erforschen. Das war das Einzige, was man über das Labor wusste.

Die vier Freunde warteten, bis sich das Tor öffnete. Dann hängten sie sich heimlich an ein Auto. Miriam hing an der rechten Seite im toten Winkel, Jo an der linken, Ari, die sehr begabt im Klettern war seitlich unter Jo, und Walter, der kein Sportsfreund war, tat sich schwer, sich unter dem Kofferraumfenster zu halten.

Zum Glück floss an einem nahe gelegenen Dorf ein kleiner Fluss, der in das Meer mündete. Denn dort ging es auf ein Schiff. Die vier versteckten sich in der Vorratskammer. Das war gut, denn die Fahrt dauerte einige Tage und so hatten sie etwas zu essen.

Dann waren sie da. Voller Vorfreude schlichen sie sich raus und sahen ... nichts, nur eine kleine Forschungsstation mit Erwachsenen.

„Aber es muss doch etwas am Nordpol geben ... ich glaube ganz fest daran!", rief Miriam.

„Wir tun das alle!", antworteten die anderen laut.

Plötzlich gab es in der Luft eine Welle ... noch eine ... und noch eine ... und langsam tauchte eine neue, große Station aus dem Eis auf. Komisch, die Erwachsenen auf der Forschungsstation reagierten nicht. Egal.

„Das muss das Zuhause des Weihnachtsmanns sein! Nichts wie hin!", rief Walter und noch bevor die anderen etwas sagen konnten, war er auch schon da. Sie folgten ihm. Die Eingangstür ging auf. Aber vor ihnen stand kein Weihnachtsmann!

Es war ein grünes kleines Männchen, es hatte nur ein Auge und eine Weihnachtsmütze auf. Das war ein Alien! Ari und Jo fiel die Kinnlade herunter, Walter stotterte die ganze Zeit: „Was ... aber das – das ist ... doch nein ..." Und Miriam stieß sogar ein paar Schreie vor Entsetzen aus. Selbst das Alien stand nur da und sagte nichts. Die Aliens hinter ihm schrien allerdings herum und machten Panik.

„Was ist denn das hier für ein Radau! So kann ich nicht arbeiten!", brüllte nun eine wütende Stimme von ganz hinten.

„S...S...Sir d...da sind K...K...Kinder!", stotterte das Alien am Eingang. Nun kam eine violette Gestalt, die vier Augen hatte, von hinten.

„Aber ... nein ... Wie seid ihr hierhergekommen?", fragte die Gestalt. Also erzählten die Kinder die ganze Geschichte.

„Ja ... dann ... äh, Raysoy, hol doch bitte mal den Vertrag, während ich ihnen die Geschichte von uns erzähle", befahl das Alien dem Alien, das anscheinend Raysoy hieß. Raysoy ging los. Dann erzählte das andere Alien, das anscheinend das Oberalien war: „Also, wir sind seit Christus auf dieser Welt, wir sind damals abgestürzt. Dabei haben wir versehentlich einen Planeten angesengt. Dadurch entstand der Stern über Jesus. Dann haben wir nach Essen gesucht. In einem Haus stand auf einem Zettel irgendwann eine Wunschliste und vor der Tür fanden wir Milch und Kekse. Das war lecker. Als Dankeschön stellten wir alles, was sich der Mensch wünschte, unter einen Nadelbaum. Das sprach sich schnell herum und immer am 24. Dezember haben wir Keksvorräte bekommen. Ihr habt uns übrigens nicht gesehen, weil wir die Geschenke immer in die Häuser teleportiert und die Kekse mit Milch zu uns teleportiert haben. Erwachsene können uns gar nicht sehen. Die haben ja überhaupt keine Fantasie mehr, aber ihr Kinder ..."

„Jetzt ergibt es auch Sinn, wie die Geschenke an einem Abend in die Häuser der ganzen Welt geliefert werden!", erkannte Walter.

Da kam Raysoy auch schon wieder. „Hier, Chef, das Abkommen!"

„Danke sehr, Raysoy." Er wandte sich wieder den Kindern zu.

„Okay, das hier müsst ihr unterschreiben", sagte das Alien.

Auf dem Vertrag stand:

Hiermit bestätigen Sie, dass Sie nie jemandem etwas von uns erzählen und dass, wenn das gebrochen wird, eine Strafe gilt.

Alle unterschrieben.

„Das war es dann auch. Wir werden euch nach Hause teleportieren", sagte das Oberalien.

„Aber wir wollen noch ein paar Fragen beantwortet haben!", bemerkte Ari.

„Ihr könnt uns auch bald wieder besuchen und uns Fragen stellen", beruhigte das Oberalien, „eure Eltern machen sich aber bestimmt schon sorgen. Macht's gut!"

Dann waren sie auch schon zu Hause bei Miriam. Die Antworten machten sie glücklich und sie konnten dieses Thema abhaken und sich entspannen. Aber sie wollten die Aliens auf jeden Fall noch einmal besuchen. Vielleicht nächstes Jahr.

Sophie Fouraté lebt in Büdingen und geht in die 5. Klasse.

Die Liebe kam an Weihnachten

Es war ein wunderschöner Winternachmittag und draußen schneite es. Gloria saß gemütlich in ihrem Lieblingssessel, mit einer Tasse Tee und las ein Buch. Wie sie den Winter liebte.

Bring bring, bring machte ihr Telefon. Es war ihre Mutter.

„Hallo, Schatz, wie geht es dir?"

„Gut, und dir?"

„Mir geht es auch gut. Ich wollte dich fragen, ob du den Job im Weihnachtsladen bekommen hast?"

„Ja, das habe ich. Morgen ist mein erster Tag. Ich freue mich schon auf morgen."

„Echt, das ist ja toll. Ich freue mich für dich."

„Danke. So, ich muss jetzt auflegen, weil ich morgen früh aufstehen muss." Beide legten auf und Gloria ging ins Bett.

Ihre Mama war auf einer Dienstreise, da sie bei VW arbeitete, und Glorias Vater war leider schon tot.

Am nächsten Morgen klingelte Glorias Wecker schon um 06:00 Uhr. Gloria stand auf und machte sich fertig. Sie ging los zu ihrem Weihnachtsjob.

Als sie vor der Ladentür stand, war Gloria plötzlich aufgeregt. Sie ging herein und bewunderte den schönen Weihnachtsladen. Die schönen Stände, die Dekoration, den Duft – einfach alles.

„Hallo."

„Oh, hast du mich erschreckt!" Gloria sah den jungen Mann an. Er hatte schön gestylten blonde Haare, große braune Augen und ein tolles Outfit an. Er hieß Jo. Das las Gloria auf seinem Namensschild. Glorias Herz pochte sehr schnell.

„Entschuldigung. Das war nicht meine Absicht."

„Ja, ich weiß."

„Du bist neu, oder?"

„Ja, das bin ich. Heute ist mein erster Tag. Könntest du mir bitte sagen, wo der Chef ist?"

Jo brachte Gloria zum Chef. Die beiden verabschiedeten sich voneinander und Jo ging wieder an die Arbeit.

Der Chef gab Gloria die Stunden, die sie arbeiten muss. Gloria sollte heute schon anfangen zu arbeiten, und zwar an der Kasse. Durch Zufall arbeitete Jo auch an der Kasse – zusammen mit Gloria. Als Gloria das sah, war sie so froh, dass ihr Herz innerlich tausendmal pochte. Gloria ging zu Jo an die Kasse. „Hi, jetzt sehen wir uns doch noch mal", sagte sie.

„Ja, so sieht es aus! Hast du heute eigentlich schon was vor?"

„Nein, wieso?"

„Na ja, wenn du Lust hast, können wir heute zum Weihnachtsmarkt gehen und dort ein bisschen schlendern."

„Das ist eine sehr gute Idee."

„Ist das jetzt ein *Ja*?", fragte Jo.

„Das ist ein *Ja*."

„Toll, ich freue mich schon."

„Ich freue mich auch."

Beide arbeiteten weiter. Als die beiden Feierabend hatten, gingen sie los zum Weihnachtsmarkt. Gloria war so happy. Ihr Herz klopfte vor Freude so schnell, als würde es gleich wie ein Hubschrauber abheben. Die beiden hielten an vielen Ständen an. Von Weihnachtsschmuck bis Weihnachtssüßigkeiten war alles dabei.

„So, jetzt haben wir alle Stände, die wir besuchen wollten, besucht. Ich schlage vor, wir gehen in Richtung Weihnachtsbaum."

„Ja gerne."

Am Weihnachtsbaum angekommen, fiel Glorias Armband runter und beide bückten sich. Ihre Köpfe waren so nah, dass man den Atemzug von beiden hörte. Jo ging auf Gloria zu und sie auf ihn. Und dann ... *PENG* ... passierte es. Sie küssten sich. Weihnachtszauber lag in der Luft! Gloria ging von Jo weg und sah ganz lange in seine schönen großen braunen Augen. Beide lächelten sich an und umarmten sich. Plötzlich kam ein Mädchen. Sie küsste Jo auf die Wange und lächelte ihn an. „Hallo."

„Hi, wie geht es dir"?

„Gut, und dir"?

„Ja, mir geht es auch gut".

Gloria wollte sich das nicht länger ansehen. Sie rannte, so schnell sie konnte, nach Hause.

Jo wunderte sich, wieso sie so schnell weg war. „Hab ich irgendwas falsch gemacht?", rief er ihr hinterher.

Doch Gloria konnte ihm nicht mehr antworten, weil sie schon so weit weg war und ihn nicht mehr hören konnte.

Als Gloria bei sich zu Hause angekommen war, sah sie auf ihrem Handy, das Jo zehnmal angerufen hatte, aber Gloria reagierte noch immer nicht. Sie blockierte den Kontakt und schmiss sich auf ihr Bett. Sie weinte. Gloria war so traurig und sauer auf Jo.

Auf einmal klingelte es an der Haustür. Gloria war neugierig und ging an die Tür. Es war Jo. „Was willst du?", fragte sie.

„Ich will mit dir reden und dir alles erklären."

„Nein, es gibt nichts mehr zu reden und auch nichts mehr zu klären. Ich will dich nie wiedersehen. Ich dachte, wir könnten eine glückliche Beziehung beginnen, da hab ich mich aber getäuscht!" Gloria knallte die Tür zu und rannte hoch in ihr Zimmer. Sie wollte jetzt nur noch allein sein. Plötzlich vibrierte ihr Handy. Sie schaute auf ihr Display. Eine Nachricht von einer unbekannten Nummer. Sie las:

Hallo Gloria,
hier ist Josi. Ich kenne deinen Namen von Jo und die Nummer auch. Bitte sei nicht sauer auf ihn. Ich weiß, du hast mich mit ihm gesehen. Aber das ist ganz normal. Ich bin nämlich seine Schwester. Bitte vertragt euch wieder. Vielen Dank!
Josi

Als Gloria diese Nachricht gelesen hatte, wurde ihr ganz warm ums Herz. Sie entblockte Jo auf ihrem Handy und schrieb ihm, dass sie ihn bei sich erwarten würde. Jo kam und Gloria und er sprachen sich aus und vertrugen sich. Sie küssten sich ganz lange. Dies war der Beginn einer wunderbaren Beziehung. Ein schöneres Weihnachtsgeschenk hätte sich Gloria nicht wünschen können!

Yasmin Bormann: *11 Jahre alt. Ich gehe auf das Gymnasium Neue Oberschule in Braunschweig und liebe es, Geschichten zu schreiben, und habe schon einige geschrieben.*

Der Notfallplan für den Weihnachtsmann

Seit gestern fühlte sich der Weihnachtsmann gar nicht gut. Zu dem Schnupfen, den er hatte, kam nun noch ein fürchterlicher trockenen Husten. Schlafen ging gar nicht.

Nach dem Arztbesuch wurde dem Arzt klar, dass der Weihnachtsmann in großer Gefahr war. Bei einem Test fand man heraus, dass der liebe Weihnachtsmann Corona positiv war. Er durfte sich mit keinem treffen und auch das Haus nicht verlassen. Essen und Trinken konnte ihm ein Elf bringen. Aber was war mit den Geschenken für die Kinder? Das würde eine riesige Katastrophe!

Auf die Weihnachtszeit freute sich natürlich Elise. Elise war ein ganz normales Mädchen und hoffte so sehr darauf, Geschenke vom Weihnachtsmann zu bekommen. Sie hatte schon ihre Liste, auf der ein Spielpferd, eine Puppe, ein Kleid und Stifte notiert waren.

Elise verzierte den Weihnachtsbaum mit Baumschmuck, denn das mit den Girlanden war für sie zu schwer. Nur die Spitze des Weihnachtsbaums konnte sie leider noch nicht erreichen.

Elise zog sich um. In ihrem schönen blauen Kleid sah sie beinahe wie ein Engel aus. Elise kicherte. Sie würde ja so gern mit ihren Eltern die Girlanden und den Stern auf der Baumspitze funkeln lassen. Sie schaute erst auf die Tanne, dann auf die

Weihnachtskarten, die sie noch schreiben musste. Nach der Arbeit war sie plötzlich sehr müde und schlief ein.

Ein strahlendes Licht weckte sie nach einer Weile. Sie konnte nicht viel erkennen – außer ein orange-gold-gelbes Kleid. Die Strahlung war sehr hell, aber verschwand bald wieder und ein fröhliches Lächeln blickte auf sie hinab.

War das ein Elf oder Engel? „Es ist ein Elfengel", rief sie überraschend aus. „Was für tolle Weihnachten!", freute sich Elise.

„Hallo, ich bin der Engel Maura", begrüßte sie der Engel.

Elise hörte die traurige Geschichte des Weihnachtsmanns von Maura. „Hat der Weihnachtsmann wirklich Corona?", fragte sie nachdenklich.

„Ja, hat er", antwortete der Engel. „Und ich würde deine Hilfe brauchen", lächelte Maura.

„Aber, ich bin kein Engel", dachte Elise nach.

„Du kannst aber ein Engel werden", sagte Maura. Mit einem Schwung des magischen Zauberstabs wurde Elise zu einem Engel namens Elli.

Elli fühlte sich schnell wohl in ihrer neuen Rolle und flog hinter Maura zu einem anderen Engel. Engel Steffi war sehr fleißig. Gerade sahen Elli und Maura zu, wie Steffi ein paar Weihnachtslieder für die fröhlichen Weihnachtstage übte. „Hallo, was bringt euch hier zum Elfenteich?", fragte sie lächelnd. „Oh, ein brandneuer Engel", bemerkte sie dann begeistert. „Geh in die Engelkammer, dort findest du alle Geschenke."

Elli betrachtete die Geschenke mit großem Staunen. „Bestimmt ist zwischen den Geschenken irgendwo meins", dachte sie zufrieden. Während des Flugs zum ersten Haus fragte Elli: „Brauchen wir eure magische Liste?"

„Natürlich", antworteten Maura und Steffi gleichzeitig.

„Wieso denn?", fragte Elli.

„Schau mal, auf der Liste sind alle Namen der Kinder hingeschrieben, die wir beschenken müssen", beendete Steffi den Satz.

Elli betrachtete die Liste, auf der viele Namen standen. „Engel sind Postboten, die Geschenke austeilen", sagte Maura zu ihr.

„Ich bin nun auch ein Postbote", sagte Elli freudig.

„Die erste Person, die wir beschenken wollen, heißt Nelli."

Während des Flugs zur Nellis Haus plauderten alle und die Sterne fingen an, zu funkeln. Der Mond zeigte sich auch schon von Weitem.

„Sind wir schon da?", fragte Elli ungeduldig.

„Ja", stellten Maura und Steffi fest.

„Hier ist es wunderschön", wunderte sich Elli.

„Wer will das erste Geschenk liefern?", fragte schließlich Steffi.

„Ich, ich will!", rief sofort Elli so laut, dass sie die ganze Umgebung weckte. Natürlich hatte jetzt keiner irgendeine Idee, was in diesem Fall nun zu tun war.

„Wenn die Menschen schlafwandeln würden, wäre es kein Problem, wenn sie uns sehen, denn später würden sie denken, es wär ein Traum gewesen."

„Gute Idee!", freute sich Elli. Sie wusste, dass jeder Engel geheime Zauberkräfte hatte. Elli nahm ihre magische Flöte und begann, zu spielen. Bald schlafwandelten alle zurück in ihre Betten und schliefen wieder ein.

„Elli, das war fantastisch!" Auch Maura war begeistert. Wie geplant, flog Elli mit dem ersten Geschenk aufs Dach und ließ es durch den Kamin reinfallen. Maura und Steffi erwarteten sie ungeduldig.

„Ich habs geschafft!", jubelte Elli und flog wieder runter.

Die anderen Geschenke zu verteilen, gingen wie im Flug. Elli war froh, dass sie helfen konnte und die weihnachtliche Mission erledigt war. Das war das allerbeste Geschenk, das sie je bekommen hatte.

Jetzt aber musste sie wieder heim. Denn es war schon der Weihnachtsabend gekommen.

„Tschüss", winkten die zwei Engel ihr zu und verschwanden.

Als Elise die Augen wieder öffnete, war sie zurück im Wohnzimmer. Da stand auch ihr Weihnachtsbaum. Sie war aber selbst kein Engel mehr! Sie war wieder Elise. Unter dem Baum entdeckte sie Geschenke. Sie ging erst mal zum Fenster und schaute lang hinaus.

„Danke", sagte sie, „das war doch ein Traum, oder?"

Julia Buczkowska, 9 Jahre, aus Hersbruck in Deutschland.

Ein Känguru als Haustier

An einem kalten Wintertag war ich bei Opa zu Hause. Bis zum 23. Dezember durfte ich bei ihm bleiben. Dann würde ich nach Hause zurückfahren, um mit Mama und Papa Weihnachten zu feiern. Es schneite und Opa und ich setzten uns ins Wohnzimmer. Im Kamin flackerte ein Feuer und es war auch sonst sehr gemütlich. Ich las in meinem Buch, während Opa einfach nur dalag. Ab und zu ruckelte er an seiner Brille. Mit geschlossenen Augen. Als ich gerade ganz tief in mein Buch versunken war, setzte Opa sich auf einmal auf und rief: „Ich hab's!"

„Was hast du?", fragte ich.

„Ich werde mir ein Haustier anschaffen!", rief Opa vergnügt.

„Cool", sagte ich. „Was denn für eins?"

„Ein Känguru", erklärte Opa, als sei es das Selbstverständlichste, ein Känguru als Haustier zu haben.

„Und wo willst du eins herbekommen?", fragte ich skeptisch. Aber Opa antwortete gar nicht mehr, sondern schwang sich auf sein Fahrrad und fuhr los. So schnell ich konnte, beeilte ich mich, hinter Opa herzufahren. Was im tiefen Schnee nicht gerade einfach war.

Erst wusste ich nicht, wo es hingehen sollte, doch da hielt Opa schon vor einem Eingang mit Schild. *Känguru-Zoo* stand dort drauf.

„Na klar", dachte ich. „Der Känguru-Zoo ist ja berühmt für seine vielen Kängurus."

Wir stellten unsere Fahrräder ab und gingen rein. Im Zoo wimmelte es von Besuchern und alle scharrten sich um die Käfige, doch Opa wollte zu einem Tierpfleger. Endlich fanden wir einen.

„Könnten wir Ihnen bitte ein Känguru abkaufen?", plapperte Opa sofort los. „Wir haben Kängurus nämlich so gerne."

Der Tierpfleger schaute uns verständnislos an, denn es kam ja auch nicht alle Tage jemand vorbei, der ein Känguru haben wollte. Schließlich sagte er: „Da gehen Sie am besten zum Direktor. Dafür bin ich nämlich nicht zuständig." Also folgten wir dem Tierpfleger in ein großes Haus. Der Tierpfleger blieb vor einer großen Tür stehen, klopfte und öffnete sie dann.

„Was wollen Sie hier?", ertönte eine dunkle Stimme, die wohl dem Zoodirektor gehörte.

„Ich möchte Ihnen bitte ein Känguru abkaufen", plapperte Opa.

„Wir verkaufen keine Kängurus", antwortete der Zoodirektor finster.

„Sie wollen mir kein Känguru verkaufen? Das ist ja unerhört!", empörte sich Opa. Und mit diesen Worten stapfte er zur Tür hinaus. Ich ging hinterher. Mit den Fahrrädern radelten wir nach Hause.

„Am Abend gehen wir noch mal zu diesem dummen Zoo", sagte Opa zu mir.

Als es Abend wurde, stiegen wir also wieder auf unsere Fahrräder und radelten zum Zoo. Mir war sehr kalt. Das große Zootor wollte gerade schließen, da schlüpften wir noch durch einen kleinen Spalt. Opa fuchtelte mit den Händen herum und machte seltsame Bewegungen.

„Was machst du da?", fragte ich Opa.

„Ich mach dir natürlich Zeichen", sagte Opa ärgerlich.

Es war kein einziger Besucher mehr zu sehen. Leise schlich ich hinter Opa ins Büro des Direktors.

„Was willst du dort?", fragte ich.

„Schauen, wie viel ein Känguru kostet. Denn ein Dieb will ich nicht sein", erklärte Opa. Er wollte sich also ein Känguru holen. Opa durchwühlte so lange die Papiere des Direktors, bis er den Preis für ein Känguru wusste. Er legte das Geld auf den Tisch und wir gingen zu einem der Käfige.

„Wie willst du denn das Schloss aufbekommen?", fragte ich.

Doch ehe ich mich versah, hatte Opa schon die Tür geöffnet. „Viele Leute legen ihren Schlüssel ganz in die Nähe", sagte er grinsend. Er hatte den Schlüssel in einem Blumentopf neben dem Käfig gefunden.

Dann ging die Kängurujagd los. Immer, wenn wir fast ein Känguru erwischt hatten, hüpfte es im letzten Moment davon. Endlich sah ich ein Känguru, das allein im Gras hockte und an etwas knabberte. Ich packte es, doch es biss mich in die Hand.

„Au!", jaulte ich.

„Halte durch!", rief Opa. Er rannte zu mir und stülpte einen Sack über das Känguru. „Das beißt ja wirklich", rief Opa, als er den Sack in der Hand hielt. Wir wollten gerade das Gehege verlassen, da stellten sich uns ein Tierpfleger, der Direktor und ein Polizist in den Weg. Alle blickten uns finster an.

„Warum wollten Sie ein Känguru klauen und warum haben Sie Geld dagelassen? Das hat noch nie ein Dieb gemacht", fragte der Direktor mit kühler Stimme.

„Ich habe nur ein Känguru geklaut, weil ich mich an Weihnachten immer so einsam fühle. Mein Enkelkind wohnt so weit weg. Jedes Mal sitze ich allein zu Hause und bin traurig. Und da wollte ich eben ein Haustier haben", sagte Opa traurig.

„Das dürfen Sie trotzdem nicht. Der Direktor wird eine Anzeige erstatten müssen", rief der Polizist.

„Jetzt seien Sie mal leise", unterbrach ihn der Direktor. „Sie haben das Känguru also nur klauen wollen, weil Sie sich so einsam fühlen?"

Opa nickte.

„Erstatten Sie jetzt endlich eine Anzeige?", fragte der Polizist ungeduldig.

„Hier erstattet niemand eine Anzeige", sagte der Direktor.

„Danke", sagte Opa.

„Ich habe noch eine Idee", sagte ich. „Wir könnten Opa ein Tier aus dem Tierheim holen."

„Das ist eine wunderbare Idee!", meinte der Direktor.

„Jetzt werde ich nie wieder alleine sein!", rief Opa überglücklich.

Ein paar Tage später war Weihnachten. In allen Häusern sah man strahlende Gesichter. Und in einem Haus kraulte ein freudestrahlender Mann ein kleines Kätzchen.

Enna-Luisa Eleonora Buschner: Ich bin 10 Jahre alt und komme in die 5. Klasse. Ich wohne in Markt Schwaben. Meine Hobbys sind Sport, Lesen und Tanzen. Mit 4 Jahren hat mein Papa angefangen, mit mir Geschichten zu erfinden und mit 5 habe ich meine erste eigene Geschichte erfunden. Seitdem habe ich noch viele weitere Geschichten erfunden. Das Bild zu meiner Geschichte hat meine Schwester Feline gemalt. Sie ist 8.

Der Besuch
bei den Weihnachtsengeln

Ein Mädchen mit dem Namen Lissy war vier Jahre alt. Sie freute sich immer sehr über die Geschenke an Weihnachten. So sehr wie du. Das kannst du dir vorstellen.

Eines Tages, – um genau zu sein, es war Weihnachten, fragte sich Lissy: „Wo kommt der Weihnachtsmann eigentlich her?" Sie machte sich mit ihrer Mutter auf die Suche.

Als sie schon lange, lange gelaufen waren, sah Lissy etwas am Horizont. Sie rief: „Mama, schau mal da am Horizont. DA IST ER!"

Die Mutter antwortete: „Ja. Komm hinterher." Sie rannten so schnell, wie ihre Beine nur konnten. Schließlich nahm die Mutter Lissy sogar auf den Arm.

Der Weihnachtsmann hatte die beiden Neugierigen bemerkt und hielt an. Erfreut sagte Lissy zur Mutter: „Schau mal, Mama. Er wartet auf uns." Und als die Mutter völlig außer Puste war, hatten sie ihn erreicht.

Lissy rief sofort: „Hallo, Weihnachtsmann!"

Da erwiderte der Weihnachtsmann: „Hallo, Lissy." Und lächelte sie väterlich an.

Lissy war verwundert. „Woher weißt du meinen Namen und wo kommst du her?"

Nun lachte der Weihnachtsmann, sodass sein dicker Bauch zitterte. „Deinen Namen weiß ich, weil ich der Weihnachtsmann bin! Gerne werde ich euch zeigen, wo ich herkomme, begleitet mich ein Stück." Da könnt ihr euch sicher vorstellen, was Lissy gesagt hat. Sie nahm ihre Mutter an die Hand.

„Na klar kommen wir mit!" Sie stiegen in den Rentierschlitten und schon ging es los. Nach wenigen Minuten waren sie da und der Weihnachtsmann lud beide ein. „Kommt mit. Ich zeig euch meine kleinen Helfer." Er führte sie durch das Weihnachtsparadies, welches an allen Ecken und Kanten funkelte und glitzerte. Lissy fühlte sich verzaubert.

Da sagte der Weihnachtsmann: „Das sind meine kleinen Weihnachtsengel. Sie machen alle Geschenke."

„Das ist so cool hier!", sagte Lissy.

Aber die Mutter drängte: „Komm, Lissy. Wir müssen nach Hause."

Völlig begeistert, doch inzwischen auch etwas misstrauisch, schaute sich Lissy um. „Aber wir wissen gar nicht, wo es lang geht."

Der Weihnachtsmann zwinkerte ihr zu: „Das ist auch gut so. Ich bringe euch nach Hause."

Wieder stiegen alle in den Zauberschlitten und auch diesmal dauerte die Fahrt nicht lange. Lissy und ihre Mutter verabschiedeten sich vom Weihnachtsmann und gingen dankbar für das Erlebnis ins Haus.

Jetzt erst bemerkte Lissy, dass sie furchtbar müde war. „Mama, ich bin sooo müde!"

Da sagte die Mutter: „Komm, ich bringe dich ins Bett."

Lissy kuschelte sich in ihre Kissen. „Gute Nacht, Mama."

In dieser Nacht träumte Lissy von bunten Weihnachtsgeschenken, Engeln und Wichteln – und wie es sein würde, am nächsten Morgen Geschenke zu bekommen.

Maira Ilse Lippert, geb. im Juni 2011, lebt mit ihrer Familie in Schwarzenberg im Erzgebirge. Sie besucht im Schuljahr 2020/21 die vierte Klasse und ist eins von vier Geschwisterkindern. In ihrer Freizeit liest sie gern Kinderbücher oder spielt mit ihren Freundinnen.

Dreimal Weihnachten

Es war einmal ein junges Einhorn. Es sollte hinab auf die Erde fliegen und sich einen Einhornfreund suchen und zusammen mit ihm Menschen und Tieren helfen – und das im Winter. Es war bitterkalt und das Einhorn war einsam. Das Einhorn stapfte durch den Wald und hoffte, bald ein Haus zu erreichen. Es wurde schon dunkel und das Einhorn stellte seinen Leuchtzauber an. Da sah es plötzlich ein Licht: ein Haus. Glücklich trabte das Einhorn darauf zu. Als das Einhorn das Haus erreicht hatte, spähte es hinein. Oh wie hübsch alles dort war. So schöne festliche Stimmung.

„Oh, Mami, schau mal, ein Einhorn. Vielleicht könnte ich es behalten. Wir haben doch eh schon einen Stall, weil du mir zu Weinachten ein Pferd kaufen wolltest."

„Frag das Einhorn einfach, was es will", sagte Paulas Mutter.

„Ich gehe zum Einhorn hinaus und rede mit ihm", meinte Paula eifrig. „Ja, tu das und bring es auch gleich in den Stall."

„Mach ich."

„Also dann bis gleich", erwiderte die Mutter.

Paula stapfte auf das Einhorn zu. „Du bist so schön", flüsterte sie ihm zu und zeigte ihm den Stall. Es wollte bleiben und die beiden wurden schnell gute Freunde. Das Einhorn liebte es, wenn Paula es streichelte. Sie gab dem Einhorn den Namen Stern, weil es ein solches Abzeichen trug. Sie machten jeden Tag einen Ausritt und spät am Abend flogen sie über die Wiesen und Wälder.

„Heute Nacht werden wir zum ersten Mal zur magischen Versammlung fliegen", meinte Stern eines Tages aufgeregt.

Als sie in der Nacht zur magischen Versammlung flogen, klopfte Paulas Herz blitzschnell. Schließlich kamen sie an. Paula sah sich um. „Das ist so toll", dachte sie. In der Mitte standen die drei schönsten Einhörner, die sie je gesehen hatte.

„Hallo, Paula, hallo, Stern", begrüßten sie die Besucher.

Dann begann das goldene Einhorn, zu erzählen: „Es gibt ein Einhornweihnachtsfest. Es darf jeder hin. Alle Einhörner bekommen eine Adventsaufgabe. Wer sie vor dem Fest gelöst hat, wird auf dem Fest geehrt. Danach gibt es ein Lagerfeuer mit Stockbrot und dann ist Schluss."

Als sie durch den Wald nach Hause flogen, entdeckte Stern plötzlich eine Gruppe Waldtiere. Sie sahen kläglich drein.

„Frag sie mal, was los ist", forderte Paula Stern auf.

So lösten sie ihre erste Aufgabe und halfen den Tieren, denn die waren hungrig. Als Dank dafür luden sie die beiden zu einem Waldweihnachtsfest ein.

„Das ist aber toll", freuten sich Paula und Stern.

Die beiden besuchten die Waldtiere jeden Tag und brachten ihnen etwas Leckeres mit. Zu Paulas Mutter sagten sie: „Wir machen einen Ausritt." Und schon bald feierten sie zusammen. Paula und Stern freuten sich sehr über das Waldweihnachtsfest mit den Tieren.

Auf dem Einhornweihnachtsfest wurden Paula und Stern für die tolle Leistung geehrt und in den *Kreis der Besten* aufgenommen.

Sie wussten nicht, dass am nächsten Tag – also an Weihnachten selbst – eine Überraschung auf sie wartete. Ihre Mutter sagte nämlich: „Heute feiern wir im Stall Weihnachten. Ich habe die Geschenke im Heu versteckt!"

Paula jubelte und fiel ihrer Mutter um den Hals und dann feierten sie ein wundervolles drittes Weihnachtsfest im Stall.

Paula Gänzler, *6 Jahre, Deutschland, Gestratz/Brug.*

Der Schneemann

Er war schon immer einfach da. Im Winter tauchte er in der Nikolausnacht auf und wenn es anfing, warm zu werden, war er wieder weg. Bis jetzt hatte sich keiner so richtig über ihn gewundert – er war halt ein ganz normaler Schneemann, der einfach nur jedes Jahr an derselben Stelle stand. Niemand wusste, wer ihn baute, doch gab es verschiedene Theorien über sein Auftauchen, wie zum Beispiel, dass er ein Außerirdischer sei, der Urlaub auf der Erde mache, oder dass alles nur ein lustiger Scherz sei, der damals von einer Freundesgruppe ins Leben gerufen worden sei.

Ich denke, dass das alles Quatsch ist. Warum bitte sollte ein vermutlich hochintelligentes Wesen wie ein Außerirdischer auf einem so langweiligen Planeten wie der Erde seine Ferien genießen wollen? Maja fand das auch. Sie war meine beste Freundin. Zusammen mit ihr wollte ich der Sache auf den Grund gehen.

Wir trafen uns am Abend des 5. Dezembers. Ich hatte alles dabei, was man an Ausrüstung so benötigen konnte. Walkie-Talkies, Taschenlampe und Handy. Unseren Eltern hatten wir erzählt, wir würden bei der jeweils anderen übernachten.

Noch schien alles ruhig. „Keine verdächtige Person gesichtet, over!", quietschte Majas Stimme durch das Walkie-Talkie.

„Menno, Maja, du sollst erst dadurch reden, wenn wir getrennt sind!", fuhr ich sie an. Sie entschuldigte sich kleinlaut, dann legten wir uns auf die Lauer.

Es war dunkel, die Weihnachtsbeleuchtung an den Bäumen war längst angegangen, als sich endlich etwas regte. „Da ist wer", sagte Maja. Tatsächlich kam irgendjemand auf die allseits bekannte Stelle des Schneemanns zu. Die Person schaute sich um. Zum Glück sah sie Maja und mich nicht, wie wir dort hinter der Hecke kauerten. Dann passierte etwas Seltsames. Die Person fing an zu singen! Erst etwas zaghaft, dann immer lauter. Es war irgendein mir unbekanntes Lied in einer fremden Sprache.

Als das Lied vorbei war, fing dieser jemand mit dem Bau des Schneemanns an. Wir hätten sofort aufspringen und ihn oder sie enttarnen können, doch das taten wir nicht. Jedenfalls nicht sofort. Ich wollte erst ein Beweisfoto machen. Doch leider hatte ich vergessen, das Blitzlicht auszuschalten, und die Person schrak zurück.

„Halt, lauf nicht weg, wir wollen dich was fragen!", rief ich.

Die Person blieb wie angewurzelt stehen. Wir standen auf und liefen zu ihr. Auf einmal setzte sie sich hin. Es sah so aus, als würde die Person weinen!

„Was ist denn los?", fragte ich schuldbewusst.

Und dann erzählte sie uns unter Schluchzern, dass sie Anke hieß und in dem Haus, vor dem der Schneemann stand, wohnte. „Vor einigen Jahren hab' ich meinen kleinen Bruder verloren. Wir waren zusammen auf dem Spielplatz, ich hab' kurz nicht aufgepasst und auf einmal war er weg. Ich habe mir das nie verziehen! So einen Schneemann haben Jimmy und ich früher immer gebaut. Ich dachte, er kommt zurück, wenn er den Schneemann wiedererkennt. Heute sollte das mein letzter Versuch sein."

Wir waren sprachlos. „Oh, das tut uns leid!" Ich wechselte einen Blick mit Maja. Wir standen einfach nur da.

Plötzlich hörten wir eine Kinderstimme hinter uns: „Hallo, Anke!" Ich drehte mich um. Vor mir stand ein etwa zehn Jahre alter Junge, die Haare waren zerzaust und er lächelte schief.

Anke stand auf. Sie ging langsam auf das Kind zu. Dann flüsterte sie: „Jimmy? Du bist nach Hause gekommen!" Erst dann drückte sie ihn fest und lange. Anscheinend war für Anke alles wieder gut.

Doch in mir hatte ich Tausende Fragen. Weshalb kam er erst jetzt? Wo hatte er die ganze Zeit gewohnt? Aber ich konnte nichts sagen. Mir kam das alles ausgesprochen seltsam vor. Ich rechnete damit, gleich von einem Kamerateam überrascht zu werden, das sagte, es hätte uns veräppelt oder so.

Aber es passierte nichts. Stattdessen rief irgendwer die ganze Zeit meinen Namen und die Welt um mich herum verblasste.

„Finny, Finny! Wach auf!", hörte ich Mamas Stimme.

Ich schlug die Augen auf. Um mich herum war mein Zimmer mit meinem Schreibtisch, dem Schrank und allem anderen.

„Was ist passiert?", fragte ich verschlafen.

„Beeil dich, Finny, du kommst zu spät zur Schule. Deine Nikolausgeschenke müssen wohl bis später warten", sagte meine Mutter. Ich sprang aus dem Bett, lief ins Bad und zog mich um. Es roch nach Zimt und heißem Kakao. Am Frühstückstisch saß schon meine ganze Familie rund um den leuchtenden Adventskranz und aß Toast. Ich gesellte mich schnell dazu und als ich aufgegessen hatte, musste ich schon zur Schule.

Maja wartete bereits am Schultor. Sie sah sauer aus. „Warum bist du gestern Nacht nicht zum Treffpunkt gekommen?! Ich hab' mich da halb tot gefroren!"

„Tut mir wirklich leid! Hast du den gesehen, der den Schneemann gebaut hat?", fragte ich hoffnungsvoll.

„Nee, nach einer halben Stunde hat's mir gereicht und ich bin zurück nach Hause!", sagte Maja.

„Vielleicht ist das auch besser so", meinte ich und zusammen liefen wir ins Schulhaus – rechtzeitig, bevor der Gong ertönte.

Charlotte Hochhaus ist 13 Jahre alt und wohnt in Bochum.

Der kleine
Weihnachtswichtel Jonte

Es war einmal ein kleiner Weihnachtswichtel, der hieß Jonte. Er wohnte in einer Baumwurzel mitten im Winterwald. Draußen war es bitterkalt, als sein Wecker klingelte. Jonte hatte wie jedes Jahr den Sommerschlaf gemacht und es war höchste Zeit, aufzustehen.

„Jetzt fliege ich erst mal zum Weihnachtsmann", beschloss Jonte. Er holte den Schlitten und packte Milli warm ein. Milli war Jontes Maus, auch sie konnte sprechen. „Was denkst du, Milli, in welche Welt wird mich der Weihnachtsmann wohl diesmal schicken?", fragte der Weinachswichtel.

„Ich weiß es nicht", antwortete Milli mit piepsiger Stimme.

Nun hatten sie ihr Ziel endlich erreicht. „Los, Milli, komm, die anderen sind bestimmt schon alle da", rief Jonte aufgeregt.

Sie traten in die kleine gemütliche Hütte des Weihnachtsmanns ein. Tatsächlich waren dort schon alle versammelt und warteten nur noch auf Jonte und Milli.

„Schön, dass du da bist Jonte", rief der Weinachsmann mit seiner tiefen Stimme.

Jonte setzte sich auf einen freien Platz und hörte zu. Nachdem der Weihnachtsmann Billi ins Teddybären- und Biene ins Feenland geschickt hatte, kam er zu Jonte und brummte: „Und, Jonte, du wirst eine ganz besondere Aufgabe bekommen." Er machte eine lange Pause und sagte schließlich: „Du wirst in die Menschenwelt fliegen."

Jonte machte große Augen und fragte den Weihnachtsmann schließlich: „Wirklich?"

„Aber natürlich, du nimmst deinen Schlitten und ein paar Decken mit und dann fährst du los. Ich habe die Geschenke schon fertig und hier ist noch das Adressbuch der Kinder", rief der Weihnachtsmann ihnen noch zu.

Jonte nahm das Adressbuch in die Hand und lief mit Milli zum Schlitten. „Ist das nicht toll, dass ich in die Menschenwelt darf?", fragte Jonte.

„Am besten, wir machen uns gleich auf den Weg", entschied Milli. Jonte stimmte zu. Die beiden packten alles ein und schließlich waren sie fertig.

„So jetzt geht es los", rief Jonte voller Vorfreude und lenkte den Schlitten in Richtung Menschenwelt. Sie flogen über Berge und Täler, doch nach einer Weile brauchten die beiden eine Pause.

„Wo müssen wir eigentlich zuerst hin?", fragte Milli."

Der Weihnachtswichtel blätterte in dem Adressbuch und sagte schließlich: „Wir müssen zuerst zu Lieselotte Bauer."

„Und wo wohnt die?", fragte Milli nach.

„In der Eschenallee 24 in Adlum", gab Jonte Auskunft.

Als die zwei sich ausgeruht hatten, flogen sie weiter, bis Jonte plötzlich bremste. „Was ist denn nun schon wieder?", fragte Milli genervt.

„Wir sind da", sagte Jonte. Die beiden hopsten vom Schlitten und kletterten durch das offene Küchenfenster in das Haus von Lieselotte. „Hier entlang", befahl Jonte.

Auf leisen Sohlen schlichen sie durch das große Haus und als sie in dem Wohnzimmer ankamen, legten sie die Geschenke unter den Tannenbaum und schlichen zum Schlitten zurück.

„Puh das wäre geschafft", sagte Jonte.

Und Milli stöhnte: „Das sind aber noch ganz schön viele Geschenke."

Sie ahnten derweil noch nicht, was im Weihnachtsland vor sich ging. Der Weihnachtsmann hatte nämlich nach der Abreise der beiden alle Wichtel, die noch da waren, zusammengetrommelt. Alle waren sich einig, dass Jonte und Milli immer sehr fleißig gewesen waren, und so beschlossen die Zurückgebliebenen, ein großes Weihnachtsfest für sie vorzubereiten.

Inzwischen waren Milli und Jonte bei dem 20sten Haus angelangt und dieses war es das letzte Haus auf ihrer Route. Wieder schlüpften sie durch das offene Fenster hinein. Aber dieses Mal nicht ganz so unbemerkt wie bei den anderen Häusern. Ein Kind war noch in der Küche.

Doch Jonte sagte: „Ach, das Kind sieht uns schon nicht." Und auch Milli stimmte ihm zu. Leise schlichen sie durch das Haus. Da passierte es, Milli stolperte über einen alten Besen, der krachend umfiel. Das Mädchen in der Küche zuckte ordentlich zusammen und sah im letzten Moment noch eine Schwanzspitze, die in der Dunkelheit verschwand.

„Das ist ja gerade noch einmal gut gegangen", stöhnte Jonte, als sie sich auf den Schlitten gerettet hatten.

„Entschuldigung", sagte Milli kleinlaut.

„Ist ja nicht so schlimm", versuchte Jonte, seine kleine Freundin zu trösten.

Die beiden flogen die ganze Nacht lang und kamen erst am nächsten Tag im Weihnachtsdorf an, wo sie von den Wichteln und dem Weihnachtsmann schon sehnsüchtig erwartet worden. Alles war schön geschmückt und ein riesiges Buffet aufgebaut.

„DANKE", sagte Jonte.

„Ihr habt es euch verdient", brummte der Weihnachtsmann.

Als dann alle um den schön geschmückten Tannenbaum tanzten, fiel Jonte auf, dass genau 20 Geschenke unter diesem lagen. Er suchte den Weihnachtsmann auf und fragte ihn: „Wieso liegen Geschenke unter dem Weihnachtsbaum?"

Der dicke Mann lachte: „Ho, ho, Jonte, die Geschenke sind für dich und deine Freunde. Gleich treffen wir uns alle unter dem Tannenbaum."

Der kleine Wichtel war gerührt und lief sogleich los. Dann hielt der Weihnachtsmann noch eine kurze Rede und die Feier begann. Die Geschenke wurden in einen großen Sack gelegt und jeder Wichtel durfte sich ein Päckchen nehmen. Nun kam der Weihnachtsmann auch zu Jonte. Das Papier raschelte, als Jonte das Geschenk auspackte. Jonte hatte einen Plüschelefanten bekommen und war überglücklich.

Lotta Magdalena Hartmann: Ich bin neun Jahre alt und besuche die vierte Klasse. Das Bild stammt von meiner Freundin Lara Grimsel.

Wunschzettel

Paula wünscht sich nur ein Pferd,
Mama einen neuen Herd.

Papa möchte endlich Ruhe,
und der Theo neue Schuhe.

Oma Sigi will 'nen Liegestuhl,
Opa Bernd dazu den Pool.

Uroma Friedel möcht' ein Spiel,
Oma Klara gar nicht viel.

Tante Lu will Urlaub machen,
Onkel Martin Gartensachen.

Marlen hätt' gern ein neues Handy,
Rosanna einen Film von Wendy.

Joni braucht ein neues Gefährt,
Gabriel will, was ewig währt.

Tante Lizzy möcht' ein neues Bad,
Onkel Daniel macht es grad.

Onkel Jürgen will 'nen Kaffeebecher,
Tante Steffi einen Fächer.

Lara wünscht sich coole Hosen,
Jenny träumt von roten Rosen.

Hannah braucht 'nen neuen Striegel,
Nora will 'nen Früchteriegel.

Rosa möchte Schlittschuhlaufen,
Emilia will neue Kleidung kaufen.

Und ich wünsch mir für die Welt,
dass sie noch zusammenhält.

Emma Gänzler, 9 Jahre, Gestratz/Brugg, Deutschland.

Das geheime Rezept

Als Ida am Morgen aufwachte, hatte sie gleich gute Laune. Sie schob ihre Bettdecke zurück und stand auf. Im ganzen Haus roch es nach Pfannkuchen und Ida beeilte sich mit dem Anziehen, damit ihr kleiner Bruder Clemens nicht schon alles aufgegessen hatte, bevor sie überhaupt zum Tisch kam. Sie rannte die Treppen hinunter und öffnete die Wohnzimmertür. Ihr Vater, der gerade Ahornsirup auf den Tisch stellte, meinte lächelnd: „Einen wunderschönen guten Morgen!"

„Guten Morgen!" Ida lief in die Küche.

Ihre Mutter, die gerade einen Pfannkuchen wendete, rief ihr zu: „Guten Morgen, Liebling!"

Clemens war gerade dabei, Apfelmus zu naschen. Ida half, den Tisch zu decken, dann gab es auch schon Frühstück. Nach dem Essen würden sie zu ihren Großeltern fahren. Ida würde mit Oma Weihnachtsplätzchen backen und Clemens mit Opa und Papa auf den Spielplatz gehen. Mama wollte solang Weihnachtseinkäufe erledigen. Also fuhren sie sofort nachdem Frühstück los.

Als Mama, Papa, Clemens und Opa losgegangen waren, fragte Oma: „Na, können wir anfangen? Heute habe ich nämlich etwas Besonderes mit dir vor. Ich möchte dir das geheime Rezept zeigen."

„Was für ein geheimes Rezept?", fragte Ida verwirrt.

„Das wirst du gleich sehen", antwortete ihre Oma schmunzelnd, „warte kurz hier!" Oma verschwand im Arbeitszimmer und kam kurz darauf mit einer Schachtel aus dunklem Holz zurück. Sie war länglich und flach. Dann führte Oma sie ins Wohnzimmer und setzte sich auf das Sofa. Ida setzte sich neben sie. Lächelnd öffnete ihre Oma die Schachtel. Zum Vorschein kam eine leicht vergilbte Rolle Papier. Vorsichtig nahm Oma sie aus der Schachtel und rollte sie auf. In altmodisch geschwungener Schrift, die Ida kaum entziffern konnte, stand darauf ein Rezept. Eine ganze Weile lang starrten sie gemeinsam auf das Papier, bis Oma zu erklären begann: „Als ich ungefähr in deinem Alter war, hat mir meine Oma dieses Rezept, das auch sie von ihrer Oma bekommen hatte, gezeigt, und mir seine Geschichte erzählt. Und diese Geschichte geht so:

Vor langer, langer Zeit war eine junge Frau in Not. Sie und ihre Familie hatten fast nichts zu essen und sie waren sehr arm. Doch an Weihnachten, als alle anderen feierten und sich beschenkten und die Familie selbst nichts hatte, erschien der Frau im Traum ein Engel, der von einem Rezept sprach. Am nächsten Morgen fand sie auf dem Küchentisch ein Rezept, genauso, wie der Engel es vorhergesagt hatte. Doch sie hatte ja keine Zutaten, mit denen sie hätte backen können. Ihr Mann war Schreiner und deshalb gab es im Haus viele Holzspäne. Doch als die Familie schrecklich hungrig und verzweifelt war, verwandelten sich die Späne in viele Lebensmittel. Fortan musste die Familie nicht mehr hungern. Dank des Rezeptes und der Zutaten, die der Engel zu Weihnachten geschickt hatte."

„Das ist ... wow!" Ida war total fasziniert von dieser Geschichte. Nachdem sie sich noch eine Weile darüber unterhalten hatten, begannen sie, das geheime Rezept zu backen. Es machte beiden riesigen Spaß. Und es schmeckte wunderbar, ja, sogar magisch.

Der Tag ging schnell vorbei, genauso wie die nächste Woche. Ständig musste Ida an das Rezept denken. Ob es wirklich magische Kräfte hatte? Heiligabend rückte näher – und schließlich war es so weit. Sie fuhren wie jedes Jahr zu ihren Großeltern. Auch ihre Tante und ihr Onkel mit ihren Kindern Jana und Nico kamen. Als es Abendessen gab, wollten Clemens und Nico lieber spielen gehen.

„Kann ich das Rezept noch mal sehen?", fragte Ida ihre Oma.

Sie nickte und verschwand im Arbeitszimmer. Als sie zurückkam, war sie sehr blass. „Es ist weg!", raunte sie Ida zu.

Diese ließ vor Schreck die Gabel fallen. „Ich schaue nach", meinte sie und stand auf. Ida durchsuchte sämtliche Räume im Haus. Als sie am Wohnzimmer vorbeikam, sah sie ihren Bruder und ihren Cousin Nico, die mit ihren Plastiktraktoren und Spielzeugautos spielten. Da bemerkte sie plötzlich, wie Clemens seinen Traktor über eine knisternde Papierrolle schob. Was, wenn das das Rezept war? Ida eilte zu den beiden und hob das Papier schnell auf. Sie rollte es auseinander und sah die verschlungenen alten Buchstaben. Clemens und Nico hatten das geheime Rezept gestohlen!

„Woher hast du das?", fragte sie ihren Bruder streng.

„Das lag auf Omas Schreibtisch und es knisterte so schön", antwortete er mit unschuldiger Miene.

Ida war heilfroh, dass sie das Rezept gefunden hatte, bevor die zwei noch mehr Unsinn damit machen konnten. Schnell lief sie zurück und erzählte ihrer Oma, was passiert war. Diese war ebenfalls sehr erleichtert. Dann gab es endlich die Geschenke! Es war ein wunderbarer Heiligabend und von nun an schloss Oma ihre Schreibtischschublade mit dem Rezept darin immer ab, es sollte schließlich noch lange erhalten bleiben!

Lucimar Zink: Ich bin eine zwölfjährige Schülerin eines Ulmer Gymnasiums. Ich habe schon immer gern gelesen und geschrieben.

Maik und Lana

Maik nascht den Teig, den Teig der Plätzchen

und unterem Tannenbaum liegt ein Kätzchen.

Doch die Kugel wackelt,

während der Hund an die Tür dackelt.

Jetzt kommt die Familie

und es gibt Schweinebraten mit Petersilie.

Puppen, Auto, Eisenbahn,

für Lana noch ein Kuschelschwan.

Emilia Schlorf ist 10 Jahre alt und wohnt in Sachsen-Anhalt.

Zauber der Weihnacht

„Das rote oder das grüne, Catherine?" So ging es schon den ganzen Nachmittag. „Das bauschige oder doch lieber das glatte? Kariert oder gepunktet, was meinst du Catherine? Passt auch der goldene Anhänger dazu, Catherine? Und die silbernen Ohrringe? Catherine?" Ihre Mutter drehte sich weiter unabhängig vor dem pompösen Spiegel umher und hielt abwechselnd das rot karierte und das grün gepunktete Kleid vor den Oberkörper. Ihrer besorgten Miene nach zu urteilen, war es eine durchaus wichtige Entscheidung, die sie da (mit dem mehr oder weniger hilfreichen Blick ihrer Tochter) treffen musste. Catherine saß da, den Kopf auf die Hände gestützt, und sah sie mit glasigen Augen an. Nie hätte sie gedacht, dass es so lange dauern würde ihre: „Weihnachtsgarderobe ein bisschen aufzufrischen", wie ihre Mutter es augenzwinkernd genannt hatte. Dabei besaßen sie doch schon viele Kleider. Der Schrank quoll über mit seidenen und samten Stoffen.

Die Frau drehte sich weiter unentschlossen hin und her. „Nun, was meinst du?"

Sie meinte, dass ihre Familie genug Kleidung habe. Und genug Geld. „Das rote finde ich hübscher, es ist nicht so altmodisch."

Ein misstrauischer Blick war die Antwort. „Bist du dir sicher?"

„Aber ja doch, Mama."

Als doch noch ein schwarz gestreiftes Kleid in die engere Auswahl kam, konnte sie nicht anders, als die Augen zu verdrehen – und sah dabei das Mädchen, welches am Haus gegenüber kauerte. Der weiße Schnee, der sanft trudelnd auf die Straße wehte, hatte sie fast vollkommen eingeschneit. Nur eine lumpige Decke schützte ihren dünnen, ausgehungerten Leib.

„Bettlerpack", zischte ihr Vater immer.

„Erbärmliche Aasesser", ihre Mutter.

Wind kam auf. Das Mädchen zog fröstelnd seine Decke enger um sich. Vor dem Mädchen lag ein ausgebeulter Blechtopf – er war leer. Cat senkte den Blick auf ihre eigenen Klamotten. Dick. Modern. Hübsch. Ihre Augen wanderten tiefer auf die Tasche mit den gekauften Kleidchen. Es war ein grässliches Ding gewesen – rosa und rüschig – aber ihre Mutter hatte gestrahlt wie ein Stern auf der Spitze eines Weihnachtsbaumes.

„Catherine? Was meinst du? Schwarz oder doch lieber rot?"

Das Mädchen drehte sich langsam um, der luxuriöse Fellmantel bauschte sich dabei imposant auf. „Ich warte draußen, ja, Mama?"

Flink wie der Fuchs, der für den Fellkragen sein Leben lassen musste (ein Geschenk ihres Vaters) lief sie zum Eingang und schlüpfte hindurch. Menschen waren unterwegs, morgen war Heiligabend und jeder wollte noch etwas auf die Schnelle besorgen. Dem Bettlermädchen wurden allerhöchstens ein paar abschätzige Blicke geschenkt. Catherine trat langsam auf das Mädchen zu, erst zögerlich, dann zuversichtlicher. Eine einsame Schneeflocke landete auf ihrer Nasenspitze.

Das Bettlermädchen hob erst den Kopf, als ein Schatten auf sie fiel. Ihre kugelrunden Augen sahen Cathrine ängstlich an. Aber noch etwas anderes lag in ihnen – Erstaunen. Langsam ließ es seinen Blick über den prunkvollen Mantel und die Tasche mit dem Siegel des teuren Ladens wandern.

„Hier", durchbrach Cat schließlich die Ruhe und hielt ihr die Tüte hin. „Rüschen sind nicht so mein Fall, weißt du. Aber ich glaube, dir würden sie ganz ausgezeichnet stehen. Und den", sie zog ihren Mantel aus, unter dem ein unscheinbares Kleid zum Vorschein kam, „kannst du ebenfalls haben. Pass aber gut auf ihn auf, ja? Ein Tier ist deswegen gestorben."

Das Bettlerkind nickte betroffen, die Augen vor Staunen weit aufgerissen. Sicher hatte es noch nie so etwas Feines in der Hand halten dürfen, sie fuhr andächtig über den zarten Stoff.

„Ich heiße Catherine. Catherine Sassine. Und du?"

„Tinca."

„So, Tinca, hast du morgen Lust, bei mir zu spielen? Da gäbe es noch ein paar Kleider, die mir zu rüschig sind ..."

Eva Maria Busche wurde 2005 in Hannover geboren. Nun lebt sie mit Familie, Katze und einem Haufen Bücher in einem kleinen, beschaulichen Bilderbuch-Dörfchen.

Modernes Weihnachten

„Hey, Hildegard, wo bleibt meine Pizza?" Man hörte den Weihnachtsmann schon aus dem Aufenthaltsraum schreien. Seine Frau Hildegard kam mit verdrehten Augen in das Zimmer und gab ihm sein Abendessen. Kaum erhielt der Weihnachtsmann sein Essen, schon rief er: „Hildegard! Diese Pizza hat zu viel Käse! Die kann ich doch nicht essen. Morgen, wenn ich den Kindern ihre Handygutscheine schenke, kann ich doch nicht voll mit Käse sein!"

„Mensch, du hast sowieso einen Bierbauch, ob ein Kilo mehr oder weniger", stellte die Weihnachtsfrau klar.

Der Weihnachtsmann stand mit viel Mühe auf und streckte sich. Dabei sagte er: „Ohh, Hildegard, du hast ja recht. Ich bräuchte wirklich mal einen Personal Trainer. Damit ich mein magisches Weihnachtsauto beim Geschenkeausteilen nicht verwüste. Der Rudolf kann das Ding nicht ein Weihnachten fahren, ohne einen Unfall zu bauen. Dann bekommen die Kinder die Geschenke nicht und sind traurig, woraufhin niemand mehr an mich glaubt und dann feuert uns der Boss!"

Traurig und wütend auf sich ging er in den Keller, wo seine Zwerge gerade mit den letzten paar Geschenken fertig waren. Es hatte sich nur ein Kind einen Teddybären gewünscht ... sonst gab es nur Geschenkcodes für das Handy in den Paketen. Der Weihnachtsmann packte sein Handy aus und ging auf eine Webseite, auf der man alles finden konnte, was man brauchte: Schuhe, Hosen, Konsolen, Butler – und eben auch Personal Trainer. Der bärtige Mann setzte sich auf seinen Gaming-Stuhl und tippte eine E-Mail. Kaum hatte er auf den blauen *Senden*-Knopf geklickt, schon flitzte ein sehr schlanker, langer und gutbekleideter Mann in die Wohnung des Weihnachtsmanns.

„Monsieur Weihnachtsmann, wie kann ich Ihnen behilflich sein?" Der Trainer war Franzose und hatte einen sehr dünnen aber langen Schnurrbart.

„Sie sind?", fragte der Weihnachtsmann.

„Mein Name ist Brutus Kevinus Maronis Gurtelus Mayus Longname. Sie dürfen mich aber auch John nennen", antwortete der Trainer. „Also", sagte John weiter, „wie ich annehmen, kann brauchen Sie ein kleines Fitnesstraining, um fit zu werden für morgen, den 25.12."

„Warten Sie!" Der Weihnachtsmann war überrascht, dass John so viel wusste. „Woher ..."

„Keine Fragen! Wir fangen an mit der Brücke! Machen Sie mir einfach nach!" Nachdem John eine Brücke vorgemacht hatte, war der Weihnachtsmann an der Reihe. Hildegard musste sich die Augen zuhalten, denn ihr Mann würde sicherlich zusammenbrechen und sich die Wirbelsäule brechen. Doch der Weihnachtsmann war ziemlich gut im Yoga. Ohne sich zu bemühen, machte er die Brücke. Wegen des Weihnachtswunders, welches von Gandalf, dem besten Kollegen des Weihnachtsmanns, letztes Jahr in die Luft gesetzt worden war, verlor er gleich dreißig Kilogramm an Speck. Mit weiteren Übungen verlor der ursprünglich einunddreißig Tonnen wiegende Mann immer mehr an Gewicht.

Kurz vor Mitternacht wog er knapp hundert Kilo und war bereit, die Geschenke in seine Säcke von Lidl zu packen und Rudolf, seinen Chauffeur, um eine Fahrt durch die Welt zu bitten. Rudolf war aber sehr müde und hatte gar keine Lust, das Fußballspiel zu verpassen. Sein Popcorn lag schon in der Mikrowelle, doch der Weihnachtsmann schaffte es, ihn mit Geld zu überzeugen. Rudolf setzte seine Sonnenbrille auf und holte nur noch schnell seinen Führerschein, bevor er ins Auto stieg.

Hildegard und die Zwerge winkten den beiden nach und John fluchte: „Monsieur, wo sind meine sechsunddreißigtausend Dollar und sieben Cent? Frechheit, da helfe ich dem fetten Typen, schlank zu werden, und er bezahlt mich nicht!"

Um 23:56 Ortszeit kam er nach Reykjavík, der Hauptstadt Islands. Die isländischen Kinder spielten gerade noch auf der Konsole und freuten sich, als sie einen Schatten und ein verpacktes Handygutscheinchen auf dem Fensterbrett sahen. Doch der Weihnachtsmann hatte riesiges Unglück: Rudolf trank komischerweise ein Bier am Steuer und fuhr Schlangenlinien. Das bemerkte die Polizei und nahm ihn fest.

„Aber, Officer Islandtyp, ich hab doch nur ganz wenig getrunken hat …" Rudolf konnte kaum sprechen, als er plötzlich über einen Stein stolperte und die Polizisten damit zu Boden brachte.

Der Weihnachtsmann rief: „Schnell, Rudolf! Ins Auto!" Das Rentier kratzte seine rote Nase und rannte ins Weihnachtsauto. Er trat richtig fest aufs Gaspedal und flitzte in die Luft. Unglücklicherweise stand ein Kirchturm im Weg und das fliegende Auto zerbrach. Unverletzt blieben der Weihnachtsmann und sein Rentier, verhaftet wurden sie trotzdem …

Im Gefängnis war es kalt, sogar für den Weihnachtsmann. Rudolf war durch seinen Rausch nicht mehr bei sich und schlief ein, bevor er überhaupt in seine Zelle kam. Er hatte aber glücklicherweise einen Mikrochip in seiner Hosentasche, der so klein war, dass die Polizisten ihn gar nicht sahen. Bei Zerstörung wurde bei der Weihnachtsfrau ein Signal gesendet. Gewöhnlich wurde dieser Alarm nie ausgelöst. Doch diesmal warf der Weihnachtsmann den Chip auf den Boden und trat auf ihn drauf.

Hildegard wollte gerade eine Pizza für sich und die Zwerge bestellen, als sie den Alarm hörte. Sie rannte schnellstmöglich ins Wohnzimmer und schaute auf den Computer. Obwohl der Bildschirm knappe 30 Zoll groß war, brauchte sie ihre Lesebrille. Als sie den Standort ihres Mannes kannte, rannte sie in die Tiefgarage und holte das Ersatzauto.

Rudolf der II. saß auf der Couch seines Vaters und schaute sich das Fußballspiel an, als Hildegard in den Stall stürmte und ihn packte. „Fahr!", schrie sie.

Das junge Rentier drückte aufs Gaspedal, vergaß aber, den Gang zu schalten. Weil das Auto sehr alt war, platzte der Motor. Hildegard hat keine andere Wahl … sie musste mit dem … altmodischen Schlitten fliegen. Dafür holte sie alle Rentiere aus dem Stall, die den roten Schlitten anzogen.

Kaum war eine Minute vergangen, schon erreichte sie Reykjavík. Das Polizeirevier war nicht weit entfernt. Sie sprang vom Schlitten und rannte in das Revier. Außer Atem hüpfte sie über den Schalter und holte sich die Schlüssel. Sie warf einen Schuh aufs Gesicht des Polizisten und öffnete die Gefängnistür des Weihnachtsmanns und von Rudolf, der mittlerweile weniger betrunken war.

„WEIHNACHTSMANN! Was hast du gemacht? Wie bist du im Gefängnis gelandet?", schrie Hildegard ihn an, als sie um die Welt mit dem Schlitten flogen, um Geschenke zu verteilen.

Rudolf wurde ganz rot.

„Lange Geschichte", meinte der Weihnachtsmann nur.

Trotz der vielen Umstände schafften es der Weihnachtsmann, Hildegard und Rudolf, allen Kindern ihre Geschenke zu bringen und entschieden sich nun, normales Weihnachten zu feiern. Dieser moderne Kram war wohl zu viel. Also:

KEINE HANDYCODES ZU WEIHNACHTEN WÜNSCHEN!!!

Aleksandar Stojcevic, *13 Jahre aus Hohenems in Österreich.*

Mila, die
kleine Schneeflocke

„Hallo, mein Name ist Mila. Ich bin eine wunderschöne Schneeflocke. Bald an Weihnachten darf ich hinunter. Ich freue mich schon sehr darauf, auf die Erde zu segeln. Für mich ist Weihnachten das schönste Menschenfest. Soweit ich das verstanden habe, geht es darum, ganz viele Geschenke zu bekommen", sagte die kleine Schneeflocke zu ihren neuen Schneeflocken-Freunden.

Sie spielten den Rest des Tages in den Wolken Verstecken. Danach war Mila sehr müde, doch sie konnte nicht schlafen, denn sie war so aufgeregt wegen des morgigen Festtags. Wie sie zuvor erfahren hatte, sollte sie mit ihren Freunden zusammen als Schnee auf die Erde fallen.

Als schließlich das Sonnenlicht durch die Wolken brach, war Mila schon lange auf. Seit Stunden polierte sie ihre Zacken, damit sie schön glitzerten. „So, gleich ist es so weit, nur keine Aufregung", dachte sie bevor sie sich mit den anderen Schneeflocken versammelte. Dann ging es los. Alle fielen sacht vom Himmel herab. Freudig tanzten sie in der Luft. Für Mila war es eine große Ehre, an diesem besonderen Tag endlich auf die Erde zu tänzeln. Sie landete, zusammen mit ihren Freunden und unzähligen anderen Schneeflocken, in einem kleinen Garten. Dort baute ein Junge gerade einen Schneemann. Er schien viel Spaß zu haben.

„Hallo", rief die kleine Schneeflocke.

„Wer hat das gesagt?", fragt der Junge.

„Ich! Ich bin hier, hier unten."

Der kleine Junge bückte sich und hob Mila behutsam auf. „Du kannst ja sprechen", meinte er und sah den kleinen Eiskristall erstaunt an.

„Ich bin Mila und wer bist du?", wollte sie wissen.

„Ich bin Tim."

„Warum bist du nicht drinnen und spielst mit deinen Geschenken?", wollte Mila wissen.

„Die gibt es erst heute Abend", erwiderte Tim.

„Aber Weihnachten ist doch das Fest der Geschenke, so sagen es alle Schneeflocken bei uns oben in den Wolken?"

„Ich glaube, da verstehst du etwas falsch, der Sinn von Weihnachten ist ein ganz anderer!"

„Kannst du mir vielleicht erklären, worum es sonst dabei geht?", fragte die Schneeflocke.

„Na klar! An Weihnachten geht es nicht darum, Geschenke zu bekommen, sondern darum, welche an Leute zu verschenken, die man gernhat. Es geht darum, Freude zu schenken, und um die Liebe. Kurz vor Weihnachten schmücken alle Menschen ihr Zuhause, viele stellen sich auch Christbäume ins Wohnzimmer ..."

Da unterbrach Mila den Jungen aufgeregt: „Was ist ein Christbaum?"

„Das ist ein Tannenbaum, den man mit bunten Kugeln und leuchtenden Kerzen schmückt", erklärte Tim. Dann zeigte er auf ein Fenster. „Das ist unser Baum."

Die Schneeflocke war ganz aus dem Häuschen: „Wow, ist der aber schön, schade, dass wir Schneeflocken nicht auch Weihnachten feiern."

„Tim, komm rein, es gibt Mittagessen!", rief plötzlich eine Frauenstimme.

„Oh, das ist meine Mutter. Ich muss gehen", sagte Tim mit trauriger Miene.

„Tschüss, Tim!", rief Mila ihm nach.

„Bis später!", erwiderte er, dann verschwand er im Haus.

Den restlichen Tag verbrachte Mila damit, den anderen Schneeflocken, die auch hier gelandet waren, von der wahren Bedeutung des Weihnachtsfestes und den Christbäumen zu berichten. Alle waren, wie die kleine Schneeflocke, total begeistert von den Christbäumen. Auch Milas Freunde gehörten dazu.

Als schon langsam die Sonne unterging, kam Tim wieder in den Garten zurück. Er hat ein breites Grinsen im Gesicht und er versteckte etwas hinter seinem Rücken. Voller Stolz sagte er: „Das ist für dich, Mila." Dann holte der Junge seine Hand hinter dem Rücken hervor. Er hielt einen kleinen Zweig fest und steckte ihn schließlich in den Schnee. „Das ist dein eigener Christbaum", sagte Tim.

Mila freute sich riesig.

Nach einer Weile sagte sie: „Ich teile mein kleines Bäumchen mit allen Schneeflocken, denn es macht doch viel mehr Freude, etwas zu verschenken, als etwas zu bekommen. Kommt alle her! Zusammen schmücken wir den Christbaum!"

Jeder steckte eine kleine Kugel aus Schnee an den Ast. So sah er wunderschön aus. Noch den ganzen Abend tanzten die Schneeflocken lachend um ihren Baum.

Und wenn sie nicht gestorben sind, dann tanzen sie noch heute!

Nathalie Ast: Ich wohne in Türkheim, bin 12 Jahre alt und gehe natürlich noch zur Schule. Meine Hobbys sind Turnen und Klettern. Schon seit ich 4 Jahre alt bin, denke ich mir Geschichten aus.

Ein Weihnachten für alle?

Leise fallen die Flocken zu Boden. Im Wald ist es fast still. Nur manchmal gibt ein Ast unter der Last nach und bricht mit einem knackenden Geräusch entzwei. Um den dicken Stamm einer Eiche türmt sich der Schnee. Und wer ganz genau hinsieht, entdeckt ein kleines Loch darin. Der Tunnel ist kalt und dunkel, doch mit jedem Schritt wird es ein wenig behaglicher. Plötzlich endet der enge Durchgang.

Inmitten der eingefrorenen Landschaft hat Mirabell, die Maus, einen gemütlichen Bau gegraben. Die Wände sind sorgsam mit Laub und Gras ausgekleidet, sodass es angenehm warm ist. Mirabell hat ihre Vorräte ausgebreitet und wuselt eifrig umher. Heute will sie die schönsten Leckereien genießen, denn vor langer Zeit hat der weise Uhu den Bewohnern des Waldes erklärt, was Weihnachten ist. Mirabell fasziniert der Gedanke, einem kleinen Jungen zu Ehren ein Fest zu veranstalten. Sie kann es kaum erwarten, später ihr köstliches Mahl zu verzehren.

Doch sie wird sich noch gedulden müssen, denn auf einmal dringen von draußen gedämpfte Stimmen an ihre spitzen Öhrchen. Schnell huscht sie durch den Tunnel und purzelt mitten in ihre Freunde. Alle Mäuse aus den umliegenden Höhlen haben sich versammelt und toben fröhlich durch den frischen Schnee. Sie kugeln durch die weiße Pracht und balgen sich übermütig. So bemerken sie kaum die einbrechende Dämmerung. Als das Licht der langsam sinkenden Sonne die schneebedeckten Bäume funkeln lässt, verabschieden sich die Mäuse voneinander.

„Hey, Karlchen", ruft Mirabell ihrem besten Freund und seiner Familie zu, „wollt ihr nicht heute Abend bei mir bleiben?"

Die Mäusefamilie ist begeistert von dieser Idee und einer nach dem anderen verschwinden sie in Mirabells Bau. Als diese schlussendlich in ihre Höhle krabbelt, werden ihre Augen groß.

„Was ist denn hier passiert?", ruft sie entrüstet. „Hier hat jemand meine Vorräte geklaut!" Tatsächlich fehlen einige besondere Köstlichkeiten. „Na warte!" Mirabell flitzt eilig wieder nach draußen. Zögernd folgen ihr Karlchen, seine Frau Fibby und die Kinder.

Außerhalb der Höhle wird es immer dunkler. Die Kälte bringt die Mäuse zum Schlottern und plötzlich wirkt der Wald viel bedrohlicher. Aber Mirabell ist fest entschlossen, ihre Leckereien zurückzuerobern. Ihre feine Nase weist ihr den Weg zu einem eingeschneiten Laubhaufen. Als es im Inneren raschelt, schrecken die Mäusekinder ängstlich zurück. Mirabell umrundet den Laubhaufen mehrmals und wühlt sich dann in ihn hinein. Gebannt warten ihre Freunde.

Nach kurzer Zeit werden die Geräusche lauter und lauter. Ruckartig taucht Mirabell auf und zerrt dabei etwas hinter sich her. Zuerst ist nur eine schwarze Nase zu sehen, als Nächstes zwei schimmernde Knopfaugen und zum Schluss ein stacheliger Körper.

„Wie kannst du es wagen, meine Vorräte zu klauen?", schimpft Mirabell. „Du weißt ja gar nicht, wie viel Arbeit es war, sie zu sammeln. Du hast einfach die besten Bissen mitgenommen. Ein Schuft bist du, ein mieser Schuft."

„Aber … aber meine Kinder und ich hatten solchen Hunger", stammelt der Igel. Er zittert und in seinen Stacheln hängen die Naschereien, die er in Mirabells Höhle gefunden hat.

Nun pflückt die Maus sie nach und nach aus seinem Stachelkleid und murrt dabei weiter vor sich hin. „Hunger, wir haben auch Hunger", brummt sie ärgerlich. „Lass demnächst die Pfoten von meinen Reserven, hast du verstanden?", ruft sie dem Dieb hinterher, während sie beladen mit Nüssen und Samen davon wankt.

Karlchen und Fibby stapfen hinter ihr her, doch die Mäusekinder schauen dem bibbernden Igel dabei zu, wie er niedergeschlagen in seinem Laubhaufen verschwindet.

In Mirabells Unterschlupf angekommen, trippelt ein Mäusekind zu ihr. „Warum teilst du dein Essen nicht mit dem Igel?", fragt es.

„Weil wir es brauchen", antwortet Mirabell, „ihr wollt doch auch etwas Leckeres zu essen haben." Dann fängt sie an, die Nahrung vorzubereiten.

„Aber, Mirabell", meldet sich ein anderes Mäusekind zu Wort, „der Igel hat auch eine Familie. Sie wollen auch etwas essen. Mirabell, warum machst du einen Unterschied zwischen ihnen und uns?"

Die Maus dreht sich langsam um. Ihr Ärger ist verflogen und nun sieht ihr Gesicht nachdenklich aus. „Ja. Warum eigentlich?", murmelt sie. Ihr Blick fällt auf die üppigen Vorräte. Es stimmt, sie hat viel Zeit damit verbracht, sie zu suchen. Aber nun stapeln sich überall Beeren, Gräser, Blätter, Kerne und viel mehr. Die Mäusekinder beobachten sie gespannt. Schlagartig fährt Mirabell herum und sieht die Kleinen an.

„Ihr habt recht", sagt sie. Dann springt sie los und verschwindet im Durchgang, der nach draußen führt. Die Kinder eilen ihr hinterher und kommen atemlos im Schnee zu stehen. Dort hat Mirabell ihre Pfoten an die Schnauze gehoben und ruft aus voller Kraft in den Wald hinein: „Igel, lieber Igel, verzeih' mir. Ich war unbeherrscht und geizig, aber ich will aus meinem Fehler lernen. Du und deine Familie, ihr seid meine Gäste. Kommt, bitte kommt!"

Als ihr Schrei verhallt, wird es still und schwarz im Winterwald. Doch dann durchbricht das Rascheln kleiner Pfoten die ruhige Nacht.

Selma Nikutta: Ich bin 15 Jahre alt und gehe in die neunte Klasse der St.-Angela Schule in Königstein. In meiner Freizeit lese ich gern, verfasse eigene Texte, spiele Theater oder unternehme etwas mit meinen Haustieren.

Du kleiner Schlingel

Die frisch gebackenen Weihnachtsplätzchen werden einfach immer weniger oder liegen angeknabbert in der Plätzchendose, ohne dass jemand der Familie Glück davon nascht. Doch etwas fiel ihnen in der letzten Zeit auf. Sehr klein muss er sein, der Plätzchendieb, denn die Tür zur Speisekammer, in der die Leckereien stehen, ist abgesperrt. Der Raum ist eigentlich nur durch das Schlüsselloch betretbar.

Die Geschwister Marla und Lennox versuchen, rund um die Uhr die Speisekammer zu beobachten. Aber ihnen fällt nichts Außergewöhnliches auf. Doch häufig steht die Hündin Leila bellend vor der Tür. Hat sie den Dieb gesehen?

Marla denkt jedes Mal aufs Neue: „Wie schön wäre es, wenn Leila sprechen würde wie wir, dann könnte sie uns erzählen, warum sie immer vor der Kammer bellt. Aber es ist von Vorteil, dass sie nicht sprechen kann, denn man kann ihr etwas Geheimes anvertrauen und sie kann es niemandem weitersagen."

Die ganze Familie ist ratlos, nur der Hund scheint etwas zu wissen. Doch was ist denn jetzt los, Leila bellt mitten in der Nacht laut. Wo ist sie? Sie steht laut kläffend vor der Tür der Speisekammer. Marla sieht, als sie müde angetaumelt kommt, etwas ganz Kleines. Dieses kleine Etwas versucht, durch das Schlüsselloch zu klettern. Vergeblich. Das Mädchen nimmt es an seinen winzigen Füßchen und zieht es vom Schlüsselloch weg. Vorsichtig hält sie es in der Hand. Eine kleine, kugelrunde Fee mit strahlend blauen Augen schaut sie entsetzt an. Marla lässt sie vor Schreck fast fallen.

Als die Eltern und Lennox verschlafen eintreffen, sind die ersten Worte des Vaters: „Na, was haben wir denn hier für einen kugelrunden Plätzchendieb?"

Ängstlich murmelt die kleine Fee: „Ich heiße Pralinchen und konnte einfach nicht anders. Diese Plätzchen, fabelhaft! Solche guten Leckereien habe ich in meinem Leben als Fee noch nie genascht, großes Kompliment. Es tut mir leid, dass ich euch diese köstlichen Plätzchen weggegessen habe. Ich bin immer aus meinem Zuhause, das in eurem Küchenschrank ist, herausgekommen, während ihr zu Mittag gegessen oder geschlafen habt. Dann habe mich an die Plätzchen rangemacht. Bis heute. Jetzt bin ich leider viel zu dick, um durch das Schlüsselloch zu klettern."

Nach einer Weile kommt Marla auf eine Idee: „Wie wäre es, wenn Pralinchen bei uns bleibt, ohne heimlich herumschleichen zu müssen, das wäre doch wunderbar. Wir könnten gemeinsam mit ihr Weihnachten feiern und sie in unsere Familie aufnehmen. Bitte!"

Die Eltern finden die Idee nicht schlecht und meinen: „Natürlich darf Pralinchen bleiben, wenn sie es auch möchte. Bei so einer lieben Fee kann man nicht einfach Nein sagen."

Ein Alltag mit einer Fee, verrückt. „Pralinchen, wenn du möchtest, darfst du dir auch einen neuen Schlafplatz suchen, der gemütlich ist." Die kleine Fee dreht fast einen Looping vor Freude.

Am Weihnachtsmorgen verbietet Pralinchen der ganzen Familie, die Küche zu betreten, mit dem Hinweis, sie habe etwas Wichtiges zu erledigen.

An Heiligabend lüftet sie das Geheimnis. Sie schenkt der ganzen Familie vier Dosen voll leckerer Plätzchen als Entschuldigung. Dazu sagt sie laut lachend: „Wenn ihr mir kein Plätzchen abgebt, dann hole ich sie mir selbst. Dann könnt ihr euch schon denken, wie das ausgeht."

Franziska Leitl wurde 2007 in Landsberg am Lech geboren. Schreiben ist ihre Leidenschaft. Ihre Kurzgeschichten und Gedichte wurden schon in drei Anthologien vom Papierfresserchens MTM-Verlag veröffentlicht. Sie interessiert sich auch sehr für Malerei und hat für ein Kinderbuch eine Seite illustriert.

Geheime Mission

Ich bin der Weihnachtsmann,
das ist alles, was ich sagen kann.

Ich bin unterwegs in geheimer Mission,
Geschenke verteilen, ihr denkt es euch schon.

Ich tu es, weil ich's am besten kann,
besser, als überhaupt jeder Mann.

Frauen sind oft besser oder gleich gut wie wir,
in allen Bereichen, jedoch nicht hier.

So bin ich es, der den Schlitten leitet,
und an Weihnachten über den Nachthimmel reitet.

Die Kinder freuen sich jedes Jahr wieder
und singen begeistert fröhliche Lieder.

Ich kann es nicht lassen und lausche geschwind,
jedem einzelnen glücklichen Kind.

Doch irgendwann ruft dann die Pflicht,
und ich wende mich ab von dem schönen Gedicht.

Ich verteile die Päckchen und mit letztem Blick,
lass ich die schöne Stimmung zurück.

Und wenn die Kinder sehen, was ich ihnen gebracht,
spielen sie selig bis in späte Nacht.

Mich reizt es immer wieder, die Kinder zu erfreuen
und ich werde auch niemals meine Berufswahl bereuen.

So hab ich euch doch schon alles gesagt,
aber nichts verraten, falls euch jemand fragt.

Denn, ach so, ihr wisst es ja schon,
ich bin unterwegs in geheimer Mission.

Anne Willmer, *13 Jahre, aus Pinneberg in Deutschland.*

Die Weihnachtsmaus

Es gibt eine kleine Maus, die liebte Weihnachten. Sie ist die Weihnachtsmaus. Die kleine Maus verteilt an Weihnachten die Geschenke. Der Weihnachtsmann bringt die Geschenke zu den Menschen. Die kleine Maus bringt die Geschenke kleinen Füchsen, Waschbären, Vögeln und sogar Ameisen. Das ist eine Menge Arbeit, schon bei einem Ameisenhaufen leben so viele Tiere.

Daher bekommt sie Hilfe von ihren Freunden: von Emma, der Füchsin, Tim, dem Specht, Holunde, dem Marienkäfer, und dem tollpatschigen Biber Tiber. Doch dieses Jahr ist alles anders.

„Holunde, kann ich noch einen Tee?", fragt die kleine Maus.

Holunde antwortete „Ja, heute ist Heiligabend und du liegst krank im Bett. Ohne dich können wir doch keine Geschenke verteilen. Die Weihnachtsmagie fehlt ja dann."

Tiber, der sich gerade ein Plätzchen in den Mund schiebt, meint: „Wor mossen doch Goschonke austeilen."

„Nächstes Mal vielleicht nicht mit vollem Mund reden, dann versteht man dich auch besser", maulte Emma.

„Wir werden heute Weihnachtsgeschenke verteilen, aber da ich keine Weihnachtsmagie benutzen kann, braucht ihr Hilfe beim Verteilen", erklärt die kleine Maus.

Tiber rennt sofort los, eine halbe Stunde später kommt er mit ganz vielen Tieren zurück. Zwei Rehe, fünf Mäuse, drei Vögel, ein Dachs und zehn Ameisen sind bereit, ihnen zu helfen. Alle bekommen ganz viele Geschenke und sofort beginnen sie, alle Geschenke zu verteilen. Jeder Vogel, jedes Reh, jeder Käfer, jede Spinne und sogar jede Ameise bekommt ihr Geschenk dieses Weihnachten. Vielleicht nicht von der Weihnachtsmaus, aber trotzdem freuen sich alle.

Isabel Schmalz: Ich bin 14 Jahre alt und schreibe Geschichten, wenn ich mal aus der Realität raus muss.

Wünsch dich ins Wunder-Weihnachtsland

Erzählungen, Märchen und Gedichte zur Advents- und Weihnachtszeit

Band 1 bis 13 + zwei Sonderbände

Wünsch dich ins Wunder-Weihnachtsland

Schreibt mit an der größten Weihnachtsgeschichtensammlung aller Zeiten:

Seit zwölf Jahren sammeln wir mit unseren Wunder-Weihnachts-land-Büchern Geschichten, Märchen, Erzählungen, Haikus, Gedich-te ... rund um die schönsten Tage des Jahres – die Advents- und Weihnachtszeit. Hunderte von Texten haben uns in den Jahren er-reicht – lustige und besinnliche, heitere und nachdenkliche.

Wenn wir alle Geschichten zusammenfassen, haben wir sicherlich eine der größten Weihnachtsgeschichtensammlungen aller Zeiten für kleine und große Leser zusammengetragen. Und wir schreiben weiter am Wunder-Weihnachtsland – 365 Tage im Jahr.

Einmal im Jahr – immer Anfang November – geben wir ein neues, gedrucktes Buch „Wünsch dich ins Wunder-Weihnachtsland" her-aus. Und für alle Kinder und Jugendlichen, die sich an dem Projekt beteiligen, gibt es die Buchausgabe „Wünsch dich ins kleine Wun-der-Weihnachtsland". Alle Bücher gibt es mit der Veröffentlichung auch als E-Book und die einzelnen Geschichten veröffentlichen wir in unserer digitalen Wunder-Weihnachtsland-Weihnachtsgeschich-tensammlung.

Weitere Infos unter:

www.wuensch-dich-ins-wunder-weihnachtsland.de